100세 시대를 위한 건강지침서

내 몸을 살리는 보완·대체 요법

정옥민 박사 지음

군자출판사

내 몸을 살리는 보완·대체요법

첫째판 1쇄 인쇄 2021년 07월 05일
첫째판 1쇄 발행 2021년 07월 15일

지 은 이 정옥민
발 행 인 장주연
출 판 기 획 한인수
책 임 편 집 임유리
편집디자인 양란희
표지디자인 양란희
발 행 처 군자출판사(주)
등록 제4-139호(1991. 6. 24)
(10881) 파주출판단지 경기도 파주시 회동길 338(서패동 474-1)
전화 (031) 943-1888 팩스 (031) 943-0209
www.koonja.co.kr

ISBN 979-11-5955-727-9
정가 25,000원

내 몸을 살리는

보완·대체요법

저자 약력

대체의학과 보건학 박사
舒允 **정옥민**(鄭玉珉)

◎ 약력

- (현) 인예지 자연치유 요양원 2006 설립~현재 운영 중
- 광주광역시 서구 이정일 구청장 표창장
- 광주광역시 서구 김종식 구청장 표창장
- 국회의원 양승조 표창장
- 남부대학교 대체의학과 박사학위 공로상 수상
- 전라남도 김영록 도지사 표창장
- 한국 노인장기 요양협회 표창장
- 성화대학교 겸임교수 역임
- 호남간호학원 요양보호사 강사 역임
- 한국예술심리치료학회 이사
- 한국행정복지학회 정회원
- 한국디지털정책학회 정회원
- KSIO 대한통합암학회 회원
- 한국 수맥 교육 연구 협회 정회원
- 한국 수맥 교육 협회 강사
- (전) 광주보건대학교 외래교수
- (전) 한국노인장기요양협회 전남지부장
- (현) 한국노인장기요양협회 이사

◎ 연구 논문

- 한국사회복지협의회의 발전 방향 연구
- 간호사와 요양보호사의 대체요법 이용 의사에 영향을 미치는 요인
- 보건의료 종사자와 일반인의 보완 · 대체요법 인식 차이에 관한 비교연구

E-MAIL okmin-love@hanmail.net

저자는 2006년 전남 장성군 남면 고향에서 요양원을 설립하여 15년 동안 운영하면서 사회복지학부 석 · 박사 과정을 마치고, 이후 다시 한 번 도전하고 싶은 공부가 대체의학이었다. 전혀 다른 의학을 전공하느라 밤마다 공부에 몰입하면서 열정을 불태웠고, 학기 중에 암 수술을 한 후 가슴에 붕대를 감고 무통 주사를 단 채 강의에 들어가면서, 토익시험, 종합시험, KCI 학회지 소논문을 통과하여 〈논문 유사도 검사〉에서 표절 3% 창작 논문으로 대체의학 박사학위와 공로상을 받게 되었다.

처음 요양원을 운영할 때는 의사가 처방한 양의학에 의존하면서 어르신들을 케어(care)하였다. 하지만 치매, 중풍, 당뇨, 고혈압, 암, 파킨슨씨병, 욕창 등 복합적인 질병으로 고생하는 많은 어르신들을 오랜 시간 동안 보살피면서 더 이상의 회복을 기대하기 어려웠다. 그러던 중 대체의학과 박사과정을 통해 해부학, 면역학, 세포공학, 공중보건학, 동양의학, 동양철학, 특수대체요법, EDT테라피, 침구 경락요법, 대체의학, 미생물학, SUK대체의학, 질병요법, 동종의학 등을 연구하는 한편, 보완 · 대체요법으로 고질병을 치료하는 여러나라를 방문하여 북투석 호르미시스, 유황, 면역력을 높이는 음식을 접한 후, 그것을 접목시켜 건강이 호전되는 것을 직접 경험해 볼 수 있었다.

저자 또한 몇 년 전 유방암 수술을 받고 호전되기까지 체온을 높여주는 온열요법, 기 에너지로 보는 수맥, 음양오행으로 보는 풍수, 배의 주름으로 질병을 미리 찾아 예방하는 동시에 면역력을 높이는 '약'이 되는 음식을 섭취하고 '독'이 되는 음식을 지양하는 식이요법을 병행하면서 마침내 건강을 회복하게 되었다.

이러한 연구와 경험을 바탕으로 건강에 도움이 되는 온열, 수맥, 풍수, 배꼽, 면역력을 높여주는 약선요리 등을 적용하면서, 소화능력이 떨어지는 어르신들의 입맛을 살리기 위해 고추, 오이, 깻잎, 무, 매실, 머위 잎, 산마늘, 취나물, 곰취 등으로 만든 다양한 효소 반찬과 함께 브로콜리, 양배추, 녹두, 다슬기를 이용하여 간 해독과 위장에 좋은 영양죽을 만들어 드렸다. 그 후 어르신들이 건강을 회복하는 모습을 볼 수 있었다.

보완 · 대체요법과 관련된 방대한 국내 · 외 논문과 자료들을 모아 3년여 동안 밤낮을 가리지 않고 꾸준히 연구하여 마침내『내 몸을 살리는 보완 · 대체요법』을 집필하게 되었다. 본서는 독자들이 지루하지 않도록 전혀 다른 다섯 가지 파트로 나누어 기술하였다.

첫 번째, 온열요법과 질병과의 관계

두 번째, 수맥파와 질병과의 관계

세 번째, 풍수와 질병과의 관계

네 번째, 배꼽 주름과 질병과의 관계

다섯 번째, 음식과 질병과의 관계

이 모든 것이 '보완 · 대체요법'이며, 우리가 흔히 접하는 건강기능식품 또한 '보완 · 대체요법'에 포함된다.

마지막으로 필자의 꿈은 [대체의학 치유센터]를 건립하는 것이다. 지금껏 노인복지에 전념해왔던 15년여의 경험과 대학원의 대체의학과 전공자로서 『내 몸을 살리는 보완 · 대체요법』을 접목하여 온열, 수맥, 풍수, 배꼽, 면역력을 올려주는 음식, 각각의 5가지에 더하여 지하 암반수를 이용하여 암, 중풍, 치매, 당뇨, 고혈압 등 난치병으로 고생하는 환우에게 희망을 열어주고, 건강과 행복을 찾아 주고자 필자의 고향인 장성군의 400고지 청정지역 주변에 편백나무가 가득 차 있는 넓은 임야를 매입하여 '대체의학 치유센터' 설립에 착수하였다.

이 책을 통해서 독자 여러분들에게도 항상 건강과 재물운이 가득하시기를 기원합니다.

2021년 초여름

정 옥 민 박사(舒允)

신일섭 교수
(전) 호남대학교 복지행정대학원장

먼저 『내 몸을 살리는 보완 · 대체요법』이란 책을 저술하여 출판한 정옥민 원장에게 축하의 말을 전합니다. 정옥민 원장은 제가 호남대학교 복지행정대학원장 시절, 석 · 박사 과정에 입학하여 처음 만났던 인연이었습니다. 대학원에 입학한 정옥민 원장은 누구보다도 부단히 노력했고, 학구열로 가득했습니다. 특히 고령사회에 진입한 한국의 노인 문제에 관한 그의 연구와 관심을 바로 현장에서 실천해보고자 노력하였습니다.

정옥민 원장은 현장에서 실천의 장으로 직접 요양원을 설립, 운영하면서 수많은 임상경험과 이론연구를 통해, 무엇보다 '보완 · 대체요법으로 질병을 예방하여 자연치유로 안락한 삶과 무병장수를 어떻게 누릴 수 있는가'를 오랜 시간 고민한 끝에 『내 몸을 살리는 보완 · 대체요법』이라는 훌륭한 책을 발간하게 되었다고 생각합니다. 더불어 현대 의술의 한계를 보완하고 한국 전통적인 민간요법의 하나인 보완 · 대체요법 속에서 새로운 길을 찾아보고자 하는 노력의 결과물이라고 생각합니다.

아무쪼록 이 책을 통해 난치병 환우들이 더욱 건강하고 행복한 삶을 영위할 수 있기를 기원합니다. 아울러 정옥민 박사의 학문적 성숙도 더욱 탄탄해지기를 바랍니다.

감사합니다.

여명구 교수
남부대학교 대학원 대체의학과

건강에 관한 관심은 사회의 구조 변화에 따라 지속해서 변화되고 있습니다. 대다수 사람의 건강관리는 '단순히 오래 사는 것'에서 '건강하게 오래 사는 것'으로 변화과정을 거치면서 자연스럽게 헬스케어란 용어가 생겨났습니다. 건강관리 패러다임은 1.0(전염병 예방)에서 2.0(질병의 치료), 그리고 현재 3.0에서는 생명공학기술 및 정보통신 기술의 발달로 치료의 개념을 벗어나 '예방' 및 '건강관리'를 통한 건강한 삶의 영위에 목적을 두고 있습니다.

대체의학은 현대 의료기술의 미진한 측면을 보완하여 인체에 내재해 있는 활력을 증강시켜 건강한 삶을 살아가려는 방안으로 나타난 분야입니다.

저자인 정옥민 박사는 사회복지학과에서 석 · 박사 과정 이후 자연치유 방법에 관심을 가지고 남부대학교 대학원 대체의학과 박사학위를 취득하였습니다. 학위과정 중 성실, 진솔하게 학업에 임했는데, 한 가지 예를 들면 병원에서 수술을 받고 안정을 취해 회복해야 하는 기간임에도 불구하고 통증이 있는 몸을 이끌고 강의실 의자에 몸을 의탁하고 수업을 받는 모습을 보고 참 대단한 사람이라고 생각했던 기억이 있습니다. 누구라도 그런 상황에서는 좀 더 안정적인 환경에서 휴식을 취해야 하는데 본인의 의지대로 수업을 받는 모습이 아직도 눈에 선합니다. 다행히 건강을 회복하고 본인이 운영하는 요양원에서 도움이 필요한 사람에게 건강을 유지토록 그동안 대체의학 과정에서 익힌 여러 분야를 직접 적용했으며, 그 결과를 공유하고자 『내 몸을 살리는 보완·대체요법』이란 제목의 책을 집필한 것을 보고 다시 한 번 격려의 말을 전합니다.

인체는 스스로 치유할 수 있는 능력이 있습니다. 면역이라고 할 수도 있겠습니다. 우리는 요즘 다양한 감염병(코로나 19)을 포함한 질병과 싸움을 하고 있습니다. 이러한 질병을 극복하는 방안은 내 몸의 저항성을 키우는 것입니다. 앞으로도 정옥민 박사의 건강에 대한 이러한 노력이 행복한 삶을 살아가고자 하는 모든 사람들에게 큰 도움이 될 것이라 기대합니다.

이중섭 겸임교수
(전) 광주대학교 사회복지과

인간도 의도치 않게 생애의 순간을 기록하며 유구한 역사를 씁니다.

어린 자녀를 먼저 떠나보내야 했던 야속했던 과거는 결코 떠올리고 싶지 않을 순간이지만 이 또한 저자가 살아왔던 삶의 일부였고 역사였습니다. 모진 과거를 현실로 받아 들여야 했던 저자는 속죄하듯 세상의 진리를 갈구하며 훌륭한 대체의학의 연구자로 거듭났습니다.

지금 저자가 서 있는 위치는 과거의 슬픈 경험이 퇴적물처럼 쌓여 한편의 서사로 기록된 역사 위에 존재합니다. 삶과 죽음의 경계에서 조금은 현명한 삶을 살아보라 목도하는 저자의 울림이 이 책의 전반을 관통하고, 그래서 이 책은 단순한 건강잡지 도서가 아닌 슬픈 개인사를 슬기롭게 헤쳐 나갈 수 있었던 저자의 경험과 혜안을 담은 인생의 지침서입니다.

정옥민 박사의 경험과 지혜를 한껏 담아낸 이 책『내 몸을 살리는 보완 · 대체요법』을 통해 세상의 이기에 지친 우리네 몸과 마음을 함께 치유하고 치유받길 기대합니다.

안병주 교수
남부대학교 방사선학과

대체의학의 『내 몸을 살리는 보완 · 대체요법』을 발간하게 되었다는 소식을 전해 듣고 대기만성(大器晩成) 및 고진감래(苦盡甘來) 단어가 떠올랐습니다. 먼저 축하드립니다.

정옥민 박사님은 항상 어려운 처지에 있는 사람을 먼저 생각하고 따뜻한 덕목과 겸손이 먼저였다고 자자합니다. 이에 여러 기관에서 받은 표창장 및 공로상 등, 상이 넘치고 타의 귀감이 되어 존경받는 훌륭한 동량지재(棟梁之材)입니다.

1년 전, 저의 두 자녀 승진과 취업을 걱정하였더니 정옥민 박사님께서 연구실을 방문하여 알려주신 자녀를 위한 풍수 인테리어(陰陽五行)로 방위 변경한 후 자녀들에게 놀라운 긍정적인 변화가 찾아왔습니다. 또한 최근 심혈관에 문제가 생겨 심장 스텐트 삽입 후 어지럼증을 호소하자, 손수 제공한 수승화강(水升 火降)을 적용한 면역력을 높여주는 음식을 먹은 후 어지럼증 증상이 사라지고 당뇨 수치 또한 정상을 되찾으면서 머리가 맑아졌습니다. 언제든 저의 대체의학 주치의가 되어 주신 점 감사드립니다.

그리고 정옥민 박사님은 15년 동안 요양원을 운영하면서 고질병인 치매, 당뇨, 고혈압, 암, 파킨슨병, 욕창 등 양 · 한방치료에 한계를 느끼신 어르신들을 많이 접하였습니다. 그런 분들께 대체의학을 접목하여 치료한다면 더욱 더 치료 효과가 상승할 것입니다. 이번『내 몸을 살리는 보완 · 대체요법』의 발간은 저자의 실천 현장에서의 경험과 대체의학 연구자료들을 수집하고 연구하기 위하여 국내외 어디나 시간과 장소를 가리지 않고 직접 이론과 실천을 통해 몰입하고 오로지 학문에만 열중하였던 결과물입니다.

아무쪼록 향후 설립하게 될 [대체의학 치유센터]를 통해 암(癌) 고질병 환우에게 희망의 메시지가 되고,『내 몸을 살리는 보완 · 대체요법』의 온열요법, 수맥, 풍수, 배꼽, 면역력을 높여주는 음식을 통해 치유되시길 바랍니다. 감사합니다.

21세기 과학의 발달로 현대의학은 눈부시게 발전되었지만, 현대인들은 치열한 경쟁 사회에서 과도한 스트레스로 인해 식이장애, 소화불량, 과민대장 증후군과 같은 소화기계통 질환과, 우울증, 화병, 불면증, 두통 등의 정신·신경계통 질환, 그리고 생활의 편리함, 평소 운동 부족 등으로 점차 나이가 들어가면서 퇴행성 질병을 앓는다. 또한 암, 난치성 질환 등을 앓고 있는 성인들이 늘어나는 추세이다.

경제성장과 생활수준이 향상되어 인간의 수명이 100세 시대가 됨에 따라 건강에 대한 염려와 관심이 고조되고 있으나, 산업화로 인하여 화학 식품 첨가물 섭취 등으로 고혈압, 당뇨병, 심뇌혈관질환, 비만 등의 대상성 질환과 중금속에 노출되어 살다 보니 기관지천식, 아토피 피부염, 알레르기성 비염, 환경성 질환 등이 많아지고 있다. 이러한 시대적 변화의 흐름에 따라 현대의학의 한계점이 있다.

암, 중풍 난치병에 걸린 사람들은 일차적으로 서양의학에 의존하다가 점차적으로 전통의료를 활용하고 있다. 세계에서 유일하게 미국은 대체의학, 보완 · 대체요법이 성장하는 추세이다. 현재 양방에서 암 환자에게 온열요법과 식이요법, 보완 · 대체요법을 활용하고 있으면서도 우리나라의 의료계에서는 대체의학 박사 전문가를 인정하지 않고 있다는 점이 매우 유감스럽다.

보완 · 대체요법에 대한 수요의 증가에 대해 일부 학자는 의사와 환자 간의 질병관이나 건강관의 차이, 현대의학이 완전하게 해결하지 못하는 만성, 난치성 질환의 존재, 전통의학(한의학)을 제도권 의학으로 인정하는 독특한 의료 환경 등을 접하고 있다.

복잡한 암 난치병을 양방과 한방에 의존하면서 부작용 및 한계를 극복하고 치료 효과를 높이기 위해 나타난 새로운 제3의 의학이 대체의학이다. 최근 들어 전 세계적으로 많은 사람이 보완 · 대체요법을 다양하게 이용하고 있다. 우리나라의 경우 외국과 비교해 다소 다른 의료제도와 체계가 있어 정의하기가 어려운 현실이다. 서양의학에서는 다양한 치료법, 의료체계, 치료제의 모든 것이 의료행위이며, 넓은 의미에서 보완 · 대체요법이라 할 수 있다. 치유 환경의 공통점은 인도주의, 에너지, 영성, 총체성, 균형으로 인간이 살아가는데 최적의 안녕 상태라는 것이다.

미국 국립보완 · 대체의학센터에서는 대체의학의 종류를 크게 5가지로 분류하고 있다. 이 분류에 의하면 대체의학은 대체의학의 총체적 관행(Alternative Medical Practice), 정신 및 신체기법(Mind-body technique), 생체전자기(Bioelectromagnetics), 수기와 신체적 시술 요법(Manual healing methods), 에너지 치유법(Energy Therapies) 등 총 5가지이다. 이 분류에 따르면 대체요법은 단순한 침구나 수기 등의 요법에 더하여 건강보조

식품과 건강보조기구의 행위까지가 대체요법의 개념에 포함되고 있다.

영국 암 저널과 코크란 데이터베이스에 게재된 Health day 등이 보도한 Lee Hooper 박사의 오메가3 보충제의 실험 연구에서 미량의 오메가3보다 생선에 단백질이 풍부하고, 셀레늄, 비타민 D, 요오드, 칼슘 등 영양소가 훨씬 더 많이 들어 있다고 하였다. '영양제보다는 운동을 병행하면서 식이요법을 하는 것이 좋다'는 것을 보여주는 연구 결과이다.

미국 뉴욕 맨해셋 로즈웰 헬스의 샌드라 아틀라스 바스 심장 병원의 Guy Minta 박사는 암을 예방하는 데 가장 필수적인 것은 유산소 운동, 잘 챙겨먹고 스트레스를 받지 않는 것, 그리고 건강한 생활습관과 규칙적인 수면패턴이라고 하였다.

보완 · 대체요법은 한약요법, 온열요법, 배꼽마사지요법, 생식요법, 식이요법, 약초요법, 비타민요법, 아로마요법, 미술치료요법, 음악치료요법, 수지침요법, 뜸요법, 부황요법, 단전호흡요법, 바이오피드백요법, 기공요법, 명상요법, 지압요법, 태극권요법, 안마요법, 카이로프랙틱 요가요법, 요가요법, 수맥, 풍수 등으로 다양하다. 보완 · 대체요법이란 현대의학 치료의 한계성과 환자 중심의 새로운 의료 패러다임의 변화요구에 따른 의료행위로, 일반인들에게 대중매체, TV, 인터넷의 건강 프로그램 등을 통해서 인정받고 있다.

목차

온열
•
수맥
•
풍수
•
배꼽
•
음식

1장. 온열요법(溫熱療法)

2장. 수맥(水脈)

3장. 풍수(風水)

4장. 배꼽 주름

5장. 음식과 질병의 관계

◈ 꿀조언 ◈

溫熱療法

체온 1도 올리면

면역력 5배 상승,
고질병이 사라진다.

반대로 체온 1도 내려가면
면역력의 30%가 뚝 떨어진다.

내 몸을 살리는 보완 · 대체요법

1장

온열요법

약으로 치료할 수 없는 것은 수술로,
수술로 치료할 수 없는 것은 열로 치료하며,
열로 치료할 수 없다면 치료가 불가능하다.

- 의학의 아버지 히포크라테스 -

1

면역력을 높여주는 온열요법

옛 선조들은 구들장을 이용한 천연의 황토방으로 건강을 지켰다. 열을 가하면 방출되는 원적외선으로 몸의 심부를 따뜻하게 하는 발한작용에 의해 건강 · 미용 · 치유 등 다양한 효과를 가져오는 온열건강요법을 지혜롭게 이용하였다.

온열요법의 효과는 심부에 축적된 독소가 땀을 통해 배설되는 해독 작용과 신체를 진정시키는 데 있다. 이를 통해 음이온이 많이 방출되기 때문에 우리 몸에 건강한 시너지 효과를 줄 수 있다.

온열요법을 받은 부위는 혈류량이 증가하면서 생체 열 반응을 통해 모세혈관을 확장시켜 신진대사를 원활하게 한다. 이를 통해 혈액순환을 촉진시켜 주어 신경과 뭉친 근육의 피로를 없애준다. 또한 체내 심층부의 온도가 상승하면서 심신을 안정 · 유지시켜 스트레스와 불면증, 통증질환을 완화해주는 효과를 가져다준다.

온열 자극은 내장이나 근육에 영양을 원활하게 전달하여 신장 기능도 활발해지고 혈액순환을 좋게 한다. 혈액의 노폐물이 땀과 함께 배출되어 혈액이 원활하게 순환되면서 심근경색, 뇌경색을 줄이고, 스트레스로 인한 뭉친 근육을 풀어준다.

계절과 상관없이 따뜻한 물을 마셔서 몸의 체온을 유지하여 면역력을 높이게 되면 내 몸의 질병을 미리 예방할 수 있다. 몸을 따뜻하게 관리하는 것이 병을 낫게 하는 방법이다. 낮은 체온은 혈관 장애를 일으켜 혈액순환을 막는 원인이 된다.

우리 몸의 체온이 1℃가 떨어지면 면역력의 30%가 떨어지고, 신진 대사량은 12% 떨어져 혈액순환이 활발하지 못하게 되어 암, 골다공증, 당뇨병, 알츠하이머(치매, 뇌혈관성) 질환에 걸리기 쉽다.

『체온 1도 올리면 면역력이 5배 높아진다』의 저자인 일본인 이사하라 유미는 "낮은 체온이 고질병을 만들고, 식은땀을 많이 흘리면 저체온증을 유발한

다는 사실을 기억해야 한다. 항상 몸을 따뜻하게 하여 정상 체온을 유지시켜 주는 것이 최고의 방법이다"라고 하였다.

또한 서울아산병원 응급의학과 오범진 교수는 "36.5℃가 몸의 신진대사가 가장 활발한 온도"라고 하였다. 몸의 신진대사와 혈액순환, 면역체계 작동, 생명유지 활동을 만들어 내는 것이 효소이고, 효소가 잘 적응되는 정상 체온이 36.5℃이다. 물론 나이, 성별, 스트레스, 활동량에 따라 약간의 차이가 있다. 고령인과 활동량이 없는 밤에는 대체로 정상 성인보다 체온이 0.5℃ 정도 낮다.

건강한 체온은 36.5℃~37.1℃, 몸에 열이 빠져나가는 체온은 36℃, 암세포가 좋아하는 온도는 35℃~35.5℃, 말기 암 환자의 온도는 30℃, 신체가 정지된 상태의 체온은 27℃라고 할 수 있다. 체온은 1℃만 떨어져도 위험하다.

체온을 1℃만 올리면 면역력이 5배가 증가한다. 또한 스트레스에 강해지고 병들지 않는 건강한 몸으로 살 수 있다. 35℃의 저체온이 되면 암 발생률이 높아지고, 35.5℃는 암세포가 잘 자랄 수 있는 최적의 환경이다. 그러나 36.5℃의 정상 체온을 지속적으로 유지하면 열성 질환이나 고열을 앓았던 암 환자가 암이 치유되거나 걸리지 않는다는 연구보고도 있다.

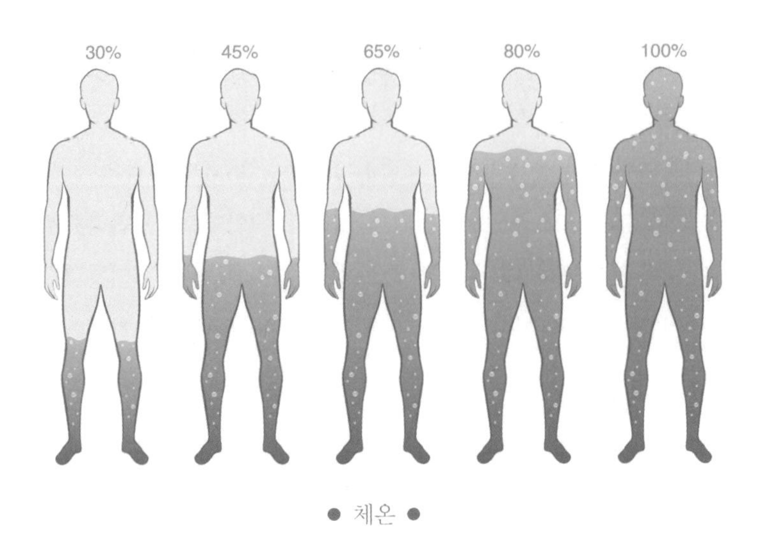

● 체온 ●

암이 사멸하는 온도 42℃
정상온도 36.5~37.1℃
암이 가장 좋아하는 온도 35~35.5℃
말기 암 환자 온도 30℃
사망한 상태 27℃

체온을 올리는 온열효과로 신체의 저항력을 촉진하고, 면역력 기능을 담당하는 백혈구가 작동하는 우리 몸의 대(對)병원성 질병을 예방함으로써 건강을 유지할 수 있다. 온열요법으로 심부를 따뜻하게 하면 피부 미용에도 효과가 있고, 땀과 노폐물을 흘려보내 혈액순환이 잘 되어 피가 깨끗해지면서 만병이 사라지게 된다.

표 1 적외선의 파장

근적외선	0.76~1.4(㎛)
중적외선	1.4~3.0(㎛)
원적외선	3.0~1,000(㎛)

적외선의 파장을 살펴보면 방사량이 풍부한 곳의 식물은 성장이 잘 되고 동물 서식이 잘 된다. 가시광선이 가장 긴 원적외선은 3.0~1,000(㎛)으로, 방사량이 높으면 인체의 모세혈관을 확장시켜 혈류량이 증가하고 혈액순환을 촉진시켜 흐트러진 조직을 바로 잡아 주며, 생체조직을 활성화해 중금속과 노폐물을 배출하여 신진대사를 원활하게 만들어 준다.

20년 전만 해도 시골에 가면 아궁이에 불을 지펴 밥을 짓고 소여물을 끓였다. 아낙네들은 아궁이에 부지깽이를 저어가며 가랑이를 벌리고 천연의 원적외선을 쏘인 덕분에 그 시절에는 자궁암이란 질병이 그리 흔치 않았다. 그러나 요즘은 시골에 가도 기름보일러에 전기보일러, 태양광을 사용하고 전기세가 나올까봐 전전긍긍하며 미지근한 방에 전기담요만 켜고 사는 집이 흔하다. 도시에서는 아파트나 주택에 살면서 온돌문화에 부뚜막은 사라진 지 오래이다.

연세대학교 의료기기 기술연구소 공학박사 이명호 소장의 「원적외선 온열효과가 인체에 미치는 생리학적 영향」 연구에 의하면, 원적외선을 쬐면 땀의 발한작용으로 인해 몸의 염분이 배출되면서 인체의 모세혈관이 확장되어 체내 심층부의 온도가 상승하게 되고, 혈액순환이 촉진되어 신진대사를 원활하게 활성화해 세포조직이 재생된다고 한다. 원적외선 온열요법을 하지 않는 경우, 체내 온도 36.39℃, 체표 온도 34.87℃였으나, 원적외선 온열요법에 따른 체내온도 상승률은 열 전도성에 의해 체표 온도가 44℃ 상승한 것으로 나타났다. 체내온도가 상승하게 되면 혈압 감소와 생리작용의 안정화를 유지시켜 준다.

현대인들은 스트레스, 암, 불면증, 환경 호르몬, 각종 만성질환 등에 의한 체온의 변화 때문에 각종 성인병들이 발생하지만, 체온을 상승시키게 되면 전신에 온열요법을 적용하여 암 치료에 효과를 볼 수 있다. 신석기시대인 약 1만년 전, 돌을 깨뜨려 불을 사용할 때부터 원적외선 온열요법은 자연요법으로 동서양을 막론하고 전해져 내려왔다.

1. 여자의 자궁은 양(陽)

여자는 자궁과 난소를 따뜻하게 하면 부인과 질병의 발병률을 낮출 수 있어서 항상 몸을 따뜻하게 하는 것이 중요하며, 아궁이 부뚜막에 불을 지펴 다리를 벌리고 쐬어주면 자궁의 균을 소독하는 살균 작용을 할 뿐만 아니라 천연의 원적외선이 심부와 전신 건강에 도움을 준다. 체온을 올리는 방법 중 하나는 천연의 원적외선을 자주 접하게 하는 것이다. 이는 혈액순환을 촉진해 체내의 효소 작용을 원활하게 하여 면역력이 스스로 상승하게 된다.

● 천연 원적외선 아궁이 부뚜막 온열요법 ●

2. 남자의 고환은 음(陰)

반대로 남자의 고환(睾丸, testicle)은 추울 때는 수축하고 더울 때는 축 늘어져 체온보다 약간 낮은 상태로 일정하게 유지함으로써 고환의 기능을 보호한다. 고환이 정자를 생산하는 공장이라면 부고환은 정자를 성숙시켜 저장해 두는 창고의 역할을 하고 있다. 고환은 차가운 곳에서만 정자를 만들 수 있어 배 안보다 비교적 차가운 음낭으로 내려와야 하므로 남자는 차가운 곳에 앉아야 건강에 좋다.

● 남자의 고환은 음(陰) ●

2

음(陰)의 체온이 질병을 일으킨다

1. 정기(正氣)와 사기(邪氣)

한의약에서 정기는 인체 생명 활동의 원동력으로서 인체에서는 혈액, 세포, 전해질, 수분 등이 해당되며, 정기가 건실하면 오장육부가 정상적으로 잘 유지되지만, 인체의 저항력이 쇠약해지면 정기가 떨어져 다양한 질병이 나타난다. 그래서 정기는 질병에 대한 저항력, 방어력, 재생 능력을 갖추고 있다.

정기가 부족하게 되면 노화가 빨리 진행되어 관절염으로 인해 다리가 무겁고, 뼈가 약해지고, 머리가 어지럽고, 인체에 면역력이 떨어져 저체온증으로 인해 암(癌), 당뇨, 고혈압, 인지장애 등이 나타난다.

2. 정기에 반대되는 개념은 '사기(邪氣)'이다

정기와 사기의 충돌을 설명하는 좋은 예는 '감기'이다.

감기에 걸리면 처음엔 목이 아프고 열이 나며 기침, 콧물, 재채기, 가래, 두통과 오한 등 다양한 증상들이 동반되면서 정기와 사기는 서로 싸운다. 과로로 인한 찬 기운이 몸속을 비집고 들어올 때 찾아오는 손님이 감기이다.

감기가 들면 우리는 등의 찬 기운, 음(陰)의 찬 기운을 몰아내기 위해 따뜻한 온돌방에 누워 몸의 체온을 높인다. 몸에 열이 나면 정기가 사기를 이기게 된다. 정기보다 사기가 강하면 결국 폐렴으로 진행되고 더 심하면 패혈증이 오며 패혈증이 생기면 우리 몸은 결국 죽음에 이른다.

감기에 걸렸을 때 정기를 유지하기 위해 따뜻한 물을 수시로 마시면 목이 건조해지는 증상이 개선되어 특별하게 치료하지 않아도 일주일 뒤에 자가치유가 된다. 정기가 강하면 사기가 스스로 사라지는 법이다. 사기에 좋은 환경은 외부에서 침입하는 발병요인 '역려지기(疫癘之氣, 감염질환의 기운)'와 외부의 급격한 변화 '풍한서습조화(風寒暑濕燥火, 바람, 찬 기운, 더운 기운, 습한 기운, 건조한 기운, 열)'가 있을 때이다. 나이가 들수록 조심해야 할 부분이다.

3. 음(陰)과 양(陽)의 조화로 내 몸의 체질을 진단하여 면역력을 높여라

동양철학 중, 자평 명리학의 음(陰)과 양(陽)으로 나누어 비유하면 쉽다. 음양(陰陽)이란 남자와 여자, 해와 달이다. 남자는 양(陽)이고 여자는 음(陰)이다.

그림과 같이 남자는 양 중에 음이 있고, 여자는 음 중에 양이 있다. 양과 음은 서로 반복되며 물리고 물리면서 조화롭게 이루어진다. 어두운 밤은 음으로, 밝은 빛의 해는 양으로 구분된다.

우주는 모든 것이 음양으로 조화를 이루고 발휘하여 아름다움을 추구하고 상생하며, 만약 음양의 조화를 이루지 못하고 화합하지 못한다면 자연의 이치는 단 하루도 지탱할 수 없다.

만약 남자가 음인데 여자도 음이라면 흔히 말하기를 물황태수일 것이다. 즉, 이것도 저것도 아니란 이야기다. 반면에 남자도 양이고 여자도 양이라면 이 집은 맨날 싸울 것이다. 서로 이기려고 티격태격한다. 남자가 양이고 여자가 음이라면 서로 상생하며 행복하고 재미있게 알콩달콩 잘 살아간다.

우리의 몸도 양이 너무 많으면 열성 체질이고 음이 너무 많으면 순환이 안 되어 암이 살기 좋은 환경이 된다. 그림과 같이 양 중에 음이, 음 중에 양이 조화롭게 있어야 한다.

남자가 양 중에 음이라면 겉은 남자인데 속은 여성스럽고 인자하다는 소릴 듣지만, 때론 앙큼하다는 말을 듣는다. 또 여자가 음 중에 양이 있다면 겉은 여자 같지만 치마만 둘렀지 속은 남자처럼 활동성이 강해 리더를 잘하고 부지런하다. 남자가 양 중의 양이라면 성격이 급하고 자기중심적이며 타협이 없는 사람이라 부부 싸움이 잦아진다. 여자가 음 중의 음이라면 소심하고 의욕이 없고 게으르고 적극적이지 못하다 보니 활동적인 남성은 답답하여 병이 생기고 매사 사소한 일로 싸우게 된다.

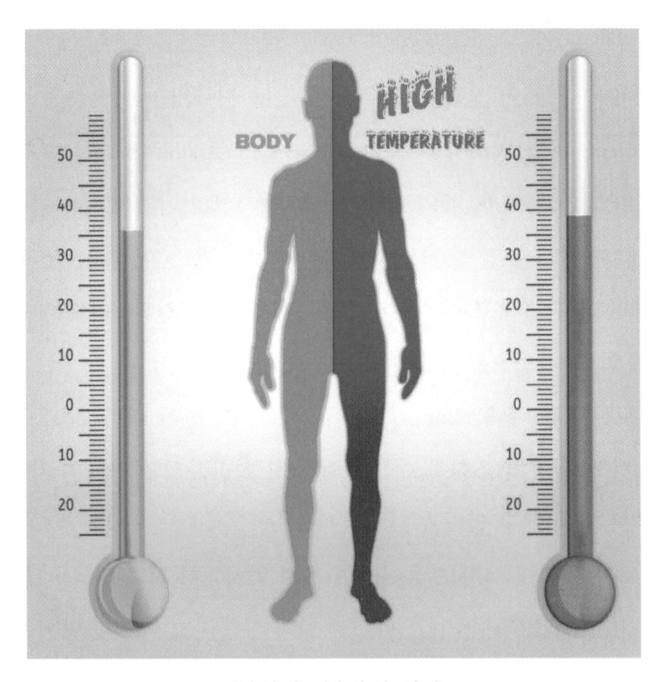

● 음(陰)과 양(陽)의 체질 ●

☞ **체온을 올리려면 내 몸의 음양(陰陽) 체질을 알고 이에 맞는 음식을 먹는다. 그렇게 되면 면역력이 상승한다.**

4. 내 몸의 음(陰), 양(陽) 체질 진단법

1) 음(陰)의 기운이 강한 체질

(1) 손발이 차갑고 추위를 많이 탄다.

(2) 참을성이 없고 성격이 내성적이다.

(3) 늘 피곤해서 눕고 싶고, 몸이 무겁고 부어 있다.

(4) 저혈압으로 인한 빈혈과 어지럼증이 동반한다.

(5) 음의 기운이 심해 설사와 소화 장애를 느낀다.

(6) 심장 박동수가 60에 가까우면 음의 체질이다.

2) 양(陽)의 기운이 강한 체질

(1) 평소에 땀을 많이 흘리고 더위를 많이 탄다.

(2) 화를 잘 내고 다혈질에 성격이 급하다.

(3) 불면증이 있어 잠을 깊이 못 잔다.

(4) 얼굴이 붉고 눈이 충혈되어 있으며 입이 말라 있다.

(5) 양의 기운이 심하면 혈압이 높고 뒷골이 아프며 신경질적이다.

(6) 심장 박동수가 80에 가까우면 양의 체질이다.

5. 맥박으로 음(陰)과 양(陽)의 체질진단

우리 몸은 맥(脈)과 혈(血), 기(氣)가 끊임없이 쉬지 않고 움직이면서 살아가고 있다. 혈과 기 앞에 맥이 있고, 기혈은 인체의 경락을 따라 각자 길을 가게 된다. 맥을 짚어 보고 병을 찾아내는 3가지 방법이 있다. 첫째는 장(藏)과 부(腑)의 상태를 살펴보고, 12경의 동맥(動脈)을 3부(部)로 각각 나누어서 맥을 보는 방법, 둘째는 인영(人迎)과 기구(氣口) 목과 팔을 진맥하여 병을 찾아내는 방법, 셋째는 촌구맥(寸口脈)을 보고 오장육부의 병중을 아는 방법이다. 맥(脈)은 상한음양(傷寒陰陽)으로 판단한다.

맥의 상태를 확인하고 병을 진단하는 방법은 오장, 육부의 기운이 실하고 허한 것에 따라 전체적인 건강 상태를 판단하는 것이다. 오장(五臟)은 다섯 개의 내장; 간장, 심장, 비장, 폐장, 신장이며, 육부(六腑)는 여섯 개의 몸속 기관; 대장, 소장, 쓸개, 위, 삼초(三焦), 방광을 말한다. 100세 시대를 건강하게 살려면 오장육부가 튼튼해야 한다. 오장의 병은 지나치게 근심, 소심, 집착, 걱정이 많은 사람에게 온다. 오장에 질병이 있으면 맥(脈)이 느리고 한증(寒證)이다. 한증은 음(陰)에 속한다. 반대로 육부에 병이 있으면 맥이 빠르다. 맥이 빠르면 몸에 열이 있으며 염증이 발생하여 덥다. 이는 양(陽)에 속한다.

음(陰)의 체질은 양(陽)이 강한 음식을 먹으면 좋고 양(陽)의 체질은 음(陰)이 강한 음식을 먹으면 좋다. 원리는 수승화강을 기억하면 도움이 된다.

6. 양(陽)의 체질은 음(陰)이 강한 음식을 섭취하면 좋다

- 채소: 시금치, 상추, 배추, 오이, 호박, 가지, 고구마, 더덕, 우엉, 무
- 육류: 돼지고기
- 곡류: 밀, 보리, 팥, 콩(청국장, 두부)
- 술: 맥주
- 해산물: 다시마, 미역, 삼치, 아귀, 꽁치, 바다 조개류, 오징어, 새우, 해삼, 멍게, 멸치, 낙지, 게, 전복

7. 음(陰)의 체질은 양(陽)이 강한 음식을 섭취하면 좋다

- 채소: 미나리, 감자, 당근, 파, 부추, 브로콜리, 깻잎, 고추, 양파, 생강
- 육류: 닭고기, 쇠고기, 달걀
- 곡류: 조, 옥수수, 현미, 찹쌀
- 술: 매실주, 소주, 막걸리
- 해산물: 김, 파래, 민물고기, 민물조개류

3

수승↑ 화강↓의 원리
; 찬 기운은 올리고 따뜻한 기운은 내려라

수승화강(水昇火降)은 수(水)의 기운과 화(火)의 기운으로 나누어지고, 찬 기운은 위로 올리고 더운 기운은 아래로 내린다. 신장의 맑은 수기(水氣)는 상승시키고, 심장의 탁한 화기(火氣)는 하강시킨다. 고전을 관통하는『동의보감(東醫寶鑑)』과 전통의학에서는 수승화강을 신장의 찬 기운은 올려야 하는 것이고 심장의 뜨거운 불의 기운은 내려야 하는 것이라고 하였다. 어릴 적 어머니께서도 배는 항상 따뜻하게 하여야 소화작용이 원활하게 될 뿐만 아니라 설사를 하지 않는다고 하셨다. 그래서 필자는 가슴과 다리를 내놓고 항상 배를 따뜻하게 하였던 기억이 생생하다. 자식들을 키울 때의 어머니 지혜를 엿볼 수 있다.

머리는 시원하게, 배는 따뜻하게 하는 것은, 즉 한의학에서 가슴은 서늘하게 하고 아랫배는 따뜻하게 하라는 이치와 일맥상통한다. 또한 땅의 기운과 하늘의 기운이 서로 조화를 이루어야만 만물이 상생한다. 그래야만 두 기운의 조화가 이루어진다. 몸에 수승화강이 이루어져야 원활하게 오장이 튼튼해지고 질병이 생기지 않는다는 것이다. 다시 말하면, 건강한 삶을 유지시켜주는 것이다. 만약 그러지 못하고 아래쪽에 찬 기운인 수(水)가 몰리고, 위쪽에 뜨거운 열화(火)가 몰리면 고혈압, 고지혈증, 협심증, 암 등과 같은 질병이 살기 좋은 환경이 된다. 병을 예방하려면 뜨거운 불기운은 아래쪽으로 보내고 차가운 물 기운은 위쪽으로 올려보내야 에너지 순환 법칙에 의해 스스로 건강해진다.

우리 몸의 오장육부 중 신(腎)은 물이고, 심(心)은 불로 상징되어, 옛 어르신들은 아이들에게 항상 아랫배를 따뜻하게 하여 배탈이 나지 않도록 심혈을 기울여서 관리하였다. 다시 말하면 어머니께서 무의식적으로 배를 만지는 게 아니라 수승화강의 원리에 의해서 위에서 → 아래로, 아래에서 → 위로, 화(火)의 열은 내리고 수(水)는 올리며 아이의 병이 생기지 않도록 정성을 다하여 손바닥으로 문지르고 또 문지른 것이다. 대대로 이어져 내려온 어머니의 지혜로 인하여 엄마 손은 약손이라고 전해져 내려온 것이다.

오래전부터 수승화강의 원리에 의해서 한약을 처방하였고, 요즘에도 수승화강의 원리에 의해서 암 환자와 중풍, 치매, 고질병을 식이요법으로 관리하는 추세이다. 그래서 현대의 양방 의사들은 암 환자에게 통합의학과 체온을 올리는 온열요법, 그리고 약선 요리를 접목하여 암 병동을 운영하고 있다.

● 수승↑ 화강↓ 의 원리 ●

단전호흡이나 명상호흡이 수승화강의 원리로 이루어지기 때문에 좌선이나 편안한 자세와 같이 몸을 이완시킨 상태로 호흡을 하게 되면 질병 예방에 도움이 된다. 갱년기, 고혈압을 앓고 있는 사람은 수승화강의 원리를 꼭 접목하여 건강 관리를 하여야 중병에 걸리지 않는다.

배가 부풀어 올라 장부에 이상이 생긴 사람은 찬 약제와 따뜻한 약제가 서로 조화롭게 수승화강이 이루어지도록 하기 위하여 천왕보심단(天王補心丹), 청리자감탕(淸離滋坎湯), 팔미지황환(八味地黃丸), 상하양제단(上下兩濟丹), 교태환(交泰丸) 등으로 치료를 한다.

생전에 건강을 장담하며 병원에 한 번도 가지 않던 사람이 갑자기 큰 중병에 걸리는 경우를 흔하게 볼 수 있다. 그 반면에 고고갤갤하는 사람은 늘 병원에 가서 수시로 X-ray, CT, MRI, 초음파 등을 찍다 보니 곧바로 병을 찾아내 속전속결로 치료하게 된다. 나이가 들수록 미리미리 관리하는 것이 중요하다.

4

내 몸의 허한(虛汗)과 허증(虛症)을 없애야 체온이 상승한다

식사할 때 이마와 목, 등에 땀이 줄줄 흐르는 것을 보고 우리는 흔히들 음식을 맛있게 먹었기 때문에 혈액순환이 잘 돼서 그런 것이라고 간주한다. 그러나 한방에서는 몸이 허약하여 나는 땀, 즉 식은 땀이 나는 것을 허한(虛汗)이라고 한다. 몸에 열이 많아서 땀이 나는 것이 아니라 정반대로 음기가 많아서 땀이 나는 것이다. 음기는 음양설에서 나오는 말이다. 몸이 허한하여 땀이 나는데 찬 음료와 냉수를 마신다면 음이 많아져 혈관은 더욱 더 경직되고, 혈액순환이 잘 되지 않아 피부가 어둡고 검은색으로 변한다.

차가운 음식이나 음료, 물 등을 계속 마시면 허한하여 기혈이 부족해지고 몸이 쇠약해지며 내장 기능이 약해지는 증상, 즉 허증(虛症)이 발병하여 소화능력이 떨어진다. 이로 인해 배탈이 나거나 복통과 설사가 자주 발생하게 되면 배가 냉해진다. 배가 차가우면 우리 몸은 전체적으로 체온이 떨어져 질병이 생기기 마련이다. 몸에 음기가 있는 사람은 음식을 먹을 때 땀이 나고, 조금만 걸어도 땀이 줄줄 흐른다. 허한 체질은 체온과 기초대사량을 올려주면 허증이 사라지게 된다.

과거 재래식 아궁이에서 온돌 주거문화가 달라져 현대식 아파트, 주택, 상가 등 콘크리트 환경 속에 살다보니 또는 정원이 없는 공간에 살다 보니 스스로 운동하기엔 역부족이다. 그렇기 때문에 현대인들의 체온이 낮아지는 현상이 발생되어 많은 질병에 노출되고 있는 현실이다.

기(氣)와 혈(血)의 흐름을 원활하게 하려면 여자의 경우 체중의 약 36%, 남자의 경우는 체중의 45%를 근육량이 차지해야 한다. 개개인에 따라 차이는 있겠지만 매일 40~50분씩 이마에 땀이 촉촉하게 날 정도의 걷기운동, 체력단련운동, 요가 등 건강의 유지와 증진을 목적으로 몸을 움직이는 운동을 하게 되면 체온 1℃가 상승하여 면역력이 5~6배 정도 높아진다는 사실을 알지만, 실행에 옮기는 사람은 많지 않다. 하지만 체온이 1℃ 내려가면 면역력의 30%가 뚝 떨어진다. 저체온증이 만병의 원인이 된다.

주 3회 이상 운동하게 되면 자연스럽게 몸의 근육량이 높아져 기억력이 좋아지고 치매 예방에 효과가 있으며, 당뇨병 환자는 혈당 수치가 떨어지고 혈액순환이 잘 되어 질병이 사라지게 된다.

5

암 환자는 자주 섭취하라

암은 우리나라에서 사망 원인 1위를 차지하는 질병이다. 암 발병률은 해마다 증가하고 있다. 현대의학이 발전하면서 완치율이 올라가고 암 환자의 생존기간이 늘어남에 따라 양 · 한방 모두가 대체의학에 관심이 높아지고, 보완 · 대체요법을 활용하고 있다. 우리나라 암 환자에 대한 2017년, 2018년 통계청 자료를 보면 다음과 같다.

표 2 2018년 사망 원인 통계자료

순위	사망(남)원인	사망(여)원인	사망자 수(명)	
			2017년	2018년
1위	암	암	78,863	79,153
2위	심장질환	심장질환	30,852	32,004
3위	폐렴	뇌혈관질환	22,745	23,280
4위	뇌혈관질환	폐렴	19,378	22,940
5위	고의적 자해(자살)	알츠하이머	12,463	13,670
6위	간 질환	당뇨병	9,184	8,789

7위	당뇨병	고혈압성 질환	6,797	6,868
8위	만성 하기도 질환	고의적 자해(자살)	6,750	6,608
9위	운수사고	패혈증	5,775	6,157
10위	패혈증	만성 하기도 질환	5,029	6,065
전체 사망자 수(명)			197,836	205,534

출처: 통계청(2019년 9월 24일 자료)

암은 저체온 상태의 환경을 매우 좋아하기 때문에 암 환자는 체온이 낮아져 면역력이 떨어지게 되면 위험하다. 체온이 낮은 사람은 혈액순환이 안 되어 저체온증이 오게 되는데, 그래서 암 환자는 체온관리가 중요하다. 암 환자는 체온이 1℃ 상승하면 면역력은 40%가 높아지고, 신체 면역력이 향상되면 암을 강력하게 소멸시켜 암세포는 죽는다.

암에 걸리면 심리적으로 삶의 두려움과 염려증으로 부담감이 커져 호전되어 완치되어도 건강에 대한 두려움을 갖고 살아간다. 암 환자들은 정보 부족으로 놓칠 수 있는 의학적 지식과 다양한 대체요법들을 접목하여 체온을 올릴 수 있는 온열요법과 수승화강 음양의 조화를 알고 이에 맞는 음식을 섭취해야 한다.

가까운 일본에서는 유황온천 문화가 잘 발달되어 있어 온열을 이용하여 암을 공격하는 온열 면역강화요법과 식이요법을 병행하고 있다. 암 환자 가족이 의학적 지식이나 대체의학에 관심을 두고 협력해서 찾아다니며 같이 노력한다면, 그리고 암 환자에게 많은 힘이 되어 주고 비관적인 생각을 바꾸는 노력을 한다면 희망이 보일 것이다.

암을 이기는 방법은 평소 즐겨 먹던 식습관의 반대로 먹는 것으로, 자연치료가 가능하다. 술을 많이 먹던 사람은 술을 적게 먹고, 육류를 많이 먹던 사람은 고기보다는 생선을 많이 먹으면 건강해진다. 체질을 바꾸고 싶으면 부모님이 즐겨 드셨던 음식을 피해야 하며 이 방법으로 유전적인 질병으로부터 벗어날 수 있다. 결론적으로 고혈압, 당뇨병, 위장병, 중풍, 뇌 질환, 갑상선질환 등 유전적인 질병에서 벗어나려면 반대로 먹는 습관이 필요하다.

1. 암 환자는 잘 먹어야 산다(약을 버리고 몸을 바꿔라)

잘 먹을 수만 있다면 암은 이겨 낼 수 있다. 하루 3번 정상인처럼 먹으려고 하지 마라. 하루 5~6번 나누어서 조금씩 자주 먹어라.

- 소량으로 자주 먹게 되면 만복감을 느끼는 것을 방지하여 탈수 증상을 막아준다.
- 가루로 된 검정깨 가루 죽, 복령 죽 등을 즉석 조반으로 섭취하라.
- 땅콩, 브라질 넛트, 잣, 호두, 견과류를 가까이 하라.
- 식단을 짤 때 열량을 추가해서 섭취하라.
- 암 환자는 열감이 많아서 시원한 음식을 많이 찾는다. 외출할 때 항상 과일을 챙겨라.
- 스트레스를 풀려거든 항상 소형 라디오를 챙겨서 즐겨 들으며 마음을 비우고 즐겁게 살아라.
- 음식 섭취가 어려울 때 영양사, 전문가에게 단백질과 열량을 상담하여 챙겨 먹어라.
- 기본적으로 하루에 1시간 운동을 하라. 운동을 해야 배가 고프다.
- 기분이 우울하고 쳐진다면 전문가와 상담해서 마음 치료를 받아라.
- 육류는 프라이팬에 굽지 말고 삶아서 먹어라.
- 생선은 익혀서 자주 먹어라.
- 시고, 달고, 새콤한 음식을 먹어서 입맛을 살려라.
- 양배추는 데쳐서 섭취하라.
- 키위를 하루에 두 번, 2개 정도 먹어라.

– 손을 자주 씻어라. 암 환자는 바이러스에 약하다.
– 암 환자는 삶이 불안하고 초조하다. 신앙을 가지면 불안이 없어진다.
– 암 환자는 꼭 심리치료를 받아라.

2. 체온을 1℃ 올리면 암은 죽는다

– 36.5℃를 유지하라.
– 황토방에서 생활하라.
– 항상 체온을 유지하라.
– 암 환자의 방에는 항상 햇볕이 들어 와야 한다(음을 피하라).
– 따뜻한 차를 자주 마셔라.
– 음식을 따뜻하게 먹어라.
– 이불을 덮고 자라.
– 마음을 비워라.

암 환자였던 필자가 체험한 온열요법

필자는 대체의학 박사과정 중 유방암 수술을 받고 온열요법에 관심을 갖게 되면서 대만 베이터우 지열곡과 일본 아키타현 타마가와를 찾아가 직접 온열요법에 관한 연구를 하게 되었다.

● 타이베이 베이터우 지열곡 ●

인간의 정상 체온인 36.5℃~37.1℃를 벗어나면 면역이 저하된다는 사실은 누구나 잘 알고 있다. 그러나 살다 보면 세월의 흔적만 탓하고, 노력하기보다는 병원에 가서 검사 결과 진단을 받고서야 발버둥을 치게 된다. 몸에 좋다는 약과 건강식을 찾아서 먹는다고 해서 다 되는 것은 아니다. 체온이 떨어지면 노화뿐만 아니라 여러 가지 질병에 노출된다. 인간의 체온이 1℃만 상승하면 기초 대사량이 10% 이상 올라가고, 기초 대사량이 상승하면 면역력이 5배로 높아진다.

1. 광물성 유황 온천요법

광물성 유황이란, 화산이 분출되어 분화구 주변에 분출물이 뿜어져 나오는 것으로 화산가스(기체), 용암(액체), 화산 쇄설물(고체) 등이 있다. 화산가스의 70~90%는 수증기이며 미량의 수소, 이산화탄소, 아황산가스, 황하 수소, 일산화탄소, 염소, 유황 등이 함유되어 있다. 용암은 지표면에 마그마 성분이 분출하여 빠져나가 만들어진 것으로 용암, 현무암, 유문암, 안산암으로 구분한다. 화산 쇄설물은 화산가스 침식으로 크고 작게 부서진 암석들이다. 활화산의 활동은 35억년 전부터라고 한다. 지구상에는 800여 개의 활화산이 있다. 우리나라에는 울릉도의 말봉과 성인봉이 있고, 제주도의 범석, 산방산, 숲섬, 문섬 등은 화산 쇄설물과 성층화산이 용암의 분출과 방출이 반복되면서 원추형 화산으로 이루어졌다.

광물성 유황은 화산, 지진으로 인해 지하에서 기체로 표출된 유황으로 담황색, 노란색을 띠고 있다. 광물성 천연유황은 분화구에서 기체로 분출되면서 공기와 접촉한 동시에 곧바로 고체로 응고되어 천연기체유황으로 변한다. 천연기체유황은 세계 최고로 인정받고 있으며, 광물성 유황을 함부로 섭취하면 강한 맹독성 때문에 곧바로 죽는다. 하지만 광물성 천연유황 온천요법은 통증 완화 및 염증 제거 효과가 있고, 흉터 없이 빠르게 세포를 재생하며, 바이러스, 세균, 박테리아를 멸균 작용하는 효능이 있다. 유황은 혈액을 촉진해 주고 항산화 작용으로 용전된 혈액을 풀어주어 세포 깊숙이 투여되면서 수분손실을 막아주고, 피부조직의 탄력성을 유지하여 피부 노화를 억제한다.

중금속, 농약, 화공 약품, 독성물질을 해독시키는 신비한 작용을 하는 물질이 유황이다. 각종 암과 노화를 유발하는 글루타티온은 세포막과 세포를 손상시켜 활성산소를 만들어 내면서 강한 공격을 하기 때문에 우리 몸에 들어오게 될 경우 DNA가 손상된다. 이때 저체온 증상으로 면역력이 떨어지면서 통증과 암을 유발하게 된다. 유황은 항암작용뿐만 아니라 콜레스테롤 합성을 억제하는 효과와 혈전을 녹이는 혈전 분해 작용 성질을 갖고 있다. 광물성 유황은 금단(金丹)의 주원료로 쓰이는 만큼 만병을 물리치는 천하의 명약이라 불리고 있다. 하지만 광물성 유황은 그냥 복용할 수는 없다. 독이 있어서 법제하여 동물 사료 및 약제와 화장품, 화공약품 등으로 사용하고 있다.

고대 문헌에 유황은 불로장생을 돕고 천하의 명약이라 불리며, 만병을 물리치는 효능이 있다고 나와 있다. 또한 보기(補氣), 보양(補養) 작용과 면역력을 올려주고 중금속의 독을 해독하는 작용하고 있으며, 회춘의 묘약으로 전해지고 있다.

『본초강목(本草綱目)』(중국 명나라 이시진이 저술한 의서)에 의하면, 유황온천물은 낮은 체온의 냉증을 치료하고 자궁의 외음부에 생긴 질염을 낫게 하며, 피부병, 옴, 문둥병, 두드러기, 알레르기 등을 사멸하게 하고, 탈모방지에 좋다고 한다.

중국의 『편작심서(扁鵲心書)』(중국 송나라 두재가 편찬한 의서)에 의하면, 유황은 양기를 북돋아주어 천년을 누린다고 한다.

중국 『신약본초(神藥本草)』의 『황제내경』에는 '유황은 골수와 뼈를 튼튼하게 한다'라고 기록되어 있고, 『신농본초경』에는 '탈모를 방지하고 근육과 뼈를 튼튼하게 하는 것이 유황의 효능'이라고 쓰여져 있다.

『동의보감(東醫寶鑑)』에 의하면, 유황은 독성이 강하며, 따뜻한 성질이 있어 음이 많은 사람에게 몸 안의 찬 냉기를 몰아내고 질병으로 체온이 떨어져 양기가 부족한 사람에게 양기 보족을 도우며 몸의 염증과 단독을 풀어주고 사기와 심복의 적취를 다스려준다고 한다.

「한국일보」 2015년 4월 24일 기사에서는 '유황은 산성토양을 중화시켜 알칼리성 토양으로 바꾸어 주는 재생 능력이 탁월하기 때문에 녹조 예방을 위해 농약 대신 유황을 사용하여 제주도의 스프링데일 골프리조트가 녹색 에너지 기업대상을 받게 된 것이다'라고 게재하였다. 녹조, 적조 예방에 탁월한 유황은 바닷물의 적조(赤潮) 현상을 없애고 죽어가는 바닷물을 청정지역으로 살려내는 재생 능력이 있다.

● 천연유황온천 ●

최진구의 저서에서는 유황은 우물 속의 흙, 쇠, 돌 등 이물질의 독을 제거해주고, 그 밖의 72가지 독을 제거하는 효능이 있다고 한다.

유황 온천요법은 관절염, 류머티즘, 통풍, 신경통, 골수염, 변비, 치질, 늑막염, 당뇨병, 동맥경화, 고혈압, 비만, 저혈압, 알코올성 환자, 중금속에 중독된 환자, 그리고 통증이 있는 환자에 좋고, 심장을 안정시켜주며, 습진이나 무좀, 기관지 천식, 기미, 검버섯, 골수염, 통풍 등 다양한 염증 치료에 효능이 있다. 또한 유황온천은 근골격을 강화해주며, 진통 해소작용이 있어 특히 항암치료 중 면역력이 떨어진 환자에게 탁월한 효능이 있다. 광물성 천연유황은 온열요법으로 수천 년 전부터 동서양을 막론하고 대체요법으로 활용하고 있다.

이에 필자는 편백나무 숲이 우거져 있는 전남 장성의 400고지 정상 부지에 암 환자를 위한 유황 프라이빗 온열요법과 천조석 암반욕을 이용할 수 있는 **'대체의학 치유센터'**를 준비하고 있다.

● 인도네시아 화산의 분화구 광물성 천연유황 ●

2. 혈액을 정화하는 식물성 유황(硫黃)의 효능

유황(硫黃)에는 독성이 있는 무기유황과 독성을 제거해 먹는 유기유황, 두 가지가 있다. 최근에 주목받고 있는 유기유황이 바로 식이유황(Methyl Sulfonyl Methane, MSM)이다.

식이유황(MSM)은 마늘, 양파, 부추, 삼채와 같은 파속 식물들과 소나무 등 자연에서 만들어지는 천연 유기황 화합물이다.

미국의 스탠리 제이콥 박사는 1960년대 제지공장 화학 연구원이었다. 종업원들이 펄프 종이의 재료 통에만 들어갔다 나오면 피부가 좋아지고 염증과 상처가 사라졌다. 곧바로 제이콥 박사는 연구를 시작했고, 이는 소나무에서 나오는 '식물성 유황' 때문이란 걸 알게 되었다. 그 후 소나무에서 MSM을 추출하는 데 성공했다. MSM이 관절염, 근육 이완, 통증 완화에 효과적이라는 사실도 임상시험을 통해 입증하였다.

일본의 오모리 다카시 연구에 의하면, 개인마다 음식의 섭취량과 건강에 따라 셀레늄, 칼슘, 철, 아연, 동 등의 필수 미네랄 흡수에 차이가 있다고 하였는데, 유황이 납, 카드뮴, 수은 등 유해 미네랄의 흡수를 방지하고 스스로 배출시킨다는 연구 결과가 나왔다.

C 미첼 의학박사가 썼던 책『유황 화합물의 생물학적 작용』에 의하면, 유황이 해독 정화 작용에 탁월한 효능이 있다고 한다.

전통의학서에서는 유황이 관절염에 좋다고 기록되어 있다. 그리고『동의보감』에서 유황은 근육과 골격을 튼튼하게 만들어 준다고 기록되어 있고, 유황을 법제하고 독성을 없애기가 까다로워 복용하기엔 어려웠다고 되어 있다. 유황의 성질은 독성이 강하지만 성질은 뜨거워 음양(陰陽)에서 양(陽)의 기운이다. 즉, 몸이 차가운 사람에게 맞는다는 이야기다. 수천 년 전부터 유황은 동서양을 막론하고 귀한 약제로 대접받아 왔고, 예부터 우리 선조들은 유황 온천을 즐겨하며 염증 제거, 해독, 피부병에 뛰어나 유황으로 몸을 다스렸다.

특히 고질병인 고혈압이 개선되어 임금님들도 즐겨 찾았다고 한다.

유황은 지질대사에 작용, 비타민 B군과 함께 당질 유해 미네랄의 축적을 막아주는 유익한 작용을 한다. 혈액을 정화하는 유황에는 체내에 신진대사를 원활하게 하며 몸에 독소를 제거하는 작용을 하고, 여드름, 옴, 무좀, 피부질환이 예방되고 피부 각질에 살균 작용을 한다.

우리 몸에 황과 아미노산이 부족하면 탈모, 관절염, 피부염, 기미, 여드름의 증상을 일으킨다. 또, 유황에는 해독작용이 있어 납, 카드뮴, 주석, 비소와 수은, 오염된 물과 공기 등의 유해 미네랄을 체외로 배출시키고, 옴, 여드름, 세균성, 곰팡이성 피부병을 치료한다. 특히 과한 스트레스로 체력이 저하된 사람이 미량의 유황을 복용하면 인체에 다양하게 좋은 영향을 줄 수 있다.

유황은 신체에 중요한 영양소로 건강유지에 필수적인 미네랄(무기질)의 하나이다. 미네랄은 탄수화물 · 단백질 · 지방의 3대 영양소와 더불어 비타민과 함께 첨가 5대 영양소로, 자연계에 존재하고 인간의 신체에서 만들어지지 않기 때문에 반드시 음식으로 섭취해야 한다. 또한 약 100여 종의 미네랄 중 인간의 신체에서 필요한 일을 하기 때문에 꼭 섭취해야 한다. 이때 16가지 필수 미네랄 중 하나가 바로 유황이다.

필수 미네랄은 하루에 섭취해야 하는 양인 100 mg을 초과하면 '주요 미네랄'이고, 100 mg 이하면 '좋은 미네랄'이라고 한다. 유황은 주요 미네랄이다.

서울대 약리학교실에서 연구한 자료에 의하면 홍삼을 특수가공한 주성분 세포네니드 사포닌-β인 진세노사이드(ginsenoside) 함량이 산삼보다 10배 더 많았다. 이 진세노사이드가 바로 유황아미노산이라는 것이다.

옛 조상들의 지혜를 보면 소나무 속껍질로 죽을 쑤어서 먹었는데, 소나무 껍질의 송화, 송진이 식이 유황이었다는 사실에 놀라웠다. 아랫배가 차고 허할 때, 기침만 해도 소변이 나올 때 유황으로 다스린다. 유황은 뭉친 몽우리를 풀어주기 때문에 피로 해소에 최고의 선물이다.

화산 분화구 분출구에서 자연적으로 발생하는 유황의 퇴적물은 밝은 황색이다. 천연 광물 유황(Flowers of Sulphur, FOS)은 고대 문헌에 의하면 인간이 2,000년 전부터 질병의 치료제로 사용해 왔다고 한다. 유기황 화합물인 메틸설포닐메탄은 항염증제 황산화제, 항진균제, 자연 항생제로 면역반응이 일어난다. 유황은 8번째 인체 생체 필수 원소이며, 관절염이 있을 경우 콜라겐 형성을 위해 유황(MSM) 결합조직을 공급한다. 이 때 뼈, 손톱, 머리카락, 담 분비 개선에 중요한 역할을 함으로써 인체에 놀라운 변화가 생긴다.

유기체의 유황이 결핍되면 아래와 같은 현상이 일어난다. ① 헤모글로빈이 저하되어 빈혈이 생긴다. ② 지방과 탄수화물 대사에 문제가 발생하며, 아이의 성장이 지연된다. ③ 머리카락과 손발톱이 잘 부서지고, 미네랄이 부족하여 신체에 영양 불균형 현상을 일으킨다. ④ 피부가 건조하고 탄력성이 없으며, 잔주름이 많이 생긴다. ⑤ 소화 능력이 떨어지고 담 분비가 감소한다. ⑥ 과도한 피로와 관절 이상을 느낀다. 유황은 당뇨병 환자의 경우 인슐린 작용을 개선하여 저항성을 향상시켜 준다. 또한 피부 여드름은 새로운 세포를 산소화하여 세포 재생을 촉진한다. 오랫동안 한의학에서 사용되어왔던 만큼 유황은 비타민의 흡수를 증가시키고 스트레스를 줄여주어 질병을 완화시켜 준다.

최경송 한의학 박사는 "일상생활에서 접하는 알루미늄 캔, 알루미늄 냄비, 알루미늄 호일 등의 알루미늄이 인체 조직에 흡수되어 중추신경장애를 유발하고 기억력 감퇴, 정신분열, 골다공증, 대사질환, 다양한 뇌 질환 등을 유발하며, 뇌에 축적되어 치매 발생의 가능성을 높인다"고 하였다. 미네랄은 알루미늄의 부작용을 막아주는 아연, 비타민 C, 칼슘, 마그네슘, 섬유질, 레시틴 등의 천연물질이다. 특히 우리 몸에서 독성물질인 중금속을 배출시켜 주고 면역력을 높여주는 역할을 담당하고 있어, 미네랄이 부족하게 되면 면역력이 떨어지고 독성을 제거하지 못하여 여러 가지 질병에 걸리게 된다.

체내에 유황이 부족하면 우리 몸은 동맥경화, 관절염, 혈관질환에 걸리기 쉽다. 그러므로 유황 결핍증에 걸리지 않도록 단백질을 잘 먹어야 하는데, 식이 유황은 어류, 육류, 콩, 달걀, 양파, 마늘, 부추, 무 등에 포함되어 있다. 식물성 유황은 연골, 근육, 피부, 머리카락, 손톱 등에 필요한 물질이다. 식이 유황을 꾸준히 복용하면 백혈구가 증가되어 통증과 염증을 진정시켜주고 몸을 따뜻하게 하는 작용을 한다.

유황은 알레르기 증상의 완화에도 좋으며, 유황으로 입욕을 하면 혈액을 정화하고 피부 세포막에 깊숙이 투여되어 통증과 염증을 진정시켜 피로 회복과 통증 완화 작용을 도와준다.

최근 들어 유황이 몸에 좋다고 하여 유황 사육과 유황작물이 늘어나고 있다. 유황 오리, 유황 기러기, 유황 마늘 등이 인체의 염증(炎症)을 해소해주는 보양(補陽)과 보음(補陰)의 효과로 만병통치의 효능을 지니고 있다 하여 약용으로 쓰이고 있다.

혈액을 정화하는 유황은 통증과 염증을 진정시키고 몸을 따뜻하게 하는 작용이 있어 체온이 떨어지는 암 발생에 원인이 되는 활성산소를 몸 밖으로 배출시켜 준다. 유황은 중금속이나 항생물질을 몸 밖으로 내보내는 해독 능력을 갖추고 있다. 또, 유황에는 미토콘드리아가 에너지 생성을 방출하여 정자를 원활하게 하고 생동력 있게 도와준다. 그래서 남성의 정력에 탁월하여 『동의보감』에는 '양기가 부족한 남성에게 정자의 활동력을 증강하는 효능이 있다'고 기록되어 있다. 예로부터 유황은 '회춘의 묘약'이라고 전해져 내려왔다. 또한 신진대사를 좋게 하여 체지방을 낮추어 주고 다이어트 효과에 좋으며 신체 온도가 상승함에 따라 자율 신경이 정돈되어 심신이 편안해지고 불면증에도 좋다.

요즘은 유황의 불순물을 제거해 세라믹 도판과 공으로 가공하여 의료시설, 요양시설, 치유 목적으로 사용하고 있다.

● 인도네시아 자바섬 카와이젠 분화구 유황(硫黃) 채취 ●

3. 저방사선 호르미시스(hormesis)가 신체에 좋은 이유

호르미시스 효과란 '유해한 물질이라도 소량이면 인체에 좋은 효과를 줄 수 있다'는 것이다.

저선량의 방사선에 이러한 효과가 있다고 최초로 밝힌 것은 미국 미주리대학교 화학교수인 토마스 D. 럭키 박사(Thomas D. Lackey, Ph.D)이다. 그는 1970년 아폴로 계획으로 실시된 「우주비행사의 장기우주방사선 피폭의 영향」을 연구해 "저선량의 방사선은 면역향상을 가져와 노화를 억제하고 젊은 신체로 보존하는 효과가 있다"고 밝힌 바 있다. 1980년경, 일본 전력중앙연구소에서는 '낮은 방사선이 인체에 유익하다'라는 것을 입증하였다. 이후 많은 연구를 통해 발전되어, 다양한 의료 현장에서 방사선 호르미시스 효과를 암 환자 치료에 활용하고 있다.

암은 세포핵의 DNA를 손상해 같은 세포를 복제하지 못하게 하고 돌연변이 세포를 만들어 버리는데, 호르미시스 효과는 손상된 DNA를 활성화시키고 암을 억제하는 유전자가 손상된 세포를 복구시키게 한다. 일본의 많은 동물실험에서는 호르미시스 효과에 의한 유전자 활성화가 암 종양 제거 효과를 기대할 수 있다는 연구 결과가 있다.

저선량 방사선 호르미시스의 원리는 저선량의 낮은 방사선을 쏘이면 체내의 수분이 화학반응을 일으켜 일시적으로 활성산소가 많아지면서, 높아지는 자연치유력으로 인해 원래의 건강한 몸으로 돌아가게 된다는 것이다. 강한 방사선은 건강한 세포를 복원할 수 없게 죽여 버리고 정상 세포를 공격해 손상시키지만, 반대로 미량의 방사선은 신체의 면역력을 높여준다.

저 방사선은 항산화 작용과 활성산소를 균형 있게 유지시키는 역할을 한다. 방사선 호르미시스 효과에서 가장 중요한 것은 활성산소이다. 모든 생명체의 호흡 과정에서 95%는 폐로 빨아들여 산소를 만들어 내지만, 5%는 활성산소가 만들어지면서 여러 가지 질병을 만들어 낸다. 과도하게 스트레스를 받게 되면 몸에서 스스로 활성산소가 생성된다. 우리 몸에 생성되어 산화작용을 일으키면서 세포막과 DNA뿐만 아니라 그 밖의 모든 세포를 손상시키는 원인으로 의심되는 활성산소는 암, 뇌졸중, 고혈압, 심장병, 당뇨병, 노화를 일으키는 것으로 알려져 있다. 우리 몸은 적절한 활성산소가 필요하지만, 과잉으로 생성되었을 때는 높은 산화력에 의해 몸의 세포를 부식시켜 질병의 원인이 된다. 치열한 경쟁 사회에서 현대인은 과도한 스트레스로 인해 활성산소가 증가하고 있다. 항산화를 높이기 위해 비타민 음식들을 먹지만 활성산소를 낮추기에는 역부족이다.

활성산소가 높으면 인슐린을 분비하는 베타 세포를 파괴하고 면역 균형을 무너뜨려 아토피, 알레르기 질환을 일으킨다. 또 뇌경색이나 심근경색증에 원인이 되는 콜레스테롤 중성지방과 동맥 혈전이 혈관 벽에 부착되어 심각한 질환의 원인이 되기도 한다. 이러한 질병의 원인이 되는 활성산소의 과잉 생산을 방사선(라돈) 호르미시스가 억제하는 작용을 하고 있다.

라돈 호르미시스가 우리 몸에 좋은 이유는 노화와 암 발병의 주범인 활성산소를 제거해주기 때문이다.

● 대만 타이베이 베이터우 지열곡 천연 호르미시스 ●

간은 해독작용을 담당하고 주관한다. 독소가 배출되지 않으면 우리 몸의 만병 원인인 혈액순환 장애가 발생한다. 또한 외부요인인 인스턴트 식품, 술, 흡연 등의 독성물질에 의해 내부요인인 활성산소가 염증반응을 일으키게 된다. 소변을 통해 몸 밖으로 배출해야 하지만 활성산소가 많아지면 간의 해독능력이 떨어져 다양한 질병을 유발하게 된다. 활성산소가 많아지면 노화의 신호등으로 눈에 띄게 피부색이 검고 거칠어지는 등 피부 노화를 촉진해 나이보다 더 늙어 보이게 된다.

활성산소는 혈관이 굳어져 혈전이 끼게 하고 이로 인해 혈관이 좁아지거나 막히게 되면 심근경색증, 뇌경색 등이 생기며, 이는 독소 배출에 좋은 다시마, 김, 파래, 미역, 감태 등 해초류를 자주 섭취하게 되면 예방할 수 있다. 활성산소를 파괴하는 항산화 효소 물질이 활성산소를 억제하고 항산화 물질을 많이 섭취하면 노화를 늦추며 건강에 도움이 된다.

저방사선 라돈 호르미시스는 몸 안에 잠들어 있는 자연치유력을 높여 질병과 노화의 원인을 억제하여 콜레스테롤 저하, 호르몬 분비 증가, 암 억제의 활성화, 면역 균형 향상, 세포 DNA 향상, 활성산소 억제 효소 증가 등 인간 본래의 면역력을 높여주고 수명 연장, 노화 방지, 면역력 향상, 암 예방, 피부에 다양한 효과가 있다. 또한 질병의 개선뿐만 아니라 체내의 산화가 환원되어 잠재적 생명력을 자극하고 신진대사와 회춘 · 건강한 몸을 만들어 준다.

일본의 의학박사인 무라카미 노부유키의 연구에서 '호르미시스 효과는 인체에 가장 필요한 호르몬과 효소가 활성화하여 약으로 부족한 부분을 보충해 주고 저선량 방사선을 받음으로써 면역력을 높여주고 있다'는 연구 결과와 사례를 보여주었다.

세계적으로 라돈 목욕 요법으로 유명한 대만 지열곡, 일본 아키타현 타마가와 연구로는 온천의 자연치유 효과를 볼 수 있는 곳으로 유명하다. 미국 몬태나의 라돈 헬스 마인 면에서는 호르미시스를 갱도 안에서 라돈욕을 즐기고 오스트레일리아 버드가스타인에 위치한 하일스트렌의 갱도에서는 암 환자들이 라돈욕으로 치유하고 있다.

라돈 호르미시스의 자연치유 방사선이 몸의 세포에 자극을 주어 활성화시키고, 이로 인해 활성산소를 억제하여 면역력 향상, 암 예방, 주름 피부미용 효과가 있으며, 갱년기로 인한 호르몬 장애를 해소한다.

● 홋가이도 화산 분화구 호르미시스 ●

4. 북투석

북투석은 1905년 대만의 광물학자에 의해 대만 베이터우 지열곡에서 발견된 지명의 이름을 딴 광석으로, 화산의 분화구에 흐르는 유황온천이 유기물, 불순물과 합하여 침전물이 생기면서 1천년~1만년의 오랜 세월에 걸쳐 퇴적하여 생긴 것이다. 북투석에는 황산납, 황산, 라듐, 바륨 등 화합물이 함유되어 있는 것으로 밝혀졌으며, 연평균 0.1 mm 정도씩 생성되고, 일반적인 광석의 크기가 되려면 약 500~1,000년 정도 걸린다. 북투석의 주요 특징은 방사성 원소인 라듐과 라돈을 포함하고 있으며 1,000~10,000배의 방사선을 가지고 있다는 것이다. 북투석은 옛날부터 각종 질병에 큰 효능을 발휘하는 '약석'이라 하여 북투석을 가공하여 치유 목적으로 사용하고 있다.

북투석은 세계적으로 유일하게 대만 타이베이 베이터우 지열곡과 일본의 아키타현 타마가와 온천에서만 생산되고 있다. 남미 칠레에서 북투석과 유사한 것이 발견되어 성분을 분석하였으나 황산, 납 성분이 많은 것이 확인되어 북투석에 포함시키지 않았다.

북투석에서는 인체에 유익한 방사선과 원적외선 음이온이 방출되기 때문에 북투석 암반욕을 하게 되면 신체에 축적된 유해 물질을 땀과 함께 배출한다.

일본의 아키타현 타마가와 연구로의 북투석은 1922년 천연기념물로 지정 받았으며, 그 후 도쿄 대학, 도쿄 공업대학, 동북 대학, 나고야 대학, 아키타, 이와테 등에서 의학적으로 임상시험을 연구하여 각종 질병에 특효가 있는 것으로 입증되었다.

필자는 대체요법을 공부하던 중 많은 암 환자들이 찾는다고 하여 대만의 타이베이 베이터우 지열곡과 일본의 아키타현 타마가와 연구로의 프라이빗 유황 100% 온천을 찾아 직접 체험하였다.

● 대반 타이베이 베이터우 지열곡 북투석 ●

● 일본 아키타현 타마가와 천연 북투석 ●

● 일본 아키타현 타마가와 북투석 암반욕 ●

5. 천조석 천연 라듐(암반욕)

지하수가 방사성 광석 근처를 통해서 솟아나온 것이 라듐 온천이다. 라듐 온천은 체내 정체된 노폐물을 제거하고 이로 인해 자연치유 능력이 높아져 각종 질병에 효험이 있는 것으로 알려져 있다.

천조석의 원산지는 미야자키현 다카치호 · 히노지(日之) 북부와 오이타현 남부지역으로, 약 1,500만 년 전 화산활동으로 함몰되어 500 m 깊이까지 단층면과 타원형, 환형 암맥으로 형성된 얼룩무늬가 특징이다. 광물인 천조석은 얼룩덜룩하고, 보라색, 회갈색, 흰색, 청색, 검은색 등 다양하게 비율에 차이를 보인다. 또한 자연치유의 힘을 가졌다 하여 신비 천조석이라 부르고, 물에 강하고 굉장히 단단하여 만능의 돌이라고도 부르며, 화산에서 분출되는 에너지로 만들진 암석이다.

온석치료로 세계에서 가장 오래된 중국에서는 고대 기원전 수천 년 전부터 암반욕을 의료용으로 사용했다는 기록이 있다. 현대 과학에서 암(癌) 환자에게 온열치료는 필수가 되었다. 온열치료와 원적외선을 접목하여 체온을 올리고, 이를 집중치료로 이용하고 있다. 암반욕은 광석을 데울 때 방출되는 원적외선이 인체에 깊숙이 투과하여 온열이 전달되면서 온열로 인해 세포 단백질이 스스로 만들어지고, HSP 히트쇼크 열활성 단백질을 산출하여 촉진한다. 일본 요시미즈 노부히로 박사는 정상 세포를 가열하게 되면 열활성 단백질이 스스로 증가하여 엔도르핀이 생성되므로 기분이 상쾌해지고, 온열이 전달되면서 생기는 발한 작용 때문에 독소 제거와 암 예방 치유 효과를 볼 수 있다고 하였다.

최근 연구에 의하면, 천조석에서 방출되는 원적외선 4~14 micron을 쬐면 신체에 자연치유 효과가 생긴다는 것이 과학적으로 입증되었다. 천연으로 생산되어 자연 산출물, 천연의 산물이라고 불리는 천조석은 1877년 초창기에 발견되어 '자연'에 대한 고찰을 다룬 사토 기요시(1983), 아사노 도시히코(1988)

의「자연의 비교 논문(다토 다이, 2003)」때문에 천조석으로 정의하였다. 천조석 암반욕은 따뜻하게 누워서 몸을 5분씩 돌려가며 원적외선으로 체온을 올려주는 온열치유요법이다. 천연의 미네랄이 함유된 천조석은 원적외선 효과로 마이너스 이온을 생성하여 목욕탕의 탁한 증기를 녹이며 맑은 공기를 만든다.

천조석이 육성광선을 재방사하여 세포를 활성화시키면서 면역력이 향상됨에 따라, 천연 광석 중에서 가장 높은 원적외선 자연방출량으로 임상효과를 보였다. 테라헤르츠 광선을 지닌 천조석은 탈취, 신선도 유지, 숙성, 활수 등의 효과가 있다. 또한, 세포를 활성화해 원적외선을 방출하여 과산화지질을 억제하기 때문에 피부질환과 체질을 개선하는 효과가 증명되면서, 이에 대하여 일본 국제의학회에서 발표된 바 있다.

뉴레저 25개 종목 가운데 산업 잠재수요 1위가 암반욕이었다(일본 사회경제생산본부 저서). 천조석은 1986년에 일본에서 혈행이 개선되고 체온이 상승하는 효과에 의해 공식적으로 보건복지부에서 자기 치료 도구 중 하나로 승인을 받았다. 천조석의 방사선 호르미시스 효과는 저선량 방사선 온열로 세포를 자극하여 원적외선을 방출하고, 이로 인해 모세혈관을 확장하여 노폐물을 밖으로 배출시킴으로써 신진대사를 원활하게 한다. 그리고 천연광석 천조석을 욕실에 설치하면 대장균, 박테리아, 셀레우스균, 레지오넬라균 등의 곰팡이가 자라지 않는데, 그 이유는 천연 살균 효과 때문이다. 천조석은 원적외선, 마이너스 이온과 테라헤르츠 파장으로 체내독소와 과다한 노폐물이 스스로 방출되게 된다. 테라헤르츠 광선의 '투과 파장'은 마이크로파가 1초에 10억~3,000억 번의 진동으로 세포를 투과하여 호르미스로 신진대사 능력을 향상시키고, 이에 모세혈관이 확장되어 자극효과가 생겨남에 따라 면역력과 세포활성화로 자연 치유력이 향상된다. 천조석의 이산화규소(SiO_2)는 규소(Si)와 산소(O)의 화합물이다. 이산화규소(SiO_2)는 비금속 산화물이며, 비금속 산화물은 '산성'이다. 이산화규소가 적으면 염기성이고 이산화규소가 많으면 산성이다. 66% 이상이면 산성암, 52~66%는 중성암이며, 52% 아래는 염기성이다. 그런데 천조석은 이산화규소 함량이 100%이기 때문에 산성의 석영이다. 이산화규소(SiO_2)가 많으면 산성암으로 밝은색이고, 중간이면 중성암으로 중간색, 적으면 염기성암으로 어두운 암석이다. 이산화규소(SiO_2) 함량이 높으면 광물이 많은 암석이다. 천조석은 산화 티타늄 함량이 0.003%인 일반적인 암석보다 0.007% 더 높다. 암반욕은 혈액과 림프의 흐름을 촉진해 몸의 냉기와 통증을 몰아내고 45~55℃ 정도의 고온 또는 실온에서 천연광석인 천조석으로 체온을 높여주는 온열요법이다. 천조석의 원적외선은 체내 정화작용과 혈액순환으로 체내에 쌓여 있는 독소 수은, 납 중금속을 배출하여 다이어트에도 도움을 준다.

사우나와 운동은 단시간에 고온에서 땀을 흘리게 되어 혈장(혈액)에서 미네랄, 나트륨, 마그네슘과 같은 좋은 성분이 빠져나가고, 암모니아, 우레아, 니오니, 젖산 등의 성분이 배출되어 암모니아 같은 썩은 땀 냄새가 나게 된다. 하지만 천조석은 원적외선이 방출되어 체온이 몸속 깊숙이 서서히 데워지면서 혈액순환이 잘 되어 따뜻해지므로 아주 천천히 땀이 흐르고 혈장이 없으며, 염화나트륨이 없어서 땀 냄새가 나지 않는다. 다시 말하면 천천히 나오는 땀은 혈장 성분을 다시 몸 안에 들어가게 하는 시간이 걸리기 때문에 물에 가까운 엷은 농도의 맑은 땀이 흐르게 된다.

▶ **천조석**

- 천조석의 천연 라듐을 증기 흡입하면 세포와 면역기능의 활성화 및 항산화 효과가 있다.
- 효소의 조절 작용, 노폐물(중금속 등)을 배출하는 해독작용 등의 호르미시스 효과가 있다하여 의학적으로도 주목을 받고 있다. 천조석의 지열, 45~55℃로 물 없이 누워서 몸을 좌우 돌리면 장부도와 오장육부의 체온이 올라가 혈액순환이 원활하여 면역력이 상승한다.

천조석의 암반욕 실온은 45~55℃ 전후이지만 사우나 실온은 약 70~100℃ 전후이다. 사우나는 땀샘에서 땀이 나는 반면, 암반욕은 피지선에서 땀이 나온다. 땀샘은 몸의 위치에 따라 다르다. 손 · 발톱, 소음순, 입술의 경계부, 귀두부에는 땀샘이 없다. 신체의 체온을 올려주게 되면 체온조절을 담당하는 중추인 시상하부에 전달되어 교감 신경을 자극하고, 피부 건조는 막아주며, 땀의 분비물과 함께 피지 및 노폐물이 스스로 배출된다. 우리 몸의 땀샘은 피부의 진피층에 200~400만 개 정도 있다. 그리고 땀샘이 밀집된 아포크린샘은 겨드랑이, 가슴 사이, 눈꺼풀 등에서 가장 많이 열린다. 점차 나이가 들어가면서 신체의 피지선이 막혀 화장이 먹지 않거나 푸석한 피부를 개선하고 산화한 피지를 몸 밖으로 배출한다.

사람과 비슷하게 소, 곰, 낙타는 피부를 통해 체온조절을 하고 땀샘에서 분비물을 배출한다. 하지만 토끼는 체온조절 능력이 약해 귀를 통해 체온을 조절한다. 그리고 돼지와 개는 호흡과 혀를 통해 체온조절을 한다. 개, 돼지가 운동을 하면 혀를 내밀어 헉헉거리며 침을 흘리는 이유가 입을 통해 체온을 조절하기 때문이다.

이처럼 천조석 암반욕은 피지선에서 혈액 속의 노폐물과 독소 제거 등으로 유해금속이 소변으로 빠져나가 신진대사가 원활하여 몸이 가벼워져 근육통, 어깨 결림이 해소되는 것이다. 생리통 때문에 암반욕을 하게 되면 체온이 올라가 자궁이 따뜻하게 되어 혈액순환이 원활해지면서 생리통이 감소하게 된다. 암반욕 원적외선에 있는 마이너스 이온의 힘은 체온이 올라가면 자율신경과 면역 호르몬계의 신진대사를 활발하게 하여 신체가 이온의 균형을 찾아 정상체질이 되도록 만들어준다.

당뇨병 환자나 순환기, 위궤양 환자에게도 그 효과가 연구에 의해 입증되었다. 체온유지로 정상체질이 되면 면역력뿐만 아니라 우울감 등 심신을 치유하는 데 도움이 된다. 또한 천조석 암반욕은 신장과 간을 활성화하여 면역력과 항균력을 증가시킴으로 온몸에 피로가 풀리고 몸과 심신이 가벼워져 시너지 상승효과(相乘效果)를 가져다주게 된다. 암반욕 사전 준비 단계는 찜질복으로 갈아입고 발한에 따른 수분 보충을 위해 따뜻한 물이나 차를 준비하면 된다.

▶ 천조석 암반욕 순서

– 준비물: 큰 타올, 작은 타올, 찜질복, 물

① 찜질복으로 갈아입고 큰 수건을 암반욕에 깐 뒤, 5분 동안 하늘을 보고 눕는다.
② 좌측 5분, 우측 5분, 총 15분을 하고 5분 쉬었다가 수분을 섭취하고 3번 반복하고 나오면 된다.
③ 절대로 1시간 이상 무리하게 해서는 안 된다.
④ 암반욕을 진행한 후에는 씻지 않는 것이 몸에 좋다.
※ 단, 저혈압, 고혈압, 심장 질환자, 폐 질환 환자, 술 취한 사람은 피해야 한다.

천연 라듐 암반욕은 온천욕과 비교하여 2배 이상 혈액순환이 잘 되기 때문에 냉증, 부종 해소에 효과가 있다. 한국수력원자력 방사선보건연구원(원장 김종순)은 천연 라듐이 암반욕에서 방출되는 방사선에 이로운 효과가 있다는 사실을 알고, 저준위 방사선으로 인해 인체에 영향을 줄 수 있는 면역기능 증진 효과 등 방사선 호르미시스(Radiation Hormesis)를 국내 최초로 연구하였다. 그러나 일본에서는 7~8년 전부터 3곳에 저준위 방사선 조사설비를 갖춰놓고, 방사선 호르미시스가 당뇨병을 가진 유전인자에 미치는 영향에 관한 실험을 진행하였다. 해당 실험에서 당뇨병을 가진 유전인자 실험쥐에 저준위 방사선을 일정하게 쬐어 줬더니 당뇨의 수치가 현저하게 떨어져 당뇨병이 호전된 것으로 나타났다.

라듐 온천은 지하에서 천연 방사선을 방출하는 방사성 광석에서 항상 알파, 베타, 감마선을 방출하고 있다. 라듐이 물을 통과하면 방사성을 가진 라돈과 토론하는 가스체가 발생한다.

라돈 광석에서 발생하는 호르미시스는 체내에 신진대사를 촉진해 면역력을 높여준다. 호르미시스의 라돈 암반욕 온습요법은 전신 세포의 면역기능 개선, 항산화 작용, 통증 완화, 자율신경계 조절에 유익한 작용을 한다.

저방사선의 호르미시스는, 즉 대자연에서 미량의 저방사선을 코를 통해 들어 마시고 쏘이는 것은 우리 인체에 자연치유 효과를 주게 되는 것이다. 예를 들어 술을 과하게 마시면 독이 되지만 한 두 잔 마시면 혈액순환이 잘 되고 신진대사를 높여준다는 사실은 모두가 알고 있다.

● 천조석 암반욕 ●

필자는 자택에서 직접 천연석으로 가공한 '물 없이 목욕'하는 암반욕을 하며 생수를 마시면서 미네랄과 노폐물을 배출시켜 60℃에 달하는 뜨거운 천연 라듐 암반욕으로 땀을 배출시키고 있다.

6. 방사선

우리는 방사선하면 원자력 발전소와 일본의 히로시마, 나가사키 대지진으로 일어난 원전 사고를 생각하게 된다. 그래서 우리는 방사선하면 먼저 두려움과 무서움을 느끼지만, 한편으로 우주와 지구상에 방사선이 떠돌아다니고 있다는 것은 누구나 아는 사실이다. 자연에 방사선은 존재하지만, 지구와 우주에 떠돌아다니는 방사선을 인위적으로 조작하지 않으면 해가 될 수 없다. 우리는 우리도 모르게 저방사선을 1년에 2.4 mSv 정도 자연에서 스스로 마시고 있다.

● 인도네시아 자바섬 화산 분화구 ●

방사선의 단계는 방사선을 내는 능력의 단위인 베크렐(Bq), 방사능이 인체에 미치는 영향의 단위인 시버트(Sv), 방사선의 에너지가 얼마나 흡수하는가의 단위인 그레이(Gy)로 나눌 수 있다. 시버트는 인체에 미치는 영향의 지표이다. 강이나 바다에도 방사성 물질이 있다. 외국에 유황온천을 가보면 라돈 온천, 라듐 온천을 접하게 되는데 그곳에는 자연치유를 하기 위한 암 환자들로 북적인다.

방사선을 많은 양을 마시면 해롭지만, 소량은 유익하다. 그래서 암 환자들에게 저선량 방사선 치료를 하는 것이다.

● 일본 아키타현 타마가와 연구로 화산에서 천연유황이 뿜어져 나오는 분화구 ●

부록

필자의 일본 아키타현 타마가와 연구로 체험기

필자는 2018년 9월, 암 치료로 유명한 일본 아키타현 쎈보구 타마가와 연구로의 북투석, 유노하나, 라듐, 방사선, 호르미시스를 연구하기 위해 찾아가게 되었다. 타마가와 연구로에 도착하기 약 10분 전, 천연 유황이 흐르는 계곡에서 썩은 냄새가 코를 찔러 역겨움에 비위가 확 상했다.

● 일본 아키타현 타마가와 연구로 천연유황 분화구 ●

이곳을 보기 위해 꼬박 이틀 동안 전라도 송정리역에서 KTX를 타고 광명역에 도착해 택시를 타고 김포공항 근처에 머물고 다시 아침 일찍 김포공항에서 하네다 공항에 도착하였다. 태풍으로 인해 아키타현에 가는 비행기가 결항되어 신칸센을 4시간 30분 동안 타고 타자코 역에 도착하니 늦은 밤 9시에 예약했던 택시 기사가 피켓을 들고 반겨주었다. 또 다시 1시간 동안 택시를 타고 부족한 일본어로 더듬더듬 대화를 이어가며 어두운 오솔길을 굽이굽이 돌아 마침내 요양과 치료로 유명한 타마가와 연구로에 도착한 시각은 밤 10시경이었다. 짐을 풀고 곧바로 유황 100% 온천에 몸을 담갔다. 참으로 힘든 여정이었다.

● 일본 아키타현 타마가와 천연 100% 유황온천 ●

다음 날 또 다시 아침 일찍 유황 100% 온천에 몸을 맡겼다. 조식을 마치고 타마가와 연구로 천연 유황을 체험하기 위해 1 km 정도 거리에 있는 나지막한 야산에 도착하였다. 계곡에 흐르는 천연유황은 그야말로 신비스러움 자체였다.

● 일본 아키타현 타마가와 연구로 분화구 매분 8,400 L 용출량 ●

98℃의 뜨거운 온도로 매분 8,400 L 가량 쉼 없이 솟아오르는 분화구에서 천연유황이 뿜어져 나오는 광경에 감탄사가 절로 흘러나왔다. 화산의 분화구에서 호르미시스는 바람에 따라 춤을 추었고, 분화구 사이에 용광로가 뚫어져 땅속 구멍 사이에 김이 모락모락 피어오르는 호르미시스를 흡입하기 위해 각국에서 온 암 환자들로 붐볐다. 휠체어에 링거를 달고 있는 사람들과 바닥에 자리를 펴고 누워 천연 호르미시스를 코로 들이마시며 물 없는 천연 암반욕을 노천에서 즐기는 사람들이 보였다. 타마가와 온천을 보면 볼수록 자연의 섭리에 감탄사가 절로 나왔다.

타마가와 연구로의 유황은 수온 약 98℃, 약 pH 1.2로 강산성을 띠는 온천수로 라듐과 같은 방사성 물질이 녹아 있는 것이 특징이었다. 그래서 온천수의 증기가 몸에 좋고 암 치료로 유명하다고 하여 필자도 땅에 누워 5분 버티는 순간, 등이 뜨거워 곧바로 땀이 줄줄 흘렀다. 많은 사람들 중에는 우리나라에서 온 암 환자도 있었다.

일본에 거주하는 재일교포 여성이 하는 말이 참으로 인상적이었다. 일본 사람들은 아프기 전에 미리 유황온천에 가서 수시로 온천욕을 즐기며 체온을 높여주고 면역력을 상승시켜 건강관리를 한다고 하는 것이다. 그러나 한국 사람들은 몸이 아파야만 아낌없이 자기 몸을 위해 투자하고, 아프지 않으면 음식을 가리지 않고 마구 이것저것 먹다가 고질병이 걸리면 그때서야 발버둥친다고 하였다. 그 말을 듣는 순간 필자는 정답이라는 생각을 하며 내 몸을 사랑하고 더 열심히 챙겨야겠다는 다짐을 하였다.

● 타마가와 연구로 분화구 노천 암반욕 암 환자 ●

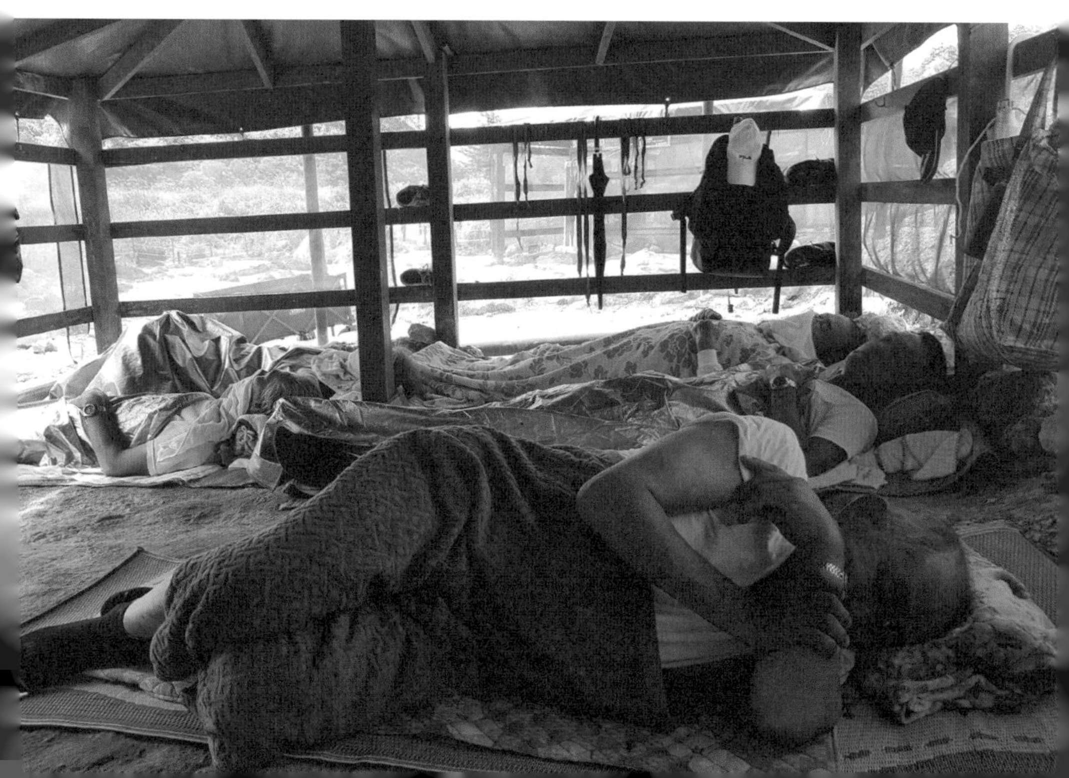

● 필자의 일본 아키타현 타마가와 연구로 천연 암반욕 ●

필자는 평소 갑상선 질환으로 30년째 갑상선 질환약을 복용 중이다. 타마가와 온천에 며칠 동안 머무르는 사이 매일 아침, 낮, 저녁 온천에서 흘러나온 100% 천연유황으로 온천욕을 하루 3번씩 했더니 목 부위가 칼에 베인 것처럼 찢어져 너무도 따가웠다. 천연유황 온천과 암반욕을 반복하며 타마가와 연구로 호르미시스를 흡입한 후 4일이 지나 몸에 명현반응이 일어나기 시작했다.

한국으로 돌아와 3주 가량 그곳에서 매일 고름이 터져 나왔고 3주 후 고름은 멈췄다. 평소 갑상선으로 목이 부어 있던 그 자리엔 부기가 빠지고 흉터도 없이 사라졌다. 이에 평소 피곤을 느꼈던 증상이 사라지고 몸이 가벼워졌다.

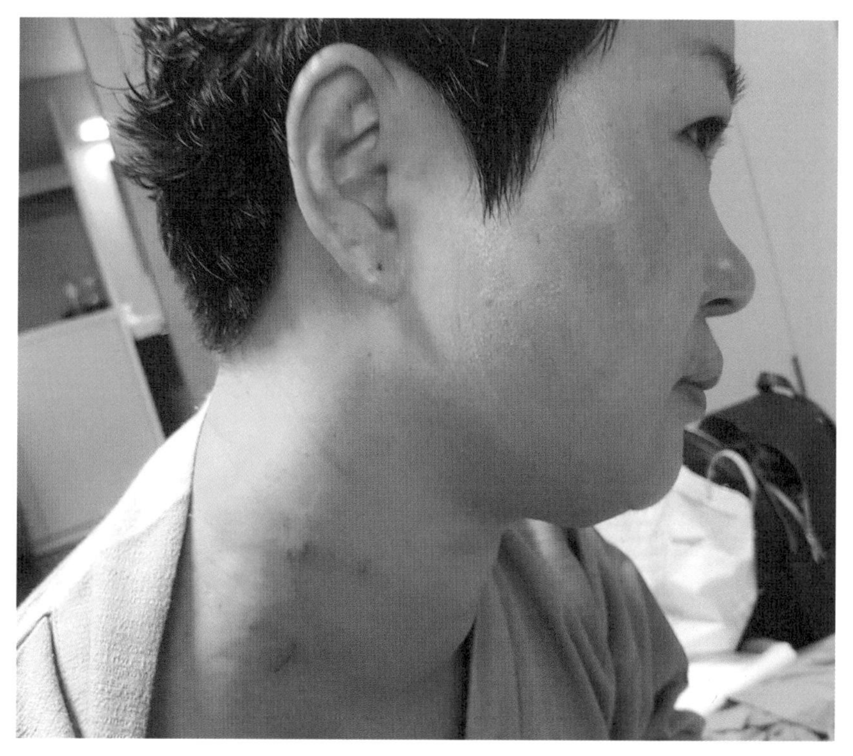

● 필자의 갑상선 명현반응 현상 ●

수맥파와 질병의 관계

잠자리에 수맥파만 피하여도
암, 중풍, 고혈압, 치매 등의
고질병이 사라진다.

내 몸을 살리는 보완·대체요법

2장

수맥

자연은 무의미한 행동을
하지 않는다는 것이다.

- 아리스토텔레스 -

1

수맥이란?

수맥(水脈, water vein)이란, 지하 20~100 m에서 폭이 좁은 지층을 따라 흐르는 지하수 물줄기를 말한다. 인체의 혈관과 같이 지하수가 암석 속에서 강, 바다, 땅속, 산꼭대기에 서로 거미줄처럼 연결되어 지하수층을 이루면서, 움직이는 수맥에 의해 진동파(7.83 Hz)가 교란, 변조, 변형되어 에너지 파동을 발생시키는 것을 수맥파라고 한다. 지구의 고유 진동수(7.83 Hz)가 에너지 수맥파와 결합할 때 건축물, 나무, 기계 등은 물체에 영향을 받아 견디지 못하게 된다. 땅 밑에 수맥이 있으면 신체가 피로하고 무기력해지고 수맥파가 잠자는 사람의 뇌파(4 Hz)를 간섭해 숙면을 방해한다.

해외 양의학 의사들의 논문을 보면 수맥 유해파에 대한 연구 논문들이 많다. 최근 수맥이 암, 질병에 큰 영향을 미치는 것으로 밝혀지고 있다.

수맥파는 횡파가 아니고 감마파의 성격을 갖고 있어 종파이다. 종파는 일정하게 밀려가는 파장이며, 어떤 물체이든 투과를 하게 된다. 흐르는 속도를 실제 측정한 미국 지실학자 존맨 박사는 수맥파는 하루에 1.5 mm를 움직이고, 움직이지 않는 지하수는 없다고 한다.

수맥이 흐르는 땅속을 도랑이라고 볼 때 도랑의 양쪽인 물과 흙의 경계선에선 특이한 에너지 파동이 발생한다. 이때 방사되는 파동이 인체의 전자기장에 영향을 미치는 수맥파라고 생각하면 된다.

수맥파를 찾기 위해서는 추(팬듈럼), L-Rod(엘로드), 나뭇가지 등을 사용하지만 예민한 사람들은 기 에너지를 통해 수맥파를 감지하고 수맥을 찾을 수 있다. 서양에서는 이와 같은 기술을 깊이 연구하는 연구소들이 많다. 물론 초음파나 전자파 등의 현대 과학 장비를 동원하여 수맥을 찾기도 하나 그 정확도가 잘 훈련된 인간의 감지능력을 능가하지는 못한다.

2

기(氣) 에너지

기(氣)는 만물의 근원이며, 모든 물체와 생명체는 기로 이루어져 있다. 우리 몸은 숙련된 수련을 통해 들숨과 날숨 호흡법으로 우주의 에너지와 자신의 기 에너지 감각을 느낀다.

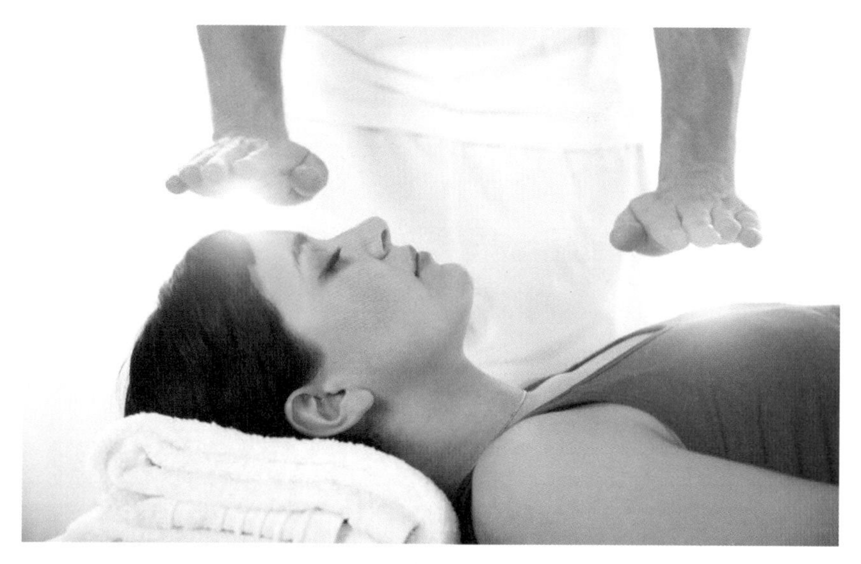

● 기(氣) 에너지 ●

흔히 어떤 사람을 만났을 때 좋은 기운의 기 에너지와 나쁜 기운의 기 에너지를 느끼게 된다. 왠지 좋을 것 같은 사람과 왠지 불길한 예감이 드는 사람이 있다. 사람은 눈에 보이지 않는 3가지 기운으로 살고 있는데, 이는 원기(元氣), 정기(精氣), 진기(眞氣)로 나누어진다. 원기는 선천적인 고유의 기 에너지이고, 정기는 수행을 통해 만들어지는 에너지이다. 마지막으로 진기는 정신수련을 통해 얻어지는 좋은 에너지이다. 우주에는 보이지 않는 기운이 자연과 우리 몸에 존재하고 있다. 기 에너지를 눈으로 볼 수 없지만, 기 에너지로 느낄 수 있는 것이 수맥이다.

3

다우징을 위한 수맥 탐사기

다우징(dowsing)이란 도구를 이용해 땅속의 물이나 수맥, 광맥 등 물질의 위치를 찾아내는 것을 말하며, 자연 물체를 통해 감춰진 인간의 능력을 부활 또는 개발하려는 것이다. 이를 시행하는 사람을 통칭해서 '다우저(dowser)'라 한다.

수맥 탐사를 위한 뇌파 공명 훈련을 통해 기감 훈련을 하게 되면 진동과 파장을 감지하게 된다. 직관력 감정과 기감 훈련을 병행하게 되면 보는 안목이 넓어져 사람의 얼굴만 보아도 마음으로 교감하고 소통하게 된다. 수련의 기감 훈련을 통해 몸과 마음이 가장 맑은 상태를 불성(佛性) 또는 천심(天心)이라고 한다.

1. 엘로드(L-Rod) 다우징

수맥은 땅 밑에 흐르지만, 상류, 하류가 있다. 수맥의 상류와 하류가 존재하는지, 수맥인지 아닌지를 구분하는 것이 중요하다. 상류, 하류에 수맥을 찾았다면 선을 긋든지 아니면 실이나 끈으로 표시를 해 두어야 수맥의 폭을 알

수 있다.

수맥은 누구나 감지할 수 있는 건 아니다. 수맥을 같이 배운 사람도 엘로드를 가지고 실습을 할 때 수맥을 찾는 경우는 그리 쉽지 않다. 즉, 기+에너지+명상=영이 맑아야 한다는 것이다. 중요한 건 인간의 초능력을 통해 감지된다는 사실이다.

수맥을 감지할 때는 비가 오는 날은 피해야 한다. 몸 상태가 좋지 않으면 하지 않아야 하고, 술에 취한 상태에 하지 않아야 하며 상갓집을 다녀왔을 때는 하지 않아야 한다. 즉, 몸이 아팠을 때, 스트레스를 받았을 때는 피해야 하며, 건강이 좋지 않으면 수맥 탐사는 해서는 안 된다. 무작정 하게 되면 기 에너지가 발생되지 않기 때문이다.

수맥파란 전자기파로, 이 중에서 무게 통과역이 가장 센 것이 감마선이다.

수맥파로 해로운 지구 방사선은 교란 지대, 병인성 지대이며, 뇌파의 주파수(Hz) 전류 크기와 정신상태에 따라 다르다.

뇌파	주파수(Hz)	전류 크기	정신상태
δ라(델타파)	0.5~4	200 μV 이상	깊은 수면, 혼수상태
Θ파(세타파)	4~8	5~20 μV	1차 수면 상태 창의적, 졸린 상태, 초 학습력
α파(알파파)	8~14	200 μV	명상 상태, 근육 이완, 긴장 완화, 안정된 상태
β파(베타파)	14~30	5~10 μV	상상

먼저 수맥 탐사 엘로드를 들고 수맥을 탐사하기 전에 주문을 외운다. '수맥이 있다, 없다'라고 마음속으로 자기 암시를 하며 주문을 한다.

엘로드를 잡는 자세는 자기 어깨너비만큼 벌리고 꽉 쥐지 말며, 살며시 주먹을 말아 쥔다. 수맥 탐사봉 위에서 약 10 cm 정도 떨어진 상태에서 팔이 굽은 각도는 70~80° 정도를 유지한다. 눈은 엘로드 끝에 집중하여 전방을 향하되 직접적으로 엘로드를 보지 않아야 하며, 등과 머리는 일직선으로 반듯하게 하여 앞으로 숙여진 자세나 뒤로 넘어가는 자세가 되지 않도록 한다. 걸음은 너무 빠르게 걷지 않아야 하며 자신의 발보다 반걸음씩 느리게 걸어야 한다. 수맥 라인을 찾았을 때 발이 나란히 있어야 하는데 발이 어긋나게 벌어져 있다면 수맥 길이가 정확하지 않다.

● 엘로드(L-Rod) 수맥 탐사 ●

수맥 라인을 찾았다면 급하게 출발하지 말고 서서히 출발해야 한다.

수맥이 없으면 엘로드가 '↖ ↗'자 모양 형태로 돌아가고, 수맥이 있으면 '⤧'자 형태로 유지되다가 수맥이 없는 곳에서 다시 '⇈'자 평행상태로 자동으로 움직이며 돌아간다. '⤧'자 형태로 유지되면 그곳은 수맥이 흐르는 곳이다.

'⤧'자 형태에서 끝나는 거리가 수맥 폭이 된다. 수맥의 흐름을 알아내기 위해 엘로드로 '우향우'와 '좌향좌'해보면 어느 쪽에서 수맥이 흐르는지를 확인할 수 있다.

2. 수맥 탐사추 팬듈럼(pendulum) 다우징

직관력 감정과 기감 훈련의 수련으로는 엘로드와 팬듈럼을 위주로 하고 있다. 그러나 치유 다우징은 수련원리를 알게 되면 누구나 쉽게 할 수 있다.

팬듈럼의 줄을 3분의 2 정도 잡으면 염력에 의해 손에 쥐고 있는 팬듈럼이 움직이기 시작한다. 이때 엄지와 검지만 잡고 나머지 손가락은 가만히 쥔다. 그리고 가령 수맥이 있는지 물을 때 수맥이 '있다, 없다'라고 마음속으로 하는 것과 같이 주문을 외운다.

팬듈럼이 움직일 때까지 정신 집중하여 인내심을 가지고 천천히 팬듈럼을 응시하며 기다린다. 팬듈럼은 직선의 움직임, 시계 방향의 움직임, 타원형의 움직임, 위 아래로 다양하게 염력을 통하여 움직인다. 소음이 없는 조용한 곳에서 실시한다.

아주대학교 기계공학부 오흥국 교수는 기계의 발명으로 인해 수맥을 찾을 수 있는 학회나 많은 연구를 기대하고 있다고 하였다.

다우징은 암 환자에게 필요한 약 중, 어떤 약이 좋은지 확인할 수 있다. 수맥 탐사봉에 질문하고 답을 구하는 것이다.

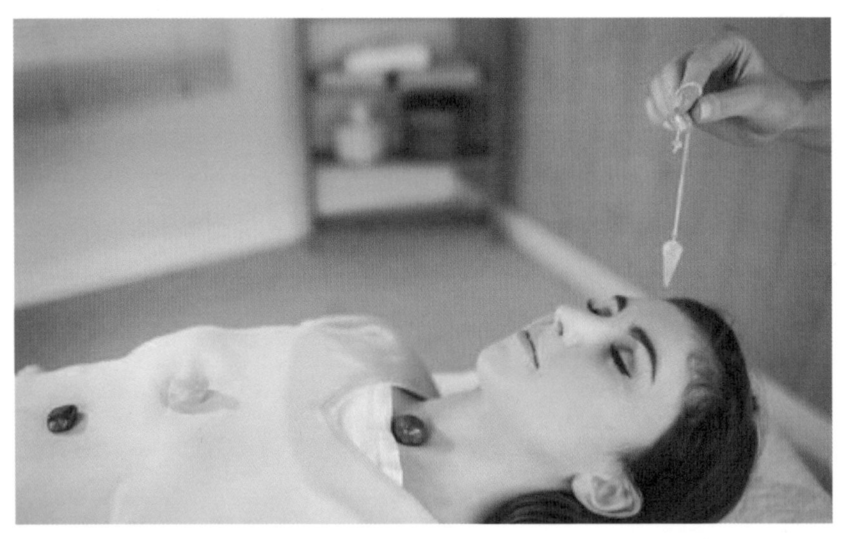

● 수맥 탐사추 팬듈럼 다우징을 이용하여 치료 ●

1995년 6월 서울 서초구 삼풍백화점이 부실 설계와 시공, 그리고 무리한 증축과 확장으로 인해 무너지는 대형사고가 발생하여 수천 명의 인명피해가 있었다. 한 수녀님이 인명구조 현장에 나와 콘크리트 속에서 사람의 위치를 감지하였고, 이를 구조대원에게 알려주어 며칠째 콘크리트 속에 묻혀 있던 사람을 찾아냈는데, 그때 사용한 도구가 바로 수맥 탐사추인 다우징 팬듈럼이다.

또한 목포대 임경택 교수가 사람의 기가 느껴진다고 예언하여 구조대원들이 최명석 군을 찾아낸 결정적인 계기가 되었다고 한다. 연세대 의대 전세일 교수는 '기(氣) 과학으로 푼다'라는 주제로 학술대회서 수맥 등을 연구한 연구 결과를 발표한 바 있다.

3. 수맥파를 감지하는 오링(O-Ring) 테스트법

미국으로 귀화한 일본의 물리학자인 오무라 요시야끼 박사가 처음 개발한 오링 테스트(O-Ring test) 이론은 어떤 물질이 인간에게 파문을 일으키는지 실험하고 분석하여 그 데이이터를 다양한 분야에 이용하고 있다. 사상의학에서 말하는 오링 테스트는 엄지와 약지를 이용해 O형의 링(ring) 모양을 만들어 검사하는 방법이다. 전 서울대 의대교수 이명복 박사가 널리 알려 일반인들도 많이 알고 있는 검사법이다. 동양의학인 한의학에서 체질을 파악하기 위해 오링 테스트로 진단을 하는 경우를 볼 수 있다.

● 오링 테스트(O-Ring test)를 하는 모습 ●

오링 테스트는 2인 1조로 마주 보고 두 사람만 할 수 있다. 엄지와 검지의 손끝을 붙이게 되면 자연스럽게 'O' 자가 된다. 동그랗게 만들어 팔의 각도는 90°로 하고 엘로드와 각도는 같다. 반대 방향에 서 있는 사람이 엄지와 검지를 이용해 양손을 상대의 손에 넣고 상대편에게 미리 힘껏 'O' 자를 만들어 주어라고 지시한 후 두 손을 'O' 자로 나란히 한 다음, 상대의 반대 방향 손에 물체를 들거나 잡게 하여 주문을 외운다. 서로 체인을 엮듯이 만든 후, "힘을 힘껏 주십시오."라고 말한다. 그리고 상대에게 힘을 주도록 유도하여 힘 겨루기 식으로 하면 된다. 수맥뿐만 아니라 여러 가지 물체에 질문할 수 있다. 그래서 한의원에서 환자의 체질을 분별하는데 오링 테스트를 적용하는 것이다. 알면 누구나 쉽게 오링 테스트를 할 수 있다.

4

수맥 탐사 나경 패철(나침판)

나경(羅經)은 기원전 1100년경 주(周)나라 성왕(成王) 때 만들어졌다. 나경은 포라만상(包羅萬象) 경륜천지(經倫天地)에서 '나(羅)'자와 '경(經)'자를 따서 붙인 이름인데, 포라만상은 우주의 삼라만상을 뜻하고, 경륜천지는 하늘과 땅을 다스린다는 뜻이다. 즉, 나경은 우주를 뜻하며, 우주의 근원도 태극에 있고, 원도 태극에 있다.

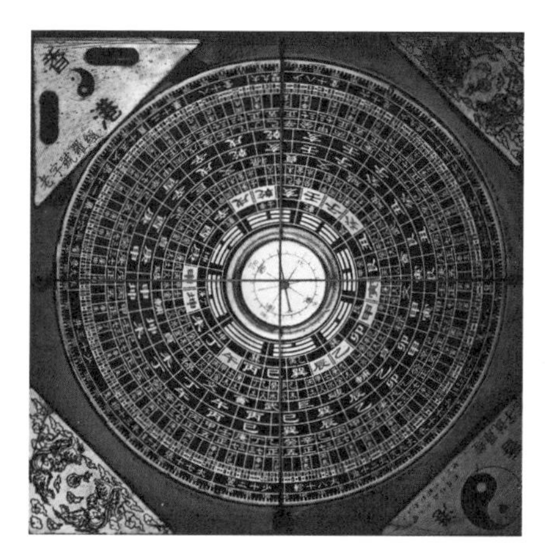

● 나경 패철(나침판) ●

풍수지리에서 유일한 도구는 나경 또는 패철이라고 하고, 나침판이라고도 한다. 풍수지리에서 길흉을 판별하는 데 사용하고, 안개가 끼었다든가, 산속에서 길을 찾지 못할 때 동, 서, 남, 북 방위를 찾을 수 있다. 나경은 총 36층으로 이루어졌으나 풍수에서는 9층까지만 사용하고 있다. 나경은 주역의 후천 팔괘를 응용하여 나침판으로 사용되었고, 패철로는 우주의 순환 이치를 알 수 있다.

5 히란야

히란야란 산스크리트어로서 '황금의 빛'이라는 뜻이다. 문양은 육각형으로 기(氣) 에너지가 나온다고 하여 다윗의 별이라고도 한다. 차에 부착하거나, 벽에 걸어놓기도 하고 목걸이로 몸에 지니기도 한다. 히란야는 과일이 부패되는 것을 막고, 물의 분자를 바꾸어 물맛을 좋게 하기도 한다. 히란야 위에 앉아 공부하면 집중력이 향상된다. 히란야를 몸에 지니고 있으면 적극적인 사고와 긍정적인 마음을 유도한다. 내 마음이 허약하고 뜻대로, 의지대로 안 될 때 지니고 있으면 좋다.

● 히란야 ●

6

물은 지하수와 지표수로 구분

1. 지표수

지표수는 외부로 개방된 물, 즉 강물, 호수 등을 말하며, 지구 표면에 흐르는 물을 말한다.

● 지상 위에 떠 있는 물 지표수 ●

2. 지하수

지하수는 지구 지표면 하부에 있는 물을 뜻하며, 생수와 건수 두 가지로 구분한다. 진흙이나 모래, 암벽 사이로 비나 눈이 와서 스며들어 있는 물을 수맥이라 한다. 미국의 지질학자인 존맨 박사에 의하면 수맥 속도를 실제로 측정해 본 결과 하루에 1.5 m씩 움직이고, 수맥의 폭은 20~100 m의 길이가 된다고 정의하였다.

지하수는 지표수에 비하면 칼슘, 마그네슘, 규산, 탄산수소나트륨, 철, 황산, 나트륨, 칼륨 등 함량이 많이 들어 있고, 그에 비해 산소는 적게 들어 있다.

지하수는 물의 깊이에 따라 수온의 영향으로 인해 약산성에서 알칼리성으로 되고, 지하수가 심부 깊이 들어가면 들어갈수록 온도가 상승하는데, 깊이가 100 m 정도면 물의 온도는 17~18℃이고, 200 m이면 물의 온도가 19~20℃이다. 암반 100 m의 지하수를 식수로 사용하게 되면 천연 알칼리성이며 약수가 된다.

지하수의 온도는 겨울에는 높고 여름에는 낮다. 그래서 겨울에 지하수를 사용하면 따뜻하고 여름에는 시원한 것이다.

● 전라북도 익산시 낭산면 용기리 지하수 ●

1) 생수

생수는 물줄기가 땅 밑에 스며들어 있는 것을 말하며, 암반층의 통로를 통하여 흐르는 것을 수맥이라고 한다. 살아 있는 모든 생명체와 같이 수맥도 움직이는 자생력을 유지하기 위해 끊임없이 물을 흡수하면서 유지해 나가고 있다.

2) 건수

비가 오고 눈이 오면 땅 밑으로 물이 스며들어 지질의 깊이가 달라진다. 저수지, 강, 바다, 호숫가에 고인 물을 건수라고 한다. 대부분 암반층의 통로를 통하여 물줄기를 형성하며 흐르게 되는데, 이 물줄기를 수맥이라 한다.

예를 들어 출세하여 잘 나갔던 사람이 갑자기 큰 우환을 당하면 흔히 우리는 쑥대밭이 되었다고 표현한다. 쑥대밭이란 말 그대로 그 집 조상들의 산소에 쑥이 많이 자라고 있다는 이야기다. 쑥은 건조한 곳에서는 말라 죽지만 습하고 수맥이 흐르는 곳에서는 잘 자란다. 그래서 산소에 수맥이 흐르는 것을 맨눈으로 확인하려면, 쑥이 자라고 있는지를 보면 된다. 쑥이 자란 산소를 보면 시체가 물속에 잠겨 있는 경우를 볼 수 있다.

어떤 일들이 잘 안 될 때 조상 탓을 하게 된다. 그래서 일을 다시 회복하려고 윗대 조상들의 묘를 이장하기 위해 햇볕이 잘 들어오는 음택의 명당자리에 조상을 모신다.

쑥 이외에도 묘지의 수맥을 맨눈으로 진단하는 방법이 있다. 묘지에 수맥이 흐르는 곳은 잔디가 살지 못하고 말라 죽는다. 묘지의 잔디가 다 죽어버렸다면 서둘러서 이장해야 할 것이다. 반대로 말하자면 수맥이 없는 명당자리에서는 잔디가 파릇파릇하게 잘 자란다는 것이다.

지구는 자석의 원이다. N-NS-S 상극이다. 지구에서 자기장의 에너지가 발생할 때 고유 진동수는 7.83 Hz로, 전자기파 파장과 파형이 생기기 때문에 전기력파와 자기파를 합해서 전자기파라 한다.

7
음택과 수맥의 관계

음택의 명당자리는 죽은 사람의 묘지라고 한다.

집안이 번창하고 후손들이 잘 되려면 조상의 묫자리가 명당자리에 있어야만 한다고 말한다. 우리는 무슨 일이 잘못되면 조상 탓을 하고 일이 술술 잘 풀리면 내 탓을 하게 된다.

● 음택의 명당 ●

● 음택의 묘지 ●

명당자리를 잡을 때 지세, 수세, 산세를 보고 길지인지 알 수 있고, 혈(穴), 용(龍), 수(水), 사(砂) 4가지가 잘 갖추어져야 명당이라고 말한다. 즉, 명당을 찾는 것은 심마니가 산삼을 찾는 것과 같이 어렵다는 뜻이다. 배산임수는 물의 흐름과 산세도 보아야 하고, 명당자리는 아무에게나 쉽게 눈에 띄는 것이 결코 아니다. 우리나라의 알려진 명당자리는 몇 군데가 있다.

소문난 명당자리로 경기도 여주 영릉에 세종대왕릉이 있고, 충남 예산 덕산에 남연군 흥선대원군의 묘가 있다. 경기도 구리시 동구릉에는 태조 이성계 건원릉이 용자 형의 자세로 천(天) 지(地) 음(陰) 양(陽) 일(日) 월(月) 도(都) 합(合) 격(格) 제(地) 대명당 자리가 있다.

또한 전남 진도군 진도읍 현풍 곽씨 곽호례의 묫자리가 명당자리로 알려져 있다. 산 사람의 집은 양택이 좋고 죽은 사람의 무덤은 음택이어야 한다. 시체가 까맣게 썩어 있으면 수맥파의 영향을 받았다고 볼 수 있다. 시체가 썩었다는 것은 무덤에 물이 찼다는 것이고, 조상의 묘에 물이 있으면 자식 또는 자손들 꿈속에서 조상이 춥다고 한다든지 자손 중에서 묘지를 옮겨 줄 만한 사람에게 몸으로 전한다고 한다.

8

양택과 수맥의 관계

필자는 얼마 전 전북 고창군 부안면 봉암리 인촌 김성수 선생과 수단 김연수 선생이 탄생한 생가를 들렸다.

● 인촌 김성수 선생 생가 ●

수맥을 연구한 학회에서 꼭 한 번 정도는 방문하는 곳이라고 소문이 자자하여 수맥 탐사 기구들을 총동원해 그곳에 도착했다. 입구에 들어서니 인촌 생가에 인촌기념회 관리소장님이 친절하게 여러가지를 설명해 주었다.

북향집에 대문은 북향을 바라보고 있었다. 봄에도 눈이 오면 눈이 잘 녹지 않는다고 하는 북향집이었다.

김성수 선생은 제2대 부대통령을 지냈으며, 김성수, 김연수 두 형제는 경성방직 공장, 동아일보사, 고려대학교, 중앙중 · 고등학교, 삼양사를 설립하였다. 김성수 형제는 우리 사회의 선구자이다. 큰댁 안채, 사랑채, 작은댁 안채에서 수맥 탐사를 해보니 김성수, 김연수 두 형제가 태어났다는 방에 너무 좋은 기운이 있고, 땅의 정기가 뭉쳐 있는 것이 길상이었다. 엘로드 수맥 탐사기로 확인해보니 너무 좋은 기운들이 가득 있었다. 1937년에 지었던 집에 세월이 흘러도 우물 안에 맑은 물이 계속 흐르고 있었다. 인촌 김성수 생가는 고창군에서 복원하였고, 우물에서 기운과 좋은 에너지를 느꼈으며 우물에 썩지 않고 계속 물이 흘러나와 진응수라고 하였다.

1907년에는 마을 입구까지 바닷물이 들어와 배가 드나들었다고 하였다. 북향집인데도 막힘없이 밝았다. 관룡자로 기(氣)에너지를 탐사해보니 오랫동안 집은 비어 있었는데 좋은 기운이 느껴졌다. 좋은 기운을 받으려면 현재 누군가가 생활하고 거주하면 좋을텐데 하는 아쉬움을 가졌다.

● 인촌 김성수 선생 생가 진응수 ●

수맥파와 질병의 관계

1. 암 환자의 수맥 위에서의 생활이 질병에 미치는 영향에 관한 해외 연구 논문

풍수지리는 미신이 아니라 과학이다. 자연에 직·간접적으로 영향을 받아 사람의 질병에 영향을 미치게 하는 것이 수맥이다. 이미 선진국에서는 수맥파에 관한 많은 연구가 입증되었다.

1) **독일의 외과의사인 하거 박사(Dr. Hager)**는 1910년부터 1932년까지 22년 동안 5,348명의 암 사망자를 대상으로 한 주거지에 대한 실태 조사를 연구하였는데, 99% 이상이 수맥 위에서 침실 생활을 하고 있었다는 연구 결과를 발표하였다. 하거 박사는 현대의학으로 밝혀낼 수 없는 부분을 대체의학의 보완·대체요법 차원으로 접근하여 수맥파가 암을 일으키는 원인을 밝혔다.

2) **네덜란드의 지질학자 트럼프트 박사**는 1968년, UN 유네스코에서 "수맥 교차점에서 생활한 사람들은 아드레날린 분비가 촉진, 심장 박동수가 상승, 혈압에 영향을 미치며 산소 소비량이 증가한다"라고 하였다.

3) **스위스 메디컬 조셉 아이셀 의학박사**는 환자 중 대지의 영향, 수맥과 지자기 맥을 받지 않은 환자는 거의 없었다고 스위스 의료 저널에 기고하였다.

4) **독일 의사인 남작 구스타프 박사(1930)**는 1929년에 발표한 내용을 보면 25년간 수맥을 연구한 결과, 수맥파는 암을 유발한다는 사실을 밝혀냈다. 이에 "수맥파가 교차되는 지점은 강력한 유해파가 발생하는 곳으로 장시간 잠을 자면 암까지도 유발된다"라고 학회에 보고하였다.

5) **독일의 두 대학인 하이델베르크의 보건학회, 뮤니히의 공과대학의 연구 결과**, 암은 확실히 대지의 영향과 관계가 있었다. 동식물을 이용하여 수맥 등이 지나는 곳의 관계를 연구하였는데 수맥파의 영향을 받는 나무는 말라 죽었다. 사람뿐만 아니라 동식물도 수맥 유해파와 관계가 있다는 사실을 알 수 있었다.

6) **오스트리아의 케더 비흘더 박사**는 밝혀낸 암 환자들의 주거실태 연구에서 수맥 탐사가의 도움으로 500명의 암 환자에 관한 사례들을 조사하였는데, 이들은 같은 아파트 라인에 살면서 암에 걸려 있던 사실이 밝혀졌다. 확인해보니 그 아래 커다란 수맥이 지나고 있었다.

7) **스위스** Dr. Kopt M.D는 암 사망률이 높은 원인을 파악하여 조사한 결과, 사망자 집 주변의 중심도로 양쪽에 강한 수맥 유해파가 지나고 있다는 것이 발견되었다.

8) **프랑스의** Charles Richet **(노벨상 수상자)**은 다우징으로(dowsing)으로 수맥 유해파를 찾는 방법은 과학적이라는 것을 증명하였다.

9) **미국의** E.Havallk **(생물 물리학자, 미 육군 신물질개발국 고문)**는 수십 명의 수맥 탐사 전문가에게 능력을 발휘하게 하여 수맥 탐사를 한 후, 90%의 동일한 결과가 나타나 과학적으로 입증되었다.

10) **일본 노동성산하 산업의학종합연구소의 한 연구팀**은 수맥 유해파에 계속 피폭되면 암, 종양세포에 대한 저항력이 떨어진다는 충격적인 연구 결과를

발표하였다.

11) **독일의 도르트문트 강연**에서 수맥파를 측정하기 위해 30명의 중환자가 생활하고 있는 침실을 검사한 결과, 수맥 유해파가 전혀 없는 곳에서 잠을 잤던 중환자는 단 한 명도 없었다고 밝혔다. 모두 수맥파 위에서 잠을 자고 있었다. 이는 수맥파가 과학적인 범주에 포함되고 있음을 보여주었다.

12) **자연요법학자인 한스 슈만**은 『생물학적 방법을 통한 성공적 암 치료』라는 저술서에서 암 환자가 잠자리만 옮겨도 우리 몸이 인식을 하고 몸에서 호전 반응을 보인다고 하였다.

13) **스위스 맨프레드 커레 박사**(1950)는 암 환자들은 수술 후에 반드시 해로운 수맥 유해파가 없는 곳에서 생활해야 한다고 강조했다.

14) **독일의 의학박사**들은 수맥 유해파에 관한 과학적인 연구가 활발하게 입증되어 암 환자가 수맥 유해파 등의 교차점 위에서 생활과 잠자리를 하는 것이 암을 유발하는 중요한 원인이라는 사실을 밝혀냈다. 누구든지 수맥 유해파 위에서 생활하지 않으면 암에 걸리지 않는다는 이론을 1930년, 암 연구 중앙위원회에서 발표하고 논문으로 출판하여 큰 호응을 얻었다.

15) **독일 구스타프 폰 폴**(1930)은 "과학자들은 수맥의 해로운 수맥파에 살지 않으면 암에 걸리지 않는다"라고 밝혔다.

16) **독일은 건물을 지을 때 수맥**이 있는가를 먼저 확인한 후 건축허가가 나온다. 독일은 그만큼 주거 시설에 대한 수맥을 중요시하고 있다. 하지만 우리나라의 경우는 건물을 지을 때 계획관리지역, 생산녹지지역, 관리지역, 1종, 2종 주거지역 여부만 확인하고 인 · 허가만 내줄 뿐이지 수맥 유해파가 건강에 영향을 미치는지는 확인하지 않는다.

2. 암 환자의 수맥 위에서의 생활이 질병에 미치는 영향에 관한 국내 연구 논문

1) **1998년 10월 15일 건국대학교 의과학술지에 발표한 논문에서 재활의학과 교수 정진상 박사**는「수맥이 인체에 미치는 영향」을 통해 수맥파 위에서 생활한 31명을 대상으로 뇌전도 검사를 한 결과, "수맥파 위에서 생활하거나 잠을 자는 사람은 신경반응 정도가 느려져 뇌의 시각기능과 지각기능에 영향을 주게 되어 각종 자극에 대한 반응이 저하되는 등 수맥파가 인체 신경계에 나쁜 영향을 준다"고 밝혔다.

2) **정판성의『건강수맥 풍수 수맥』**에 의하면 "강한 지자기 위에서 생활할 경우 역시 두통, 편두통, 정신집중 저하 증상이 올 수 있다"고 발표하였고, 또 135명을 조사한 결과, 수맥 위에 자면 침실의 지자기장 교란이 150% 정도 높아져 정신 집중력이 떨어지고 편두통으로 인해 목이 뻐근하고 혈액 순환이 안 되는 것을 알 수 있다.

3) **신경정신과 의사 이영숙**은 땅에 흐르고 있는 수맥이 건강에 영향을 주고, "터도 기운이 있다"라고 하였다.

4)**『수맥 그리고 현대인의 건강』 저자인 김창규**는 건강한 삶을 영위하는데 과학적으로 접근하여 실생활에 활용하면 건강을 지킬 수 있다고 한다.

5) **1999년 11월 13일 부산 신문 자료**에서 부경대학교 자연대학 미생물학과 이원재 교수는 수맥이 흐르지 않는 곳에서는 무해한 미생물 2~3종의 균류가 발견됐지만 수맥이 흐르는 곳의 토양 10 g에는 포도상구균 등 인체에 해로운 부패세균 7종이 발견되었다고 하였다. 부경대학교 실험에서 수맥이 흐르는 곳에 보관한 두부, 상추는 빨리 부패가 되었고, 수맥이 없는 곳에서 보관한 두부, 상추에서는 부패가 일어나지 않았다.

6) **서창원의 연구에 의하면「건축물에 미치는 수맥영향의 인식구조에 관한 연구」**에서 학력이 높을수록 수맥에 대하여 부정적이고, 학력이 낮을수록 수맥

에 대한 인식이 긍정적이며, 양옥주택의 거주자와 자영업자가 수맥에 대한 인식도가 높고, 수맥에 관심도는 남자보다 여자가 더 낮다고 하였다.

7) **강기태 의사의 한국정신과학회 학술대회 논문집인「수맥과 난치병에 대한 고찰」**에서는 수맥 위에서 잠을 자게 되면 관절이 침착되고, 수맥이 통과하면 신경전달물질이 부족해져 파키슨병, 암 등을 일으킨다고 하였다.

8) **정철규의「수맥이 인체에 미치는 영향에 관한 연구」**에서는 수맥을 차단하는 방법 중 완전한 차단 방법은 없으며, 금속물질로 중화시키는 방법은 있다고 하였다.

9) **『수맥과 풍수 길잡이』의 저자 안국준**은 동물들은 초감각이 발달되어 수맥의 미세한 파동으로 지진, 해일의 전조증상을 빨리 느낀다고 하였다. 수맥파를 싫어하는 개는 수맥이 없는 곳에서만 잠을 청한다.

10) **류육현의『길흉화복을 좌우하는 수맥과 풍수』**에서는, 수맥은 지하수의 차가운 에너지이며 음(陰)의 기운 냉혈(冷穴)은 죽은 사람이나 산 사람에게 해로운 기운을 주지만 양(陽)의 기운인 온혈(溫穴)은 따뜻한 에너지로 생기(生氣), 지기(地氣), 지맥(地脈)를 통해 음지의 시신을 육탈소골(肉脫消骨)하고 산 사람에게는 길흉화복을 가져다준다고 하였다. 인간은 태어나서 죽을 때까지 천지에 영향을 받으면서 살고 있다. 그래서 수맥과 풍수는 바람과 물로 해석하여 좋은 터인 명당자리를 찾는다.

3. 암 환자의 생활 주거상태에 수맥이 있는지 확인하라

암으로 사망한 환자들의 잠자리는 대부분 수맥 위에 있었다.

특히 수맥의 양방향으로 교차하는 잠자리에서 잔 사람들 거의 모두에게 예외 없이 암이 발생하였다고 보고한다는 사실에 우리는 주목해야 한다.

1) 위암 환자 침실의 수맥

의뢰자가 그림과 같은 방에서 생활할 경우 소화가 잘 안 되는지, 수맥이 교차하는 방에서 몇 년을 생활하였는지, 몸에 질병의 증상이 있는지, 잠은 잘 자는지, 암 수술을 받은 적 있는지를 물어본 뒤 측정하고 나서 도면 하단에 자세하게 탐사도의 내용을 적어 놓는다. 수맥이 흐르는 곳에서 의뢰자가 장기적으로 생활하였다면 그림에서와 같이 위장 쪽에 병증이 있었을 것이다.

그렇다면 탐사 후 의뢰자가 불편했던 부분을 처방해 주어야 한다. 수맥파가 인체에 얼마나 영향을 미치는지를 진단하였으면 곧바로 처방을 해줘야 한다. 먼저 수맥파가 흐르지 않는 곳으로 침실을 옮겨야 한다. 그 후에 다시 의뢰자 집을 방문하여 수맥 전과 후를 비교해 볼 수 있다. 수맥이 흐르는 위치에 따라서 질병의 위치도 다르다.

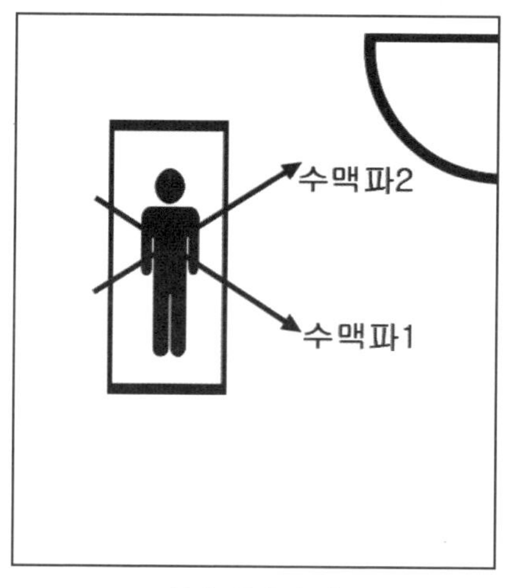

● 위암 환자의 방 ●

2) 머리 위에 수맥파가 지나간다면 뇌암이나 뇌졸중, 뇌경색

유럽의 많은 학자는 수맥 위에 장기간에 걸쳐 생활하는 사람은 면역체계가 붕괴되어 인체의 면역체계를 교란해 뇌경색뿐만 아니라 암을 유발한다는 연구 결과와 이론을 입증하였다. 머리에 수맥이 교차하여 지나가는 파장은 뇌종양, 뇌졸중, 뇌경색 등 거의 예고 없이 질병을 일으켰다고 보고하고 있다.

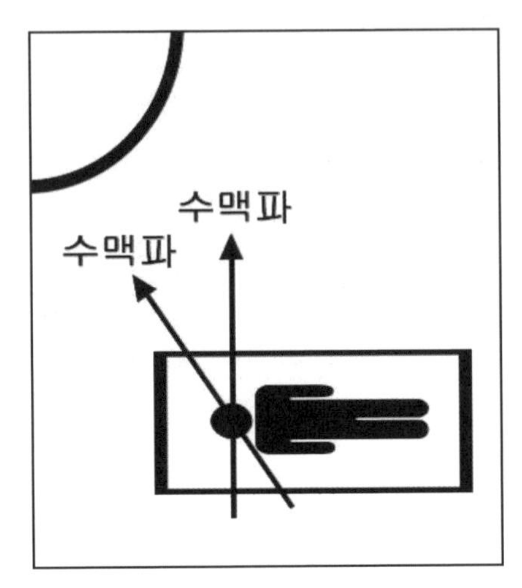

● 머리에 수맥파가 지나는 경우 ●

3) 자궁 위에 수맥파가 지나간다면 자궁암

그림과 같이 수맥 파장이 지나간다면 자궁암 검사를 받아야 한다.

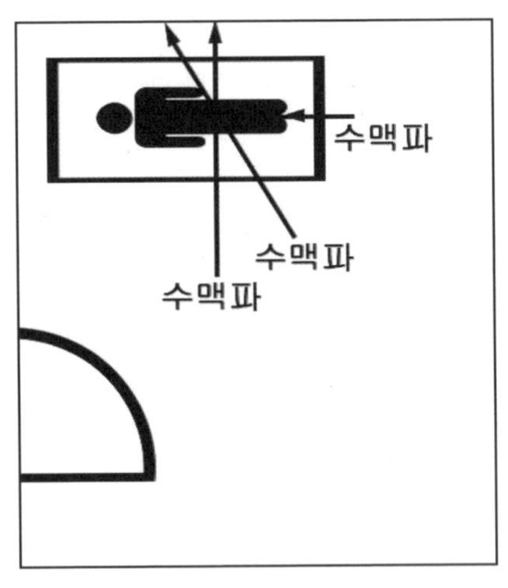

● 자궁 위에 수맥파가 지나는 경우 ●

4) 주거지 탐사 후 탐사도를 작성하는 방법

수맥 탐사자는 의뢰자에게 집의 설계 도면을 의뢰받고, 도면에 수맥 파문을 그림으로 그려서 흐르는 수맥을 표시하고, 탐사도를 보면서 방과 방 사이에 수맥이 흐르는 방향을, 예를 들면 거실에서 주방으로 수맥이 흐르는지 아니면 주방에서 거실 쪽으로 흐르는지, 자세하게 의뢰자에게 설명해 주어야 한다.

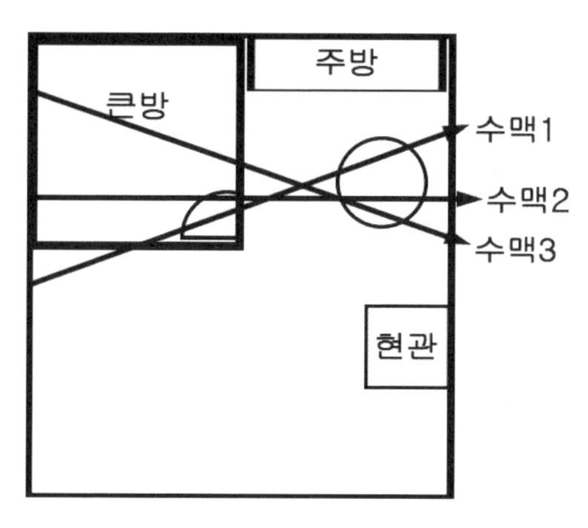

● 탐사도를 작성하는 방법 ●

5) 개는 수맥을 싫어한다

동물 중에서 고양이는 수맥을 좋아하고 개는 수맥을 싫어하니 고양이와 개는 정반대라고 생각하면 된다.

집터나 묘지 터를 보려거든 두 동물을 통해 수맥에서의 습성을 관찰하여 수맥이 있는지 없는지를 판단하면 많은 도움이 된다. 집터 자리에 개를 데리고 가는 것은 돈을 들이지 않고 테스트하는 방법 중 하나다.

개를 수맥 교차점 위에 개집을 놓아 주어 살게 하면 개는 병에 걸려 시들시들 죽는다. 개는 수맥을 싫어하니 집안에 아픈 사람이 있다면 개를 데리고 이 방 저방 데리고 잠을 재워서 잘 자는 곳은 수맥이 없다는 것이고, 개가 잠을 자지 못하고 돌아다니고 산만하면 방에 수맥파가 흐르고 있다는 것으로 간주하면 된다. 암 환자, 뇌졸중 환자, 고질병 환자가 있다면 한 번 해보는 것도 좋다.

수맥파를 기피하는 동물은 소, 개, 말, 양, 조류, 닭, 돼지, 물고기이다. 수맥이 있는 곳에서 살면 이들은 얼마 못 견디고 병에 걸려 죽는다.

● 개는 수맥을 싫어한다 ●

10

수맥파와 지진의 관계

육지와 바다가 흔들리는 지진과 해일은 지구의 두 지각판이 충돌하여 발생한다. 자연적으로 지구 내부의 맨틀 대류 운동 때문에 화산활동, 지진, 지각변동, 조산운동이 활발하게 일어나고 있다.

지진은 현대 과학기술로도 예측하기 매우 어려운 일이다. 지진은 자연 현상으로 예고 없이 와서 엄청난 피해를 주는 무서운 재앙이다. 2011년 일본을 쓰레기 더미로 몰고 갔던 대재앙 쓰나미를 일으킨 최악의 도후쿠 대지진은 지진과 해일이 일어나기 이전에 돌고래 50마리가 폐사한 뒤 6일 만에 진도 9.6의 지진이 일어났다. 또, 일본 동부 오키나와 해안가 돌고래 160여 마리가 죽은 뒤 10일 후에 진도 6.8의 지진이 발생하였다. 어부들은 심해 200 m 깊은 곳에서 서식한다는 산갈치가 잡히면 지진을 예고한다고 말하고 있다. 실제로 일본에서 산갈치가 잡힌 뒤 며칠 후에 지진이 일어났다고 한다. 이후 1975년 중국 정부는 동물들의 특이 행동으로 지진을 예측하였고 하이청 대지진이 발생하기 전 대피시켜 피해를 최소화하였다. 이후 2008년 중국 쓰촨성에서는 도로 위에 두꺼비 수십만 마리가 나타난 뒤 대지진이 발생하였다.

지진 전조증상으로 동물들의 집단 폐사 또는 집단행동을 하는 경우가 많은데, 전문가들은 동물들이 미세한 파동의 기 에너지를 초감각으로 느끼고 미리 지진을 예측한다고 보고 있다. 지진 발생의 피해를 줄이기 위해 동물들의 지진 예측에 대한 연구가 이루어지고 있다.

1. 수맥파를 기피하는 동물

사람, 소, 개, 말, 양, 닭, 돼지, 물고기, 조류 등은 음(陰)의 습하고 탁한 기운에 있게 되면 고유 파장인 7.8 Hz가 교란 현상을 일으켜 균형이 깨지면서 질병에 쉽게 걸리게 된다.

2. 수맥파를 선호하는 동물

양(陽)택보다는 음(陰)택을 선호하는 꿀벌, 고양이, 개미, 박테리아, 결핵균, 곤충류, 기생충은 예민하여 썩은 냄새가 나는 수맥 교차점 위에 집을 짓고 살고 있다. 수맥을 확인하는 방법은 수맥파를 선호하는 동물들이 살고 있는지 확인하면 쉽게 육안으로도 볼 수 있다.

1) 상가

수맥파가 있는 점포는 고객 방문을 기피하고, 구매의욕이 떨어지며, 매출이 감소한다. 수맥이 있는 곳은 음의 습하고 탁한 기운이 있어 사람들이 들어가는 것을 꺼려하기 때문이다. 그래서 점포가 닫혀 있다.

● 수맥파가 있는 상가 ●

2) 소

소를 기르는 축사 아래로 수맥이 지나가면 수맥파에 의해 소가 질병에 걸려 유산되면서 새끼 번식률이 낮아진다.

● 수맥파 위에 있는 소 ●

3) 고양이

동물 중에 수맥을 유독 좋아하는 고양이는 자기맥이나 수맥이 교차하는 곳만 골라서 집을 짓는다. 청각이 예민한 고양이는 야행성이라서 하루 16시간 동안 잠을 자고 밤에 사냥을 나선다. 다른 동물의 외적 공격성을 피하기 위해서이다. 고양이는 수맥이 교차하는 지하의 썩은 냄새를 좋아하기 때문에 못자리나 건물 지하에 집을 짓는다. 고양이가 앉아 있는 곳을 보면 수맥이 지나가고 있음을 확인할 수 있다.

이런 말이 있다. 고양이를 키우던 사람이 어느 날 옆집으로 이사를 하였는데 고양이가 이사 온 집에 살지 않고 예전에 살던 집으로 되돌아 가버렸다. 이사 온 집은 수맥이 없고, 예전에 살던 집은 수맥이 있어 예전 살던 집에 다시 찾아갔던 것이다. 고양이가 잠을 자는 자리는 수맥 교차점이기 때문에 사람에게 질병을 일으키는 해로운 자리라 할 수 있다.

● 수맥을 좋아하는 고양이 ●

4) 개미

어릴 적 비가 오려고 할 때 길가에 개미들이 수천 마리의 무리로 떼를 지어 기어가는 모습을 목격했을 것이다. 그것을 보고 우리는 개미들이 소풍을 간다고 구경삼아 보았던 기억들이 있다. 개미가 무리를 지어 기어가는 곳은 수맥이 교차하는 장소라고 볼 수 있다. 그 곳을 집이나 묘지로 써서는 절대로 안 된다. 개미가 사는 집은 수맥을 의심해봐야 한다. 수맥의 유무를 동물이나 곤충을 통해 관찰할 수 있어 참으로 흥미롭다.

또, 땅벌들이 사는 곳에 큰 수맥이 있으니 항상 조심해야 할 것이다.

● 수맥을 선호하는 개미 ●

5) 양

사람이 살아야 할 가장 좋은 집터는 양 떼들이 무리지어 자는 곳이다. 이곳에 집을 지으면 수맥파가 없다. 양은 후각이 예민하여 수맥이 지나가는 자리의 냄새를 맡아 수맥이 흐르는지 알 수 있다. 양들은 수맥이 없는 곳에서 깊은 잠을 청하기 때문이다.

● 수맥을 싫어하는 양 ●

11

수맥파와 식물의 관계

독일의 하이델베르크의 보건학회에서 수맥파가 지나는 곳에 동 · 식물을 이용하여 연구한 결과, 암 환자가 수맥파에 영향을 받고 있다는 사실이 확인되었다.

● 수맥파에 의해 기형으로 자란 소나무 ●

1. 수맥파를 피하는 식물

해바라기, 사과나무, 배나무, 밤나무, 보리수나무, 라일락, 앵두나무, 호두나무는 논보다는 산자락이나 밭에서 잘 자라고, 수맥 위에 심게 되면 더디게 자라며 열매를 맺지 못하며, 수맥파에 노출되면 나무가 기형으로 자라면서 시들시들 말라 죽는다.

2. 수맥파를 선호하는 식물

기생식물인 겨우살이, 버드나무, 자두나무, 벚나무, 복숭아나무, 떡갈나무는 수맥파에 저항력이 강해 음(陰)이 있는 습한 기운에서 잘 자란다.

3. 수맥을 차단하는 식물

산당화, 향나무, 측백나무, 전나무, 황금 사철, 백합나무는 기가 강해 전자파와 수맥파를 차단한다. 수맥으로 음(陰)이 많으면 귀신이 좋아한다고 한다. 양(陽)택에서 흉가(凶家)는 존재하지 않는다. 집에 아픈 환자가 있다면 지질구조대에 변형된 수맥을 차단하는 식물을 이용하여 풍수 인테리어를 하는 것도 좋은 기(氣)를 방사하는 에너지를 받을 수 있는 하나의 방법이다.

12

육안으로 보는 수맥

수맥파는 땅속 토층을 뚫고 지상으로 방사한다. 수맥파는 인체 자기장을 통해서 각종 질병인 수면 방해, 중풍, 고혈압, 당뇨병, 암 등을 일으킨다.

● 수맥파로 인한 담벼락 균열 ●

1. 담벼락(균열)

수맥파로 인해 피해를 보는 생활환경으로 건물이나 담벼락 등의 갈라진 부분들을 육안으로 한 번쯤은 보았을 것이다. 그리고 담벼락의 균열 사이에 식물이 자라고 있는 것을 흔히 볼 수 있다. 수맥이 흐르고 있어 그 습기 때문에 촉촉하여 그 사이에 풀이 자라고 있는 것이다. 이러한 곳에 거주한 사람은 수맥에 의한 유해 파장으로 건강에 악영향을 미치고 있을 것이다.

2. 침실

세균, 바이러스, 곰팡이 등은 수맥이 있는 곳에서 더 잘 자란다. 이로 인해 우리 몸의 저항력이나 면역력을 악화시킨다. 수맥 위에서 생활하면 뇌파에 영향을 미치게 되어 아래와 같은 현상들이 나타난다.

- 깊은 잠을 못 잔다.
- 가위에 눌린다.
- 꿈을 많이 꾼다.
- 잠을 자고 나도 몸이 무겁다.
- 숙면 장애로 자주 깬다.
- 병원에 다녀와도 별 효과가 없다.
- 늘상 이유 없이 허리나 머리가 무겁다.
- 불면증에 시달린다.
- 늘 우울하다.
- 손발이 저리고 순환이 안 된다.
- 이유 없이 우환이 잦아진다.
- 암 환자에게는 치유가 더디고 악화된다.
- 집의 조경수나 잔디가 말라 죽는다.

- 기형아를 낳을 수도 있다.
- 원인 없이 임신이 안 되고 유산이 잘 된다.
- 중풍이나 고혈압에 걸리기 쉽다.
- 정력이 감퇴되어 불임이 생긴다.
- 부부 싸움이 잦아진다.

3. 집시

수맥 이론에 부정적인 의학자들도 수맥 파장에 대한 통계만큼은 부정하지 않는다. 이동 생활을 하는 집시들의 암 발병률이 유일하게 1% 미만이라는 통계자료가 있다. 집시들은 암이나 성인병이 걸리지 않는다. 왜냐하면, 한 곳에서 자지 않고 매일 잠자는 장소와 위치가 다르다 보니 수맥 위에서 매일 생활하지 않기 때문이다.

● 캠핑카(집시카) ●

4. 아파트, 주택, 건물(균열)

수맥 위에 지은 주택이나 아파트, 건축물에는 벽에 금이 가 있어 누구나 한 눈에 쉽게 알아 볼 수 있다. 그 건물에 사는 사람은 분명 암에 걸릴 확률이 높다는 국내외 연구 논문들이 있다. 건물 벽이나 땅에 금이 간 곳은 극히 위험한 수맥이 지나가고 있는 곳이므로 주택이나 집을 살 때 가장 눈 여겨봐야 할 점이다.

수맥이 있는 곳에서는 장사가 안 된다. 온화한 기운이 없고 습해서 음이 있다.

음택과 양택의 원리에 의하면 음택은 죽은 사람이 사는 자리이고, 그곳은 안 좋은 음(陰)의 기운이 흐른다.

양택은 산 사람의 자리이다. 양택의 좋은 집터는 인촌 김성수 생가처럼 조상과 후손들에게 훌륭한 인재가 나온다. 그래서 양택의 집터가 중요하다. 양택의 집터에는 아침부터 저녁까지 햇볕이 들어와 좋은 기운과 기 에너지를 받아 집안에 습기가 생기지 않고 통풍이 잘 되어 화초들도 생기가 있고, 음식들도 곰팡이가 피지 않는다. 기 에너지는 곧 건강과 밀접한 관계가 있다.

● 수맥에 의한 건물 균열 ●

13

수맥파와 성적의 관계

1. 학생이 주의가 산만하며 집중력이 떨어짐

건국대학교 의과대학 재활의학과 정진상 교수팀이 「건국 의과학 학술지」에 발표한 논문에서, 사람이 수맥파에 노출될 땐 뇌 지각기능이 떨어져 학생들의 학습능력 장애를 유발하므로 학업성적이 떨어진다고 발표한 것은 국내 최초로 수맥파의 유해성을 입증한 것이다.

2. 오스트리아 케틸 바 홀러

오스트리아의 수맥 탐사가와 교사로서 14개국 3,000가옥, 112,000개의 침실에 관한 탐사 결과를 보고하였으며, 또한 500여 건의 암 환자에 관한 사례들을 여러 수맥 탐사가의 도움으로 조사하게 되었다. 수맥이 흐르는 아파트의 같은 라인에서 여러 명이 암에 걸려 있는 사실도 관찰되었다. 이는 가설이나 예측이 아니고 사실이다. 또한, 학습에 장애를 받는 학생들의 95%는 대지 유해파가 상한 곳에서 자거나 학습을 했다는 사실이 발견되었다.

● 양택의 집터 ●

14

수맥과 교란현상의 관계

1) **동의대학교 화학과 이상명 교수의『氣 과학』**에서는 묘소 밑에 지하수(수맥파 · 중력수의 기)가 흐르면 묘소의 기는 묻힌 사람과 가장 가까운 사람의 기와 동기감응(洞氣感應)되어 좋지 않은 결과를 초래한다고 하였다(공명. 파도에너지의 작용).

2) **이재석 박사의『기(氣)와 생활 풍수 인테리어』**에서는 그 어떤 것도 수맥을 차단할 수 없으며 현재는 오로지 피라미드만이 수맥을 차단한다고 밝히고 있다.

3) **이문호 교수**는 "철근이나 H형 철강이 많이 포함된 주택에서 지자기장 교란이 특히 심했다"라며 지자기장 교란이 약한 경우 연 자성 페라이트 재질의 벽지, 장판, 타일, 시멘트를 깔면 지자기장 현상이 줄어들며, 지자기장 교란이 강한 경우 퍼멀로이(Permalloy)계의 강판을 바닥에 깐 후 같은 재질의 가는 기둥을 모서리에 세우면 교란 현상을 줄일 수 있다고 밝혔다.

4) **얼마 전 〈KBS 건강 365일〉** 방영분에서는, 독일은 집을 지을 때 수맥을 피해 짓도록 법으로 명시되어 있다고 하였다. 또한 건강식품도 철저하게 식약

청에 등록이 되어야만 판매가 된다. 모든 방면에서 선견지명으로 인류의 건강을 먼저 생각하고 있다.

암, 중풍 등 고질병에서 벗어나려면 우리 몸을 괴롭히는 교란 현상 유해파인 수맥파가 침실을 지나고 있는지에 대한 확인 여부가 꼭 필요하다.

15
수맥 위에서 생활하는 수녀님 사례

필자가 다니는 성당 빈체시오 단원들이 자원봉사를 하기 위해 수녀님과 함께 요양원을 방문하여 차를 마시는데, 수녀님 안색이 안 좋아 여쭤보니 한 달 가까이 병원에 입원치료 후 퇴원하였다며, 여기저기 아프다는 이야기를 하였다.

구구절절한 이야기를 듣다가 수맥 이야기를 살짝 꺼내어 외국의 사례를 이야기하자 수녀님은 시간을 내어 수녀원에 한 번 방문해 달라고 하였고, 며칠 후 수맥 도구를 챙겨 들고 방문하게 되었다. 들어서자마자 습한 음(陰)의 기운을 느꼈다. 알고 보니 거실에 커다란 수맥이 지나가고 있었다. 수녀님의 방을 안내받아 들어가니 또 다른 수녀님은 침대에 누우면 심한 불면증에 시달려 겨우 잠들어도 2~3시간을 넘기지 못하고 깨어 밤을 지새우고, 가위눌림으로 몸이 아파서 매일 한의원에서 침을 맞는다고 하소연하였다.

관룡자와 엘로드를 들고 기 에너지의 기운을 느끼며 측정을 해보니 수맥이 머리와 가슴을 지나가고 있었다. 그래서 수맥이 없는 방향으로 바꾸어 자면 좋을 것이라고 처방을 해주고 돌아왔다. 다음날 오전에 문자가 왔다. 수녀님께서 평소와 달리 아침까지 오랫동안 잠을 잘 잤다는 문자였다.

그리고 며칠 후 궁금해서 연락하니 요즘 잠을 잘 잔다며, 다음주 월요일에 피정가신 수녀님들이 오시니 다시 한 번 방문을 요청하였다. 우리 몸에는 잠이 보약이다. 우리는 잠만 잘 자도 질병에 걸리지 않는다는 것을 잘 알지만, 답은 알지 못하며 살아가고 있다. 알고 보니 수녀원 거실이 예전에 연못이었다고 한다. 늘 습했던 거실을 황토 벽돌을 사용하여 습기를 제거하는 방법으로 처방해 주었다.

風水

풍수(風水)는 미신이 아니라 과학이다

풍수(風水)는 바람과 물을 의미하며
우주와 자연의 이치학이다.
모든 질병은 기(氣), 혈(穴)과
배산임수(背山臨水), 방위는 음(陰), 양(陽),
오행(五行) 속에 답이 있다.

아픈 환자가 집에 있다면 풍수(風水)적 이론을 접목하여 나쁜 기(氣)운을 몰아내고 좋은 기(氣)운을 받게 되면 건강에 좋은 기(氣)운이 들어오게 된다.

"집의 동쪽에서 흐르는 물이 강과 바다로 들어가면 좋으나 동쪽에 큰 길이 있으면 가난하고, 북쪽에 큰 길을 두면 나쁜 일이 생기며, 남쪽에 큰 길이 있으면 부귀영화(富貴榮華)를 누린다"

풍수(風水)는 중국 전국 시대 말기 이전부터 시작되어 우리나라에는 삼국 시대 이전에 전래되었다고 여겨진다. 풍수는 주로 주택이나 묘지의 명당(明堂)자리 터를 말한다. 풍수에서 음양오행(陰陽五行)은 일주일 중 월요일의 달(月)과 일요일 해(日)를 음양(陰陽)이라 하고, 목(木), 화(火), 토(土), 금(金), 수(水)를 오행(五行)이라 한다. 음택(陰宅)은 죽은 사람의 자리이고, 양택(陽宅)은 산 사람의 자리이다.

풍수는 장풍득수(藏風得水)에서 나온 말로 풍수지리의 개념 중 하나이며, '바람을 막고 물을 얻는다'라는 뜻이고, 풍수지리(風水地理)에서 명당의 요건은 배산임수(背山臨水)의 지형이며, 산세(山勢, 산의 모양과 기), 지세(地勢, 땅의 모양과 기), 수세(水勢, 물의 흐름과 기)가 인간의 길흉화복을 연결해 주는 것이 생활 풍수이다.

흔히들 풍수지리를 미신이라고 한다. 그러나 풍수지리는 과학이다. 주경숙의 「풍수지리 이론과 주택에의 적용」에 관한 연구에 의하면, 풍수는 우주와 자연의 이치학으로 바람과 물 흐름을 해석하고 있다(2007, 홍익대학교 건축 도시대학원 부동산개발 전공 주경숙). 독일, 미국, 일본, 오스트리아, 한국 등 세계적으로 많은 연구 논문들이 학자들에 의해 발표되고 있다.

사업을 할 때 동업자에 대해 풍수지리로 풀어 음양오행으로 상극(相克)인가 상생(上生)인가 선견지명(先見之明)으로 미리 알아보고 사업을 하게 되면 실패하지 않고 많은 도움이 될 것이다. 자식이 혼인할 때 부모는 미리 사주 궁합을 음양오행으로 상생인지 상극이지 알아보고, 기왕이면 상생 쪽으로 결정하여 살다가 헤어지지 않도록 지혜롭게 대처하는 것도 현명한 방법이라 할 수 있다.

음양오행을 알면 풍수(風水)와 동양의학(東洋醫學)을 이해하게 된다.

1

풍수지리(風水地理) 음택(陰宅)의 명당 혈(穴)

풍수지리적 관점에서 흔히 우리는 어려운 역경 속에 헤매일 때 누구나 조상 탓을 하며 신세를 한탄한다. 파란만장한 삶이 바람 잘 날 없을 때 조상의 묘를 탓하게 된다. 묘지의 음택이 허허벌판에 바람이 사방으로 부는 경우, 산이 없이 묘지만 돌출된 경우, 산꼭대기에 돌출되어 있을 경우, 음택(陰宅)의 혈(穴)이 후손에게 험난한 인생의 풍파와 흉사를 겪게 한다는 것이 풍수지리 원리이다. 음택의 혈(穴)판이 주변의 산형 크기가 산줄기에 따라 혈(穴)판보다 낮으면 장자의 자손이 끊기고, 혈(穴)판 하단이 푹 꺼져 있으면 그 아래 자손에게 영향을 미친다. 그래서 우리는 혈의 생기(生氣)를 찾고자 풍수지리를 찾아간다. 살아있는 자의 욕심일지도 모른다. 하는 일이 잘 되면 내 노력으로 내 머리가 좋아서 성공한 것이고 일이 안 풀리고 꼬이면 흔히 누구나 조상 탓을 하게 된다. 혈(穴)의 생기(生氣)는 사신사(四神砂)가 있다. 첫째, 청룡(靑龍). 둘째, 백호(百虎). 셋째, 주작(朱雀). 넷째, 현무(玄武) 그리고 직접 전달하는 혈의 지기와 산세의 규모를 보고 판단하게 된다.

청룡에서 혈의 생기는 자손이 번성하는 기운과 권력의 기운이 발생하고,

백호에서 혈의 생기는 여자의 생명력에 대한 기운이 발생한다. 주작에서 혈의 생기는 사회적 지위, 평판의 기운이 발생하며, 현무에서 혈의 생기는 지세(地勢)가 좋아야 훌륭한 인물이 배출된다는 것이다. 사격(砂格)에 의한 혈의 위치는 조산(朝山), 요산(樂山), 수세(水勢), 용호(龍虎) 네 가지에 의해 혈(穴) 처를 보면 알 수 있다. 조산의 좌우 방위에 따라 혈이 다른데, 조산이 낮으면 혈도 낮고 조산이 높으면 혈도 높다. 멀리있는 조산(朝山)은 기(氣)운이 흩어져 조산(朝山)은 가까워야 천혈(天穴)의 기운을 받게 된다. 요산(樂山)의 혈(穴) 처는 방위에 따라 혈이 있다. 그래서 혈이 좌우 또는 위↑ 아래↓로 있는 예도 있지만, 낙산(樂山)이 높은 곳은 피해야 한다. 수세의 혈(穴) 처는 혈이 낮으면 멀리에 있는 물의 흐름을 볼 수 없고 혈이 높으면 멀리서 물이 보인다. 혈 아래에 물이 좌변(左便)을 휘감고 흐르게 되면 최고의 명당(明堂)으로 본다. 용호(龍虎)의 혈(穴) 처는 우백호(牛白毫)가 높으면 혈(穴)을 우백호(牛白毫)로 정하고, 좌청룡(左青龍)이 높으면 혈(穴)을 좌청룡(左青龍)으로 정하면 된다.

풍수지리는 땅속에 흐르는 물과 바람이 흩어지고 모이는 자연의 현상에 의해 정기(正氣)가 모이면서, 산천의 형세 유무에 따라 음택과 양택은 호산(虎山)의 방위가 달라진다.

즉, 형세(形勢)가 있으면 호산(虎山)의 방위(方位)는 오른쪽으로 물줄기가 흘러야 명당이 되고, 형세(形勢)가 없으면 호산(虎山)의 방위(方位)는 좌측으로 흘러야 명당이 된다. 즉, 음택(陰宅)은 혈(穴) 입지에 따라 부귀복수(富貴福壽)가 후손에게 영향을 미친다.

2

음양(陰陽)의 이해

음양(陰陽) 학설에서 보면, 음(陰)과 양(陽)은 자연으로부터 영양분을 받고 배합하여 이루어지고 상생하는 동양사상의 기본으로, 봄, 여름, 가을, 겨울, 기후, 토양 등의 자연철학(自然哲學)이다. 음양설과 오행설은 서로 달리하였으나 중국 전국시대 말기 이후 통합하여 음양오행설이 되었다.

월, 화, 수, 목, 금, 토, 일 중에서 일(日)은 음이며, 월(月)은 양이다. 화(火), 수(水), 목(木), 금(金), 토(土)는 오행(五行)이다.

음은 물, 양은 불이며 음양은 우주의 근본이다. 동양의학인 명리학(明理學)에 접근하려면 먼저 기본적인 음, 양부터 이해해야 한다. 사주에서 대자연의 운행원리인 천간(天干), [갑(甲) · 을(乙) · 병(丙) · 정(丁) · 무(戊) · 기(己) · 경(庚) · 신(辛) · 임(壬) · 계(癸)], 지지(地支), [자(子) · 축(丑) · 인(寅) · 묘(卯) · 진(辰) · 사(巳) · 오(午) · 미(未) · 신(申) · 유(酉) · 술(戌) · 해(亥)]를 알려면 음양을 알아야 하며, 음양오행이 천간지지(天干地支)이다. 음간(陰干)은 乙. 丁. 己. 辛. 癸 5가지이고, 양간(陽干)은 甲. 丙. 戊. 庚. 壬 5가지이다.

음과 양은 자연의 변화, 공존, 공생, 대립을 함께 하고 순환을 반복한다. 모든 기 에너지는 음양이 소멸 · 생성되어 순환되고 있다.

우주도 살아 있는 생명체이며, 세상 이치가 모두 음양에 의해 움직이면서 우주의 만물이 소멸하고 생성하는 생(生)과 사(死)의 기운이 있다. 다시 말하면 인간의 몸은 소(小) 우주인이라고 할 수 있다. 음양이 조화를 이루지 못하면, 즉 몸이 차가워서 음이 지속되면 암이 발생하게 되고 노화로 인해 호르몬이 깨져 당뇨병, 고혈압, 갑상선, 불면증, 치매 등으로 인한 여러 가지 고질병이 생기게 된다. 음양의 법칙에서 어긋나게 되면 대자연이나 우리 몸은 자유로울 수 없다. 음양은 항상 따라다니고 서로 떨어질 수 없다.

우리는 우주 속에 살고 우주의 영향을 받고 살아가고 있다. 우주를 하나의 유기체로 보고, 사람의 인체는 소(小)우주로 형성되어 있다. 동양의학, 한의학에서는 음양의 조화로 질병을 진단하고 치료하고 있다.

우주의 사물은 하나이면서 우주에 영향을 받고, 우주의 형상이 분리되어 두 면을 각각 음과 양으로 분류한다. 해는 양이요 달은 음이다. 달은 밤이라 어두워 차갑고 해는 밝은 낮이라 빛을 내기 때문에 따뜻하다. 그래서 해와 달을 음양으로 보고 있다. 또한 예를 들자면 여자와 남자, 바다와 육지, 낮과 밤, 추위와 더위, 하늘과 땅, 삶과 죽음, 위와 아래, 물과 불, 허와 실 등이 있다. 음과 양은 상대적이어야 하며 절대적인 것은 아니다.

사람도 음(陰)은 물이고 양(陽)은 불이다. 여자가 양의 속성이 많으면 남자 성격에 '음' 중에 '양'이라 하고, 남자가 음의 속성이 많으면 엉큼하고 양면성을 가진 '양' 중에 '음'이라 한다. '음' 중에 '양'을 가진 여자는 사업가, 활동가처럼 추진력이 있는 사람이며, '양' 중에 '음'을 가진 남자는 소심하고 적극적이지 못하고 리더십이 부족하고 묻혀가는 사람이다. '양' 중에 '양'을 가진 남자라면 보수적인 성격에 사업가, 정치가, 지도력이 강한 사람이며, '음' 중에 '음'을 가진 여자라면 소극적이고 음모하고 양면성이 있는 사람이다.

음(陰)의 속성은 여(女), 아래, 억제, 차갑다, 어둡다, 땅, 밤, 하강, 소극적
양(陽)의 속성은 남(男), 위, 흥분, 뜨겁다, 밝다, 하늘, 낮, 상승 적극적

음(陰)	땅	지(地)	밤	차갑다	어둡다	하강	소극적	여	아래	억제
양(陽)	하늘	천(天)	낮	뜨겁다	밝다	상승	적극적	남	위	흥분

오행

오행(五行)은 개별적인 기(氣) 사이의 관계라면
음양(陰陽)이 일기(一氣)의 운동과 변화이다.

목(木) → 화(火) → 토(土) → 금(金) → 수(水)

- 상생 → 목생화(木生火) → 상극 → 목극토(木剋土)
- 상생 → 화생토(火生土) → 상극 → 토극수(土剋水)
- 상생 → 토생금(土生金) → 상극 → 수극화(水剋火)
- 상생 → 금생수(金生水) → 상극 → 화극금(火剋金)
- 상생 → 수생목(水生木) → 상극 → 금극목(金剋木)

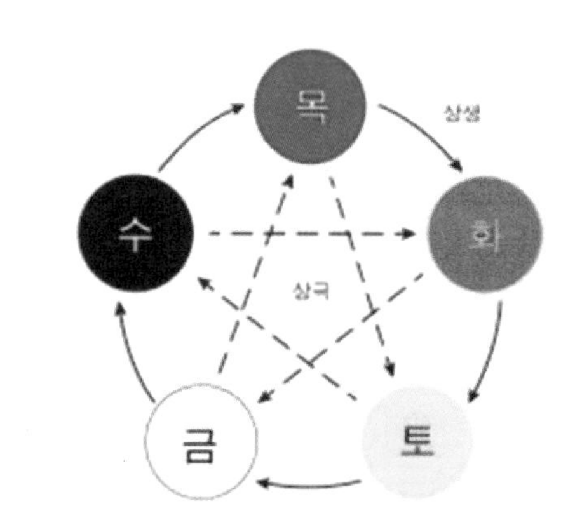

● 오행(五行)의 상생(相生) 상극(相克) 관계 ●

● 양(陽)은 해 ●

● 음(陰)은 달 ●

한의학의 기본철학은 음양을 바탕으로 신체의 예방, 진단과 질병 치료를 적용한 것이다.

음양(陰陽)이론은 음(陰)과 양(陽)이 우주의 현상을 관찰하는 이론이다.

음양을 병리적인 면에서 보면, 우리 몸에 음이 넘치면 몸 속이 차가워지고 체온이 떨어진다. 체온이 떨어지게 되면 호르몬이 깨져 여러 가지 암뿐만 아니라 다양한 질병이 생기고 체온이 떨어지면서 노화가 진행된다. 반대로 양이 넘치면 몸속에 열이 나고 체온이 올라간다. 평소에 손발이 차가운 사람은 양이 부족한 사람이다. 반면 평소에 조열이 생기는 사람은 음이 극도로 부족하다는 것이다. 한약재와 건강을 북돋우는 음식으로 신체의 양과 음을 현재 상태를 유지할 수 있도록 하는 것이 동양의학의 기본철학이다. 몸 속 음양의 균형을 맞추어 주는 것이 중요하다.

● 음(陰)과 양(陽)의 균형 ●

태극기에서도 음양을 볼 수 있는데, 우리 조상은 신라시대부터 전통 태극 문양을 썼다. 태극무늬의 중앙이 일(日)을 상징하며 태양을 의미한다. 태양 속에는 삼족오(三足烏) 왕이 살고 있었다는 전설이 있다. 태양 무늬 사면에 8괘 중 4괘로 구성되어 건곤감리(乾坤坎離)가 위치하고, 이는 태양의 상형이다.

건(乾)은 하늘을 의미하고, 곤(坤)은 땅을 의미하며, 감(坎)은 달을 의미하고. 리(離)는 태양을 의미한다. 하늘과 땅은 건(乾)괘, 곤(坤)괘라고 한다. 남(南)방의 리(離)괘는 태양과 낮을 의미하고, 북(北)방의 감(坎)괘는 밤과 달을 의미한다. 건(乾)과 곤(坤)은 낮과 밤을 상징한다.

음(陰)과 양(陽)의 변화는 시간과 공간으로, 태극기에서 건(乾)이 양이며, 붉은색, 곤(坤)이 음이며, 파란색으로 상징한다. 태극 문양은 우주의 만물이 음양의 음(파랑)과 양(빨강)의 조화를 상징하여 대자연이 음양(陰陽)의 조화에 의해 생성하고 발전함을 의미한다.

● 태극 문양 음(陰): 파랑과 양(陽): 빨강의 조화 ●

1. 숫자에서 보는 음양(陰陽)오행(五行), 풍수(風水)

우리가 무심코 사용한 숫자에도 음양오행의 기운이 있다. 짝수인 숫자는 땅을 의미하고 음의 기운을 갖고 있으며, 홀수인 숫자는 하늘을 의미하는 양의 기운을 갖고 있다.

따라서 1, 3, 5, 7, 9(홀수, 기수)는 양이고, 2, 4, 6, 8, 0(짝수, 우수)은 음인 것이다.

숫자 1에서 5까지는 만물의 생(生)의 기운을 나타내고, 숫자 6에서 10까지는 수의 성(成)의 기운을 상징한다. 오행에서 1과 6은 수(水)이고, 3과 8은 목(木)에 해당하며, 2와 7은 화(火), 5와 0은 토(土), 4와 9는 금(金)에 해당한다.

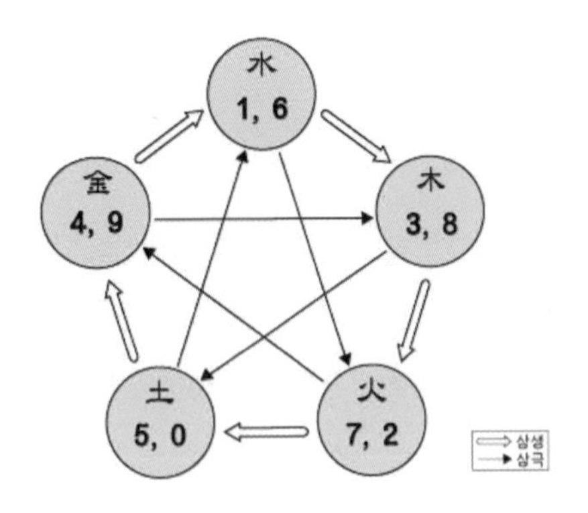

● 숫자로 보는 음양오행, 풍수 ●

음양오행의 원리를 이용하여 풍수지리를 보면 숫자만으로도 좋은 기운을 얻을 수 있다는 사실을 기억해야 한다. 음양오행의 원리만 알면 간단하고 쉽게 이해할 수 있다. 예를 들어, 자신의 시(時)가 묘시(卯時)라면 사계절 상 봄에 해당한다. 봄은 목(木)에 해당하므로 3과 8에 해당한다. 신용카드, 차 번호, 비밀번호, 전화번호 등을 적절하게 음양(陰陽)으로 짝수와 홀수를 혼합하여 사용하면 좋은 기 에너지를 얻게 된다.

숫자 풍수는 알게 모르게 우리 생활의 많은 부분에서 인생의 실패와 직결되는 밀접한 관계를 맺고 있다. 현재 건강이 안 좋다면 숫자 풍수를 적용하면 좋은 기 에너지를 받을 수 있다.

이로운 풍수의 기운을 받으려면, 일상생활에서 숫자 풍수부터 적용해보라. 음양오행의 기운으로 행복하고 풍요로운 삶을 누릴 수 있다. 재물에 직접적인 관련이 많은 통장의 비밀번호나 계좌번호의 숫자가 자신에게 좋은 기운을 얻게 할 것이다.

2. 풍수(風水)오행(汚行)과 숫자

오행/팔괴	진(震) 손(巽)	이(離)	곤(坤) 간(艮)	태(兌) 건(乾)	감(坎)
자신의 오행	목(木)	화(火)	토(土)	금(金)	수(水)
자신의 양의 숫자	3	7	5	9	1
자신의 음의 숫자	8	2	0	4	6
상생의 수	1.6	3.8	2.7	5.0	4.9
상극의 수	4.9	1.6	3.8	2.7	5.0

3. 사람에게도 음(陰), 양(陽)이 있다

하늘과 땅에도 음양(陰陽)이 있듯이 사람에게도 음양(陰陽)이 있다.

남자는 양(陽)이고 여자는 음(陰)이다. 하늘과 땅과 사람, 즉 천지인(天地人)이다.

☞ 태음인(太陰人), 태양인(太陽人), 소음인(少陰人), 소양인(少陽人)의 체질로 보는 음양(陰陽) 특징은 다음과 같다.

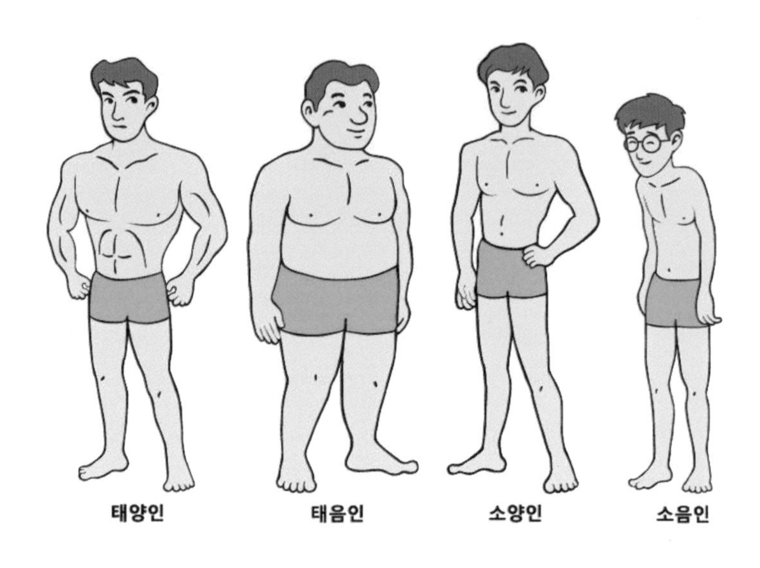

● 체질로 보는 음양 ●

사람의 체질 또한 태음인(太陰人), 태양인(太陽人), 소음인(少陰人), 소양인(少陽人)으로 음양(陰陽)에 따라 4분류로 나누어져 있다. 태음인(太陰人)은 복부가 발달되어 있기 때문에 혈액의 공급이 잘 되어 잘 먹는 편이라서 대체로 배가 많이 나온 사람이다. 태양인(太陰人)은 머리가 발달되어 지혜롭고 영리한 사람이다. 소음인(太陰人)은 허리가 잘 발달되어 있지만, 위가 차서 먹어도 살이 찌지 않는 꽉 마른 체형이다. 소양인(少陽人)은 가슴이 잘 발달되어 여자의 경우 미스코리아가 많고 하체는 차고 상체가 뜨겁다 보니 의욕이 떨어져 잔머리를 잘 쓰며 위장과 치매를 조심해야 한다. 사상체질의학을 음양으로 자기의 체질을 파악하여 지혜롭게 관리할 수 있다. 음양이 깨지면 우리 몸은 소리 없이 질병이 찾아온다.

4. 체질로 보는 음(陰), 양(陽)

1) 음(陰)인의 특징

① 추위를 잘 타고 손발이 차다.

② 따뜻한 것을 좋아한다.

③ 맥박이 약하고 느리다.

④ 들이쉬는 숨이 강하다.

⑤ 성격이 정적이고 소극적이며 차분하고 조용하다.

⑥ 조용히 집에서 책을 읽거나 사색을 즐긴다.

⑦ 갈증을 잘 못 느끼고 따뜻한 물을 좋아한다.

⑧ 얼굴색이 희고 때론 검은빛이 돈다.

⑨ 소변이 맑고 양이 많으며 자주 본다.

⑩ 신경성 소화 장애나 과민성 대장 증상이 나타난다.

2) 양(陽)인의 특징

① 더위를 잘 느끼고 땀을 많이 흘린다.

② 서늘한 것을 좋아한다.

③ 맥박이 강하고 빠르다.

④ 내쉬는 숨이 강하다.

⑤ 성격이 동적이고 외향적이며 활동적이다.

⑥ 감정이 격해지기 쉽고 분노를 잘 느낀다.

⑦ 물을 많이 마시고 특히 냉수를 좋아한다.

⑧ 소화가 잘 되고 식욕이 왕성하다.

⑨ 얼굴에 붉은빛이 돈다.

⑩ 소변 색깔이 붉고 양이 적으며 누는 횟수가 드물다.

⑪ 변비가 잘 생긴다.

음양이론에서 우리 몸은 체내의 음(陰)·양(陽)의 균형이 깨지거나 어느 것이 과잉, 또는 부족하게 되면 동적(動的)인 변화로 상호관계가 유지되지 못하여 암(癌) 등의 질병에 걸리게 되고 치명적인 상태에 이르게 된다. 다시 말하면 음양(陰陽)의 균형이 깨지면 우리 몸은 활동이 정지되어 간다는 것이다. 동양의학에서 음(陰)과 양(陽)의 균형이 기본 예방의학이며, 양생의 기본 조건이다.

3

오행(五行)이란?

동양의학에서 오행은 우주 만물의 5원소이다. 목(木), 화(火), 토(土), 금(金), 수(水)의 기운이 순환하면서 눈에 보이지 않는 기(氣)와 에너지가 모여지고 흩어지고 하는 것이다.

사람이 살아가는 건 월, 화, 수, 목, 금, 토, 일 7일이지만 그 안에 음(陰)과 양(陽), 그리고 오행이 담겨 있다.

오행(五行) 상생, 상극도

앞서 말했듯이 일(日), 월(月)은 음양(陰陽)이고, 화(火), 수(水), 목(木), 금(金), 토(土)는 오행(五行)이다. 인간은 음양오행으로 이루어진 틀 안에서 삶을 살아가고 있다. 우리 손등을 보면 안쪽이 음, 손 바깥쪽이 양이다. 그리고 다섯 개의 손가락과 합하여 음양오행이다. 우리나라에서는 태극무늬 안에 음(陰)과 양(陽)이 들어 있다.

태음인(太陰人), 태양인(太陽人), 소음인(少陰人), 소양인(少陽人) 그리고 제3의 기운인 중성자 토(土)는 사상(四象)에서 음양으로 포함하지 않지만 음양오행 속에 포함되어 있다.

태극에 음양이 있고, 그 안에 양(陽) 중 음(陰)인 소음[목(木)], 양(陽) 중 양(陽)인 태양[화(火)], 음(陰) 중에 양(陽)인 소양[금(金)], 음(陰) 중에 음(陰)인 태음[수(水)]이 있으며, 그 사상에는 목(木), 화(火), 토(土), 금(金), 수(水)가 있다.

태극			
음(陰)		양(陽)	
음(陰) 중 양(陽) = 소양	음(陰) 중 음(陰) = 태음	양(楊) 중 양(陽) = 태양	양(陽) 중 음(陰) = 소음
금(金)	수(水)	화(火)	목(木)

1. 동양의학의 오행(五行)원리와 풍수(風水)

동양의학에서 오행이론(五行理論)은 다섯 가지의 추상적인 개념으로 우주와 자연철학의 상호관계, 계절의 변화와 우주의 움직임, 유기적인 순환 등 만물의 변화를 설명하는 이론이다.

오행이론의 다섯 가지 자연계 이론인 목(木), 화(火), 토(土), 금(金), 수(水)로서 서로 지원하고, 협조 받고, 촉진하고, 조장하는 관계를 상생(相生)이라 한다.

2. 자연철학(自然哲學)과 오행(五行)의 상생(相生), 풍수(風水)

자연철학이란 사계절을 뜻한다.

- 나무는 불을 일으켜 목(木)이 화(火)를 생(生)한다. 목화생(木火生)이다.
- 불이 사그라지면 흙이 된다. 화(火)가 토(土)를 생(生)한다. 화생토(火生土)이다.
- 흙 속에서 쇠(金)가 나오므로 토생금(土生金)이다.
- 금에서 물이 생성되어 금생수(金生水)는 상생의 관계이다.
- 물은 나무를 키우므로 수생목(水生木)이다.

● 오행의 자연철학 ●

3. 자연철학(自然哲學)과 오행(五行)의 상극(相克)

목(木)이 토(土)를 극(克)한다.

화(火)가 금(金)을 극(克)한다.

토(土)가 수(水)를 극(克)한다.

금(金)이 목(木)을 극(克)한다.

수(水)가 화(火)를 극(克)한다.

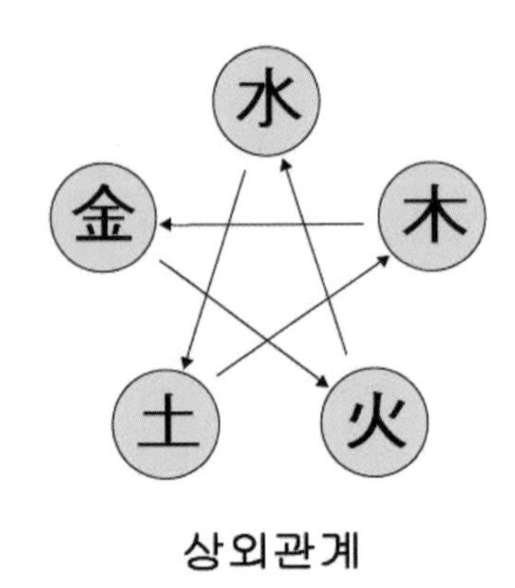

● 오행(五行)의 상극(相克)관계 ●

풍수지리 오행(五行)에서 상극(相克)은 일방적으로 어느 한쪽이 공격을 당한다는 의미이다.

오행(五行)의 상극(相克)을 쉽게 이해하자면 남편이 금(金)이고 부인이 목(木)이라면 상극(相克)이라서 결혼 생활을 오랫동안 유지하기가 힘들다는 것이다. 부인이 봄의 기운이라 활발하고 활동력이 강하지만, 반면에 남편은 움직이기 싫어하고 게을러 부인과 정반대 성향을 가지고 있으므로 매사에 의견충돌이 많아 자주 싸우게 된다.

4. 자연철학(自然哲學)과 오행(五行)과 음식의 상생(上生), 색상

토(土)는 비장 / 단맛, 노란색에 속한다.

금(金)는 폐 / 매운맛, 흰색에 속한다.

수(水)는 신장 / 짠맛, 검은색에 속한다.

목(木)은 간장 / 신맛, 초록색에 속한다.

화(火)는 심장 / 쓴맛, 빨간색에 속한다.

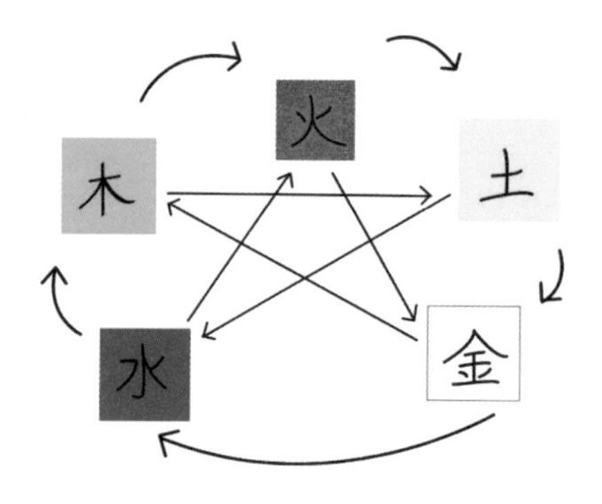

● 오행(五行)과 음식의 상생(上生), 색상 ●

5. 기운을 보완해 주는 음식의 상극(相克), 상생(上生)

신장에 문제 ▶ 금(金)의 기운을 보완해 주는 음식(흰색, 매운맛)

간장에 문제 ▶ 수(水)의 기운을 보완해 주는 음식(검은색, 짠맛)

심장에 문제 ▶ 목(木)의 기운을 보완해 주는 음식(초록색, 신맛)

비장에 문제 ▶ 화(火)의 기운을 보완해 주는 음식(빨간색, 쓴맛)

폐에 문제 ▶ 토(土)의 기운을 보완해 주는 음식(노란색, 단맛)

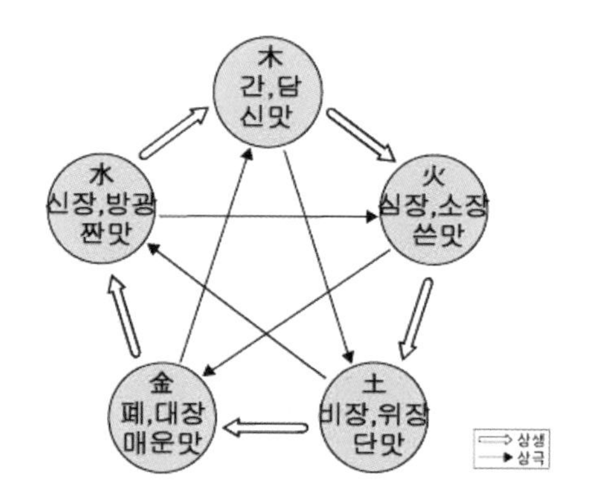

● 오행(五行)과 음식 상생(上生), 상극(相克) ●

오행(五行)에서 음식은 목화토금수(木火土金水), 즉 짠맛, 신맛, 쓴맛, 단맛, 매운맛을 골고루 먹어야 건강하다. 좋아한다고 어느 한 곳에 치우치게 골라서 너무 달게 먹거나 너무 짜게 먹거나 너무 신맛을 먹으면 건강에 해롭다. 후각과 미각을 살려서 골고루 섭취하는 것이 중요하다.

6. 오행(五行)과 신체의 기관

동양의학에서 오행의 상생과 상극을 오장육부(五臟六腑)의 관계에 적용하여 지혜롭게 질병을 치료하였다. 인체의 내장기관은 엄마의 뱃속에서부터 잉태되어 나오면서 생명이 정지될 때까지 오장육부가 서로 연결되어 자동으로 활동하고 있는 오행의 기관이다.

구 분	목(木)	화(火)	토(土)	금(金)	수(水)
오장(五腸)	간(肝)	심(心)	비(脾)	폐(肺)	신(腎)
육부(六腑)	담(膽)	소장(小腸)	위(胃)	대장(大腸)	방광(肪胱)
오관(五官)	눈	혀	입	코	귀
오체(五體)	근육	맥	살	피부, 털	뼈
오지(五志)	화냄	기쁨	근심	슬픔	무서움
오기(五氣)	바람	더위	습기	건조	추위
오색(五色)	파랑	빨강	노랑	흰색	검정
오미(五味)	신맛	쓴맛	단맛	매운맛	짠맛
오성(五星)	호(呼)	말(言)	노래(歌)	곡(哭)	신음(呻吟)
분비물	눈물	땀	침	콧물	

7. 오행(五行)과 오장육부(五臟六腑)를 분별

오장(五臟)은

간(肝臟)은 목(木)

심(心臟)은 화(火)

비(脾臟과 胃)는 토(土)

폐(허파)는 금(金)

신(生殖器官과 膀胱)은 수(水)이다.

육부(六腑)는 소장, 위장, 담, 대장, 삼초, 방광을 말한다.

오행(五行)에서 상생(上生) 관계는 목생화(木生火)이고 목(木)은 간을 활발하게 한다. 화(火)는 심장 활동을 돕고, 물(水)은 나무를 키우니 수생목(水生木)이며, 불이 꺼지면 흙이 되기 때문에 화생목(火生木)이다. 흙에서 쇠가 나와 토생금(土生金)이며, 금(金)에서 물이 나오므로 금생수(金生水)라 한다.

● 오행(五行)과 오장(五臟) ●

8. 상생(上生)의 반대는 상극(相克)

상극(相克)관계는 서로 돕고 협조하는 게 아니라 제약하고 저지하는 관계이다. 목극토(木克土)는 상극관계로, 나무가 흙을 파고 들어간다. 쇠가 나무보다 강하므로 금극목(金克木)이고, 물로 인해 불이 꺼지니 수극화(水克火)이며, 불이 쇠를 녹이니까 화극금(火克金)이고, 흙으로 물을 막으니까 토극수(土克水)이다.

사람도 명리학이나 주역으로 봤을 때 년천귀, 월년귀, 일천귀, 시천귀로, 남녀의 사주를 오행(五行)으로 보면 목화토금수(木火土金水)로 보아 상생하는가 아니면 상극인가를 알 수 있다. 상극이라면 일찌감치 조심하고 멀리하는 게 좋을 것이고, 상생이라면 은근히 도움을 받을 것이다.

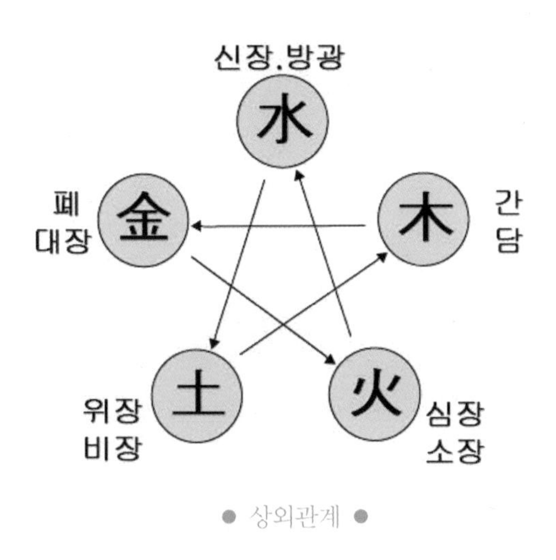

● 상외관계 ●

9. 오행(五行)과 방위(方位)의 풍수(風水)

현대사회가 아무리 발달하여도 집터뿐만 아니라 모든 건물은 오행 사상으로 발원 상의 원리가 방위(方位)에 있음을 알 수 있다. 풍수지리(風水地理)는 현대사회에서 주위환경론이자 방위학이라고 주장하고 있다. 오행설에는 역사, 지리, 천문, 역경, 점성 등이 있고, 인간이 살아가는데 필요한 물(水), 불(火), 나무(木), 쇠(金), 땅(土)이 오행(五行)의 기본이 되고 있다. 이 5가지 중에 단 한 가지만 없어도 사람은 살아갈 수 없다.

오행 방위 중에 목(木)은 푸르다. 색상으로 보면 청색이며 동쪽에 해당하고 계절로는 봄의 기운이다. 화(火)는 남(南)쪽에 해가 뜨기 때문에 따뜻하고 색은 적색이다. 토(土)는 중앙에 있어 색상은 노란색이다. 해가 서쪽으로 기울어지면 녹아버리는 성질을 갖고 있어 금(金)이며 색상은 백색이다. 수(水)는 북쪽의 추운 곳이 되어 어둡기 때문에 색상은 흑색이다.

임금님이 신하들을 바라보고 앉아 있을 때 왼쪽이 동쪽이므로 혈(穴)창이 좌(左)청룡이 되고, 오른쪽은 서쪽이 되어 우(右)백호가 된다. 좌(左)의정이 우(右)의정 앞에 선다. 서열상 좌(左)가 위인 것이다. 서쪽은 평범한 여자에 해당하고, 동쪽의 동궁(東宮)은 대(大)를 이를 아들 방이 있는 곳이다.

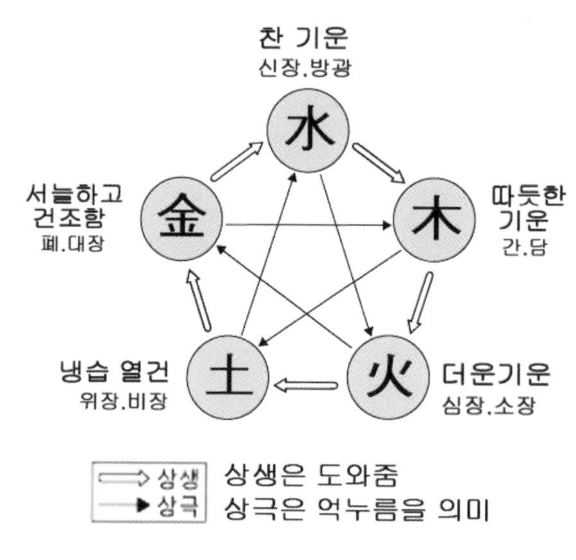

● 오행(五行)의 원리 ●

4

주택과 풍수

길흉화복(吉凶禍福)은 집터에서 나온다고 한다. 풍수사상에서 집 한 채를 짓는데 100가지 제약을 감안해 짓는다 하여 복거백제(卜居百濟)라 하였다.

집을 지을 땐 너무 좋은 곳에다 지어서는 안 된다. 또한, 벼슬에 따라 다르고, 상민은 10칸 이하로 지어야 하며, 벼슬 2품 이상은 집을 지을 때 40칸 이하로 지어야 하고, 벼슬 3품은 30칸 이하로 지어야 한다. 대문은 남쪽보다는 우(右)백호가 좋으며, 서쪽이 낮아야 하고 동쪽이 높아야 재물이 들어온다.

풍수지리의 양택(陽宅)론에서는 앞, 뒤 건물 중 뒤가 높아야 하고 앞이 낮아야 자손이 대대손손 번창하고, 반대로 건물이 앞이 높고 뒤가 낮으면 후손의 대가 끊긴다고 하였다. 또한 좋은 집터는 '배산임수(背山臨水)'라고 하며, 물 좋고, 산 좋아야 하고, 뒷산 지기(地氣), 토색(土色), 야세(野勢), 수구(水口)가 좋아야 명당(明堂)이라 볼 수 있다.

주택의 풍수(風水)는 1인당 10평 정도가 적당하며 통상적으로 전자제품, 장식장, 책장, 식탁, 옷장을 감안할 때 만약 2명이 살고 있다면 20평 정도가 적당하다. 주택이 너무 크면 허전하여 좋은 기운이 빠져나간다. 주택 풍수에서 주의해야 한다. 서쪽의 창문은 목화토금수(木火土金水)에서 금(金)에 속하여 금전운이 빠져나가니 평소에 커튼이나 블라인드를 쳐 놓는 것이 좋다. 그리고 태양이 동쪽에서 서쪽으로 저물다 보니 햇볕의 강한 기운이 건강을 해치게 된다.

주택 풍수지리(風水地理)에서 300 m 안에 고압선 철탑이 집 주변을 지나면 기(氣)가 빠져나가 중병인 암(癌)이 발생하게 된다. 또한 거실에서 볼 때 삼각형 지붕이나 육교, 교회 탑이 보이면 사업과 건강에 좋지 않다.

사업이 잘 안 되고 집안에 불미스러운 일이 자주 생기고 아픈 환자가 있다면 집터를 고를 때 보다 더 신중을 기해야 한다. 건물의 대문, 현관, 방, 부엌, 화장실 배치에 풍수적 이론을 적용하면 나쁜 기운을 몰아내고 좋은 기운을 받아 건강과 재물 운이 스스로 들어오게 된다.

● 집터의 배산임수(背山臨水) ●

5

아파트와 풍수(風水), 지기(地氣)

풍수지리학에서 양택(陽宅)의 조건은 아파트나 주택 모두 대문 방위(方位)에 따라 판이해진다. 지구가 커다란 자석이라면 패철(나침판)은 동, 서, 남, 북을 가리키는 지자기(地磁氣)이다. 대동여지도를 제작한 김정호는 지자기에 의해 우리나라 지도를 만들었다. 풍수에 의해 지자기의 방위가 정해지기 때문에 지기(地氣)는 곧 지자기(地磁氣)라는 뜻이다.

풍수지리에서 살기 좋은 아파트 층수는 1~5층으로 지자기가 있어서 살기 적합하다. 땅의 지기는 0.5 가우스인데 반해 아파트 6층 이상 올라가게 되면 0.25 가우스로 절반 정도 뚝 떨어져 아파트의 두꺼운 철근 콘크리트에서 패철(나침판)을 놓고 방위(方位)를 체크하면 전혀 다른 곳을 가리키고 있다.

고질병이 있는 사람이나 암 환자의 경우엔 1~5층 정도에 생활한다면 좋은 지기(地氣)를 받게 된다.

아파트 고층에서 식물을 키우면 잘 죽는다는 것은 흔히 볼 수 있다. 지기가 부족할 때 사람은 질병이 생기고 식물은 말라 죽는다. 그러나 1~5층에서 생・식물을 키우게 되면 좋은 지기를 받아서 건강하게 잘 자라는 것을 경험할 수 있다. 또한 아파트 1~5층 베란다에 간장이나 된장을 항아리에 담가서 보관하면 잘 숙성되어 맛있게 먹을 수 있지만, 6층 이상의 아파트에서는 똑같은 방법으로 보관하게 되면 온도, 습도 조절이 안 되어 곰팡이가 생기기 때문에 먹기가 곤란하다. 지기(地氣)는 땅으로부터 약 15 m까지 전달되고, 그 이상이 되면 지기가 현저하게 떨어져 좋은 기운을 받을 수 없게 된다. 프랑스에서는 아파트 고층에 사는 사람들이 병원을 더 많이 찾게 된다는 통계 결과가 있다. 그만큼 땅의 지기가 중요하다는 것을 풍수지리를 통해서 알 수 있다.

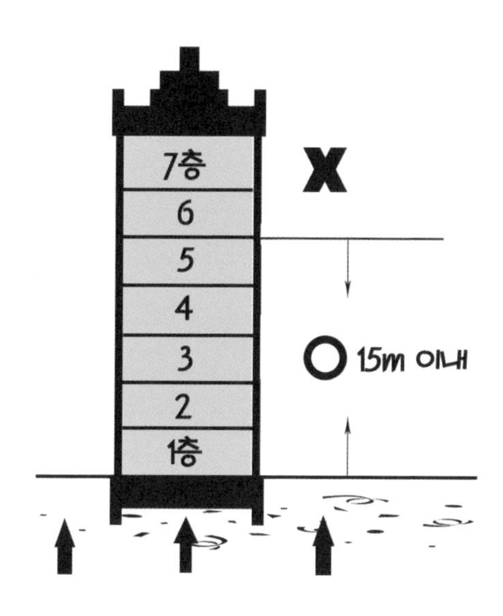

● 아파트 지자기(地磁氣) ●

최근 들어 TV 방송에서 생활 풍수, 인테리어 풍수라고 말하는 것을 한 번쯤은 들어 봤을 것이다. 주택이나 아파트 풍수에 관심이 커지는 추세이다. 다시 말하면 건강과 재물에 관한 관심이 커지고 있다는 것을 볼 수 있다. 가끔 “저는 아파트에 사는데 몇 층까지 지기가 있나요?”라는 질문을 받는다.

아파트는 같은 장소에서 층만 다를 뿐 기운과 지기가 같다고 말하는 것은 잘못된 생각이다. 아파트는 층층마다 지기가 다르다. 또한 집안의 가구 배치에 따라 인테리어 풍수가 달라지고 기운과 지기도 달라진다. 같은 아파트를 살아도 개개인마다 각각 다른 삶을 살아가게 된다는 것이다. 아파트의 위치나 방위에 따라서도 길(吉), 흉(凶)이 다르고 동과 동 사이에 바람의 영향으로 흉(凶)한 경우도 있다.

지기(地氣)가 부족하게 되면 건강에 이상이 생겨 불면증, 통증에 시달리게 되고 질병을 유발하게 된다.

6

건강과 풍수(風水)

풍수에서는 건축물의 배치나 방위가 주거자의 건강운에 영향을 미친다고 얘기한다. 최창조 전 서울대학교 교수는 '양택은 개인이 사는 터이고, 양기는 마을이 모여 있는 터'라고 지칭하였다. 집터나 묘지의 명당은 똑같다. 음택(陰宅)에서 묫자리는 지기(地氣)를 받는 혈(穴) 자리가 중요하다.

명당의 조건은 음택이든 양택이든 조산(祖山)에서 시작하고 혈(穴) 자리가 넓으면 양택이고, 좁으면 음택이다. 기(起), 협(峽), 정(頂), 과(過), 내룡(來龍), 백호(白虎), 청룡(靑龍), 소조산(小祖山), 안산(案山), 수구(水口), 나성(羅星) 등을 모두 살펴보면서 음택(陰宅)은 좁아야 하고 양택(陽宅)은 모두 넓어야 풍수지리(風水地理)상 좋다는 이야기다.

혈(穴)장이 넓으면 양택(陽宅)의 면(面)이고 도(道)읍지이다. 혈(穴)장이 좁으면 선이고 읍이다. 더 작으면 마을이고 더 작으면 음택(陰宅)에 묫자리이다.

풍수에서는 건축물의 방향이나 위치가 중요하다. 양택론(陽宅論)에서 자연과 함께 순응하여, 집을 지을 때 땅의 형태가 흉지(凶地)라면 피하고, 음양오행으로 길(吉)한 길지(吉地)라면 건강하고 부귀영화(富貴榮華)를 누리는 자리로, 풍수지리상 양택의 명당자리라 한다. 만약 암에 걸린 아픈 환자가 있다면 지기가 있으면서 햇볕이 잘 들어오고 양택의 풍수이론을 적용하는 것이 좋다.

7

풍수(風水) 지자기(地磁氣)에 의한 혈액순환 장애

풍수지리 상 명당은 좋은 지기를 받기 위해서라고 해석한다면, 좋은 자리는 공기부터 다르고 바람 또한 거세지 않고 부드러워야 한다. 일본의 나카가와 과학자는 오랫동안 지자기(地磁氣)가 결핍되면 요통, 목덜미에 뻣뻣함, 통증, 가슴 답답함, 무거운 현기증, 불면증 등 질병과 관계가 있다고 밝혔다.

보스턴 대학의 심리학자 페인 박사가 「지기(地氣)가 우리 신체에 미치는 영향」에서 연구한 결과를 보면, "지기는 산소 반응 능력을 증가시켜 혈액순환의 흐름을 촉진해 질병을 치료하는데 기초가 된다"고 하였다.

부모님들이 농어촌 지역에서 생활하다가 도시의 자식 집에 오랫동안 머물지 못하고 다시 시골로 내려가는 것은 고층 아파트의 철근 콘크리트 생활로 인하여 땅의 지기가 갑자기 뚝 떨어진 곳에서 생활하면서 신경통이나 관절염 등 통증에 시달리기 때문이다. 아파트 생활을 접고 시골로 다시 내려오게 되어 신경통과 관절염이 거짓말처럼 사라졌다는 이야기를 들을 수 있다. 이 말은 땅의 기운이 떨어지게 되면 여러 가지 질병들을 유발한다는 것이다.

8

양택(陽宅)과 풍수(風水)의 명당(明堂)

양택 풍수(陽宅風水)는 풍수지리학에서 지관(地官)에 따라 양택(陽宅)과 양기(陽氣)로 구분하고 있다.

양기는 산 사람의 집터이고, 양택은 건물이라고 이해하면 된다. 양택과 음택은 모두 지기(地氣)의 영향에 의해 보국(保局) 또한 크다. 양택은 보국(保局)의 속도가 빠르다. 즉, 양택의 명당은 건축물이냐 대지냐에 따라 다르며, 주택의 대지보다 옆 건물이 높으면 기가 빠져나가서 주택에 사는 사람은 사업운, 건강운, 부부운까지 빠져나간다. 배산임수(背山臨水)와 비슷한 의미로 전저후고(前低後高)는 집의 건물은 높게 지어야 하고 정원과 부속 건물은 낮아야 길하다는 뜻이다. 도로보다 낮은 건물과 절벽에 집이 있는 불안한 환경은 흉가(凶家)라 할 수 있다. 건물에 앞면이 완만해야 길상(吉象)이다.

건축물의 방위와 배치에 따라 양기(陽氣)가 있거나 없다고 이해하면 될 것이다. 집보다 큰 나무가 있으면 집이 음(陰)의 기운으로 혼탁해져서 하는 일마다 막히고 잘 안 되고, 질병으로 아픈 환자가 생기게 될 것이다. 집 앞에는 항상 집보다 작은 나무가 있어야 하고 만약 집보다 큰 나무가 있다면 지붕을 넘지 않아야 한다.

하루 중에 가장 많이 생활하는 곳이 집이기에, 거주하는 곳에 나쁜 기운이 있다면 생활 풍수 인테리어를 적용하여 흉한 기운을 소멸할 수 있도록 해바라기 꽃, 히란야 시계, 히란야, 가구 배치 등으로 인테리어 풍수(風水)를 접목해 음과 양으로 균형 있게 기운을 보충하면 사람들에게 이로운 기 에너지를 받게 된다.

● 해바라기 꽃 ●

9

음택(陰宅)과 풍수(風水)의 명당(明堂)

음택풍수(陰宅風水)는 죽은 사람의 안장지(安葬地)이다. 흔히 이야기하기를 어떤 일이 잘 되면 내 탓이요 못 되면 조상 탓이다. 어떤 일이 안 풀리면 조상의 무덤을 옮겨 볼까 생각하고 가족이 중병에 걸리면 제일 먼저 조상 탓을 하게 된다. 집안이 번창하려면 조상의 무덤이 동기감응(同期感德)하여 후손에게 전달되고 복(福)이 화(火)로 바뀌지 않도록 조상의 묫자리가 음택(陰宅)의 명당(明堂)이어야 한다. 음택풍수에서 제일 먼저 산세와 지세, 용(龍), 혈(穴), 사(砂), 수(水) 4가지가 잘 갖추어진 곳은 한눈에 보아도 명당(明堂)에 길지(吉地)로 보인다.

음택풍수에서 용(龍)의 혈(穴)은 줄기나 산의 능선의 흐름을 뜻하며, 산맥의 좋은 기운이 흐르는지를 본다. 음택풍수에서 혈은 망자가 묻히는 자리를 말하며, 주산(主山), 안산(案山)은 앞쪽에 있고, 우측에는 백호, 산들이 둥글고 아담하게 감싸고 있는 느낌이 좋으며, 좌측에는 청룡산이어야 하고, 혈 앞으로 보이는 수(水)에 강(江)이나 연못이 보이는 혈 자리에 좋은 기운이 모인다고 하여 명당(明堂) 길지(吉地)라 한다.

일산일혈(一山一穴)의 원칙이 있다. 한 자락의 산줄기에는 한 개의 명당이 있다는 것이다. 양택이라면 산줄기 한 자락에는 사람이 집을 지을 수 있는 터가 있다는 것이고, 음택의 경우 산줄기의 지맥(之脈)이나 정기가 모인 자리에 혈을 정하는 것은 명의가 환자의 병을 파악하여 침을 놓은 것에 비유하면 된다.

부부가 아무리 금실이 좋아도 부부의 묘는 각각 따로따로 써야 후손에게 발복(發福)을 준다. 발복은 조상으로부터 복을 받는다는 뜻이다.

음택풍수는 묫자리의 주변 형세에 따라 길흉화복이 결정되어 세월이 지나 주변에 나무들이 무성하게 자라면 명당도 변한다.

풍수적 이론을 적용한 우리나라 최초의 명당이라고 불리는 김유신 장군의 무덤이 있다. 음택의 명당은 묫자리이다. 예로부터 돌아가신 위 선조, 부모님을 좋은 땅, 좋은 터, 길(吉)한 땅에 모시는 것이 효(孝)의 덕목(德目) 중에 하나로 내려져 왔다. 돌아가신 분을 기리기보다는 산 사람 입장에서 조상으로부터 복(福)을 받기 위해 조상의 길(吉)한 터, 즉 명당에 모시면 편안하고 좋은 일이 생기고 사는 사람이 만족한 상태가 된다고 풀이하면 된다. 더 구체적으로는 조상의 묫자리를 명당 자리에 쓰면, 자식들이 현모양처를 만나게 되고, 무엇보다 건강하고, 부자가 되는 것이다. 남들이 부러워할 만한 자식을 두면 남들은 조상의 묘자리 터를 명당(明堂)이라고 말한다. 반대로 일이 안 풀리면 제일 먼저 조상 탓이다. 복에 대한 욕심이 지나치면 이장을 해가며 명당(明堂)에 모시려고 극성을 떠는 후손들도 있다.

하늘은 공평하다는 말이 있다.

옛말에 "명당(明堂)은 임자가 따로 있다"라는 말은 무자격자가 명당을 차지하면 일시적일 뿐이고, 얼마 안 돼서 쫓겨난다는 뜻이다. 음택의 명당은 '자격을 갖춘 사람만 들어갈 수 있다'라는 이야기다. 운 좋게 무자격자가 명당을 차지하고 있다 하더라도 일시적일 뿐, 오랫동안 자리를 지키지 못하고 쫓겨난다.

10

풍수(風水)하면 명당(明堂)

풍수(風水)는 미신(美神)이 아니라 과학이다. 설명하자면, 오랜 역사만큼이나 우리 선조들은 풍수지리설로 역사를 바꾸고, 음택론, 양택론에 따라 풍수의 명당은 생로병사(生老病死)를 넘나든다는 것이 국내외 연구를 통해 밝혀지고 있다.

조선을 세운 태조 이성계는 개성에 있던 수도를 한양으로 옮겼다. 한양이 풍수지리상 좋은 자리였다는 것은 지도상에서 중간 지역이라 많은 사람이 왕래하기에 적합하였기 때문이었다. 경기도 구리시의 망우리 고개 너머 동구릉에 묻힌 이성계 무덤 건원릉은 용(用)의 자형 대명당(大明堂)으로 천지음양일월도합격지(天地陰陽日月都合格地)이다. 무학대사가 잡아 준 이성계 무덤인 건원릉은 국반 혈 1급에 속하고 국반 혈에서는 제왕이 난다는 말이 있다. 이 덕분에 조선왕조 500년을 이어 내렸다는 설이 있을 정도로 국반 혈은 후손이 부자로 승계되고 정승 자리에 오르게 되었다. 도반 혈은 2~300년을 유지한다는 장관급의 벼슬로 부자라고 생각하면 된다.

● 태조 이성계 건원릉 배산임수(背山臨水) ●

도반 혈보다 작은 것은 향반 혈이다. 향반 혈 자리에 조상을 모시게 되면 군수급에 해당하는 후손이 나오고 군에서 제일 부자라 생각하면 된다. 충남 예산 남연군 덕산에 있는 흥선대원군의 아버지 묘가 2대 천자지지(天子之地) 양반 혈에 소문난 명당자리이다. 또 경기도 여주 영릉의 세종대왕릉의 묘, 충남 아산 유봉연, 윤득실의 묘와 전남 해남군 고산 윤선도 묘가 향반 혈의 명당자리이다.

그 외에 풍수지리 공부를 하기 위해 명당을 보려면 꼭 가야 할 곳이 있다. 전남 진도군 진도읍의 현풍 곽씨 묘 백자천손지지(百子千孫之地)로, 곽호례의 묫자리가 명당이다. 전남 보성군 미력면 박성환의 묘도 후손에 큰 부자가 난다는 소문이 나 있다. 풍수가 명당을 찾는 것은 심마니가 산삼을 찾은 것과 같다고 한다. 결코 쉬운 일이 아니라는 이야기다.

의사가 환자의 질병을 구석구석 찾기 위해 엑스레이, CT, MRI, 혈액검사, 초음파, 심전도를 하듯이, 명당을 찾기 위해 먼저 산세를 보고 산에 숨어 있는 혈을 찾아내는 것이 풍수(風水)라고 보면 된다.

풍수지리에서 형국은 혈(穴)이 자동차의 내비게이션이라 생각하면 된다. 산천의 모양을 보면 기운과 기상이 있다. 산세를 보면 동물의 형국이 있고 사람이 누워 있는 듯한 형국도 있다. 사람의 형국은 장군, 신성, 옥녀 세 가지가 있다. 일반적으로 이 세 가지 혈 중에 가장 많이 쓰고 있는 묏자리는 옥녀(玉女) 형국이다. 옥녀 형국은 하늘의 선녀이고, 부자가 되고 자손이 번성하여 특히 여자 중에 큰 인물이 나온다. 옥녀 형국은 마을의 수호신이 있고 묏자리뿐만 아니라 집터 자리도 최고의 명당이다. 묏자리나 집터를 볼 때 꼭 같이 봐야 할 곳은 물이다. 물이 반대로 흐르면 절대로 안 되고 물에서 냄새가 나도 안 된다. 물의 깊이, 물의 냄새, 물의 줄기를 봐야 하며, 옥녀 형국에서는 샘이 솟는 경우 음부에 혈(穴) 겸혈(鎌穴)이 분명해야 한다. 그래서 음택(陰宅)의 묏자리든 양택(陽宅)의 집터이든 명당(明堂)자리는 배산임수(背山臨水)가 잘 갖추어져야 명당(明堂)자리라 할 수 있다.

11

재물(부자) 풍수(風水)

사람들은 대부분 건강보다는 재물에 관심이 많다. 주택에서 직접적으로 재물의 기운이 모이는 방위는 동북쪽, 서쪽, 북쪽으로, 가구나 인테리어 중에 나쁜 기운이 발생하게 되면 금전운(재물)에 손재가 발생된다. 금전운을 높여주는 색은 노란색이나 황금색으로, 이러한 계통의 옷을 입는다든지 음식을 섭취하는 식으로 활용하면 좋다. 동북쪽 방위는 재물운의 결실을 보고, 서쪽 방위는 금전운의 수확 기운을 가지고 있으며, 북쪽 방위는 어둡고 은밀한 기운이 있어 재산이 불어나게 된다. 금전운이 들어오게 하려면 서쪽 방위에 해바라기 그림이나 사진을 걸어 두면 좋다. 노란 꽃 화분을 놓아두어도 좋다. 서쪽 방위가 흉상이면 나쁜 기운을 블라인드 커튼으로 막는 방법도 좋다. 서쪽 방위가 흉상이면 돈이 모이질 않고 씀씀이가 커진다. 동쪽과 북쪽, 남쪽, 동남쪽 방위는 금전운이 모이게 되는 방위이다.

북쪽 방위는 초록색을 이용한 종이나 천에 통장, 귀금속, 집문서, 인감 등을 잘 싸서 보관하게 되면 재물이 쌓이게 되는 방위이다. 재물이 들어오게 하려거든 귀문방(鬼門方)을 조심하라. 귀신이 드나드는 방위이기 때문에 드나드는 문의 위치가 귀문방이면 절대로 안 된다는 것이다. 보통 남서쪽과 동북쪽 곤방(坤方)을 귀문방이라 한다.

음택(陰宅)은 죽은 사람의 무덤이어야 하고, 반대 개념으로 산 사람의 집이나 건물, 기거하는 곳은 양택(陽宅)이어야 한다. 양택이라 해서 다 같은 길흉이 적용되는 것은 전혀 아니다. 명당 집과 흉가가 있다는 사실이다. 다른 집에 비교해 옹이 많으면 인생사 매사 어려움에 부딪히게 되고 고생하며 모든 일을 팔자타령, 조상타령하게 된다. 어떤 사람은 팔자를 잘 타고나 고생의 '고'자도 모르고 호강하며 살아가고, 누구는 일마다 애로 사항이 많아 허구헌 날 일복이 많으므로 팔자 탓을 하게 된다. 인간은 자연의 이치와 우주의 영향을 받으며 산다는 것이다.

사람의 사주팔자(四柱八字)도 환경의 영향을 받는다는 중국 이야기가 있다. 과일은 기후 조건이 잘 맞아야 열매가 열린다. 귤은 따뜻한 남쪽에서 잘 자란다. 그런데 귤을 북쪽의 추운 지방에 심었더니 귤이 아니라 탱자가 열렸다는 것이다. 귤은 기후와 환경에 따라 탱자가 되기도 하고 귤이 되기도 한다는 우주 대자연의 법칙이다. 사람도 마찬가지이다. 사주팔자가 안 좋은 사람일지라도 좋은 환경과 길한 집터에서 살고 있다면 행복한 삶을 영위할 것이고, 사주팔자는 좋으나 좋지 않은 생활환경과 흉한 집터에서 생활하면 기복이 심한 성격으로 난폭해진다. 재물 풍수는 양택 풍수에서 나오며 좋은 환경은 길한 집터에 있다.

풍수지리에서 방위는 동서남북(東西南北)을 '사정방(四正方)'이라 하고, 중간에서 서남, 서북, 동남, 동북. 방향을 '사우(四隅)'라 부른다. 사정방은 '자오묘유(子午卯酉)'이며, 흔히 사주팔자에 태어난 시에 '자'가 있으면 재주가 많은 사람이라 한다.

● 사정방(자, 오, 묘, 유) ●

패철(나침판)의 방위는 '봄, 여름, 가을, 겨울' 사계절과 1~24시간 그리고 1~12달과 십이지, 그리고 동, 서, 남, 북으로, 이에 대해 언급할까 한다. 재물이 들어오는 풍수(양택 풍수)에서 가장 꺼리는 귀문방(鬼門方)은 풍수지리학에서 과학적으로 연구되어 입증되고 있다. 귀문방이란 귀신이 드나드는 방위라는 뜻이다. 귀문방을 사계절로 본다면 겨울과 봄 사이, 여름과 가을 사이와 같은 환절기에 해당하며 노인이나 몸이 허약한 사람은 질병에 걸리기 쉽고, 특히 암(癌) 환자나 중풍 환자는 중병에 걸리기 쉬운 곳이 귀문방 방위이다.

시간으로 보는 귀문방 방위는 새벽 3시와 오후 3시가 속하며, 겨울에서 봄으로 넘어가는 새벽 3시라면 가장 온도가 떨어지고 보듬어 가도 모를 정도로 곤히 잠든 시간이다. 또 여름과 가을로 넘어가는 오후 3시라면 집중력과 일에 능률이 떨어지는 시간이 귀문방 방위이다.

양택 풍수에서 귀문방에 배치하면 불길한 일이 생긴다고 한다. 귀문방 자리에 화장실을 배치하게 되면 북동풍이 통과하면서 화장실에 악취와 냄새가 집안으로 나쁜 기를 몰고 들어와 자식에게 액운을 준다.

여름과 가을 오후 3시라면 남서쪽이 귀문방에 속한다. 하루 중에 습기가 많아 음식이 변질되기 쉬우며 강한 햇볕 때문에 땅의 나쁜 기가 들어와 재물이 빠져나간다. 양택(陽宅)에 좋은 기(氣)운이 모이면 재물뿐만 아니라 건강도 좋아진다.

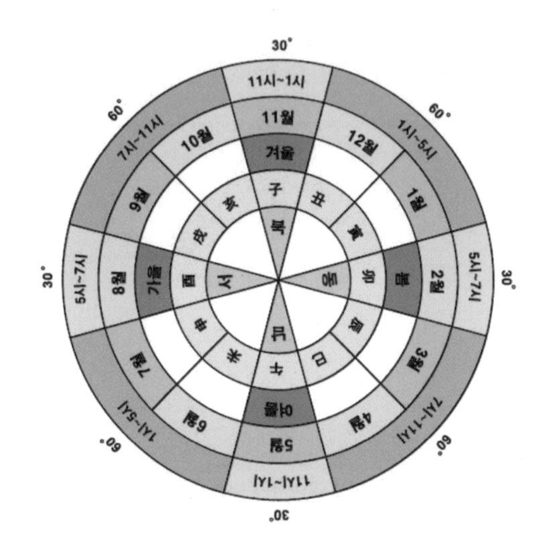

● 귀문방(鬼門方) 12월~1월 1시~5시, 귀문방(鬼門方) 6월~7월 1시~5시 ●

12

사업장과 풍수(風水)오행(五行)의 상관관계

어느 ㅇㅇ요양원이 영업정지 상태에서 매매가 이루어졌다. 그곳을 음(陰), 양(陽), 오행(五行)으로 풍수(風水)를 진단하니 돈이 들어왔다 나가는 형국이었다. 또 다시 문을 닫을 것 같은 기 에너지와 지기를 느꼈다. 일행에게 또 문을 닫겠다고 하였더니 설마라는 것이다. 그 후 또 다시 영업정지를 맞았다. 다시 말하면 사업장의 동사택과 서사택에 건축물의 배합과 배치가 맞지 않으면 길흉화복을 가져다 줄 수 없다는 이론이다. 서사택은 음의 기운이 강하고 동사택은 양의 기운이 상승하게 된다. 오행[목(木), 화(火), 토(土), 금(金), 수(水)]에서 금(金)에 해당이 된다. 금은 돈이 들어와도 잠시 머물렀다가 다시 빠져나가는 형국이다. 한마디로 돈이 흘러나간다는 뜻이다. 그리고 경영하는 원장의 초심을 잃지 않는 마음과 사명감이 사업장의 기운을 좋은 기운과 나쁜 기운으로 나누게 되며, 경영자의 사주팔자와 관상은 재물 운과 밀접한 관계가 있다.

옛 성인이 남긴 명언에 의하면, 사람은 자신의 인격과 선량한 마음을 가지고 올바른 행동으로 살아가게 되면 하늘이 먼저 감동하게 되어 좋은 기운으로 복(福)을 짓는 만큼 되돌아오고, 옳지 않은 행동으로 살아가게 되면 나쁜 기운의 화(火)가 몸을 친다 하여 결국은 질병을 얻게 된다고 하였다.

업종에 따라 오행(五行)의 방위가 다르다. 출입구는 귀문방을 피해야 하며 남서 방위가 낮고, 북동(北東) 방위가 높아야 길상(吉祥)이다. 반대로 남서 방위가 높고, 북동(北東) 방위가 낮으면 흉상(胸像)이다. 특히나 요양원 또는 병원은 환자 건강을 생각한다면 햇볕이 온종일 들어오는 남쪽 방위나 동남쪽과 동쪽 출입구 방위가 최상의 방위이다.

● 요양원, 병원 ●

13

폐가(廢家)는 음(陰)의 기운이 강하다

어느 날 건물의 매물이 있어 지인을 따라 보게 되었다. 장성 읍내를 한참 지나 도착한 곳은 장성의 경계선 밖에서 보기엔 울창한 조경들이 숲을 이루었다.

그곳의 2층 건물은 폐가(廢家)였다. 건물 안을 들어가는데 갑자기 으시시한 분위기에 소름이 확 끼쳐 음(陰)의 기운을 느꼈다. 패철로 방위를 확인해보니 서쪽 출입구의 북쪽에 현관 입구가 있었다. 불 배합이다. 건물은 서사택으로 음의 기운이 강한 하강의 기운을 갖고 있었다. 서사택(西四宅)의 혼합으로 음(陰)이 강한 집터였다. 8괘로 동사택(東四宅)의 4방은 이(남)쪽, 진(동)쪽, 감(북)쪽, 손(동남)쪽에 해당하며 서사택(西四宅)의 4방은 곤(남서)쪽, 태(서)쪽, 간(북동)쪽, 건(서북)쪽에 해당한다.

서사택(西四宅) 앞에 왕복 4차선 도로가 있었다. 들어오는 돈이 모이질 않아 어렵겠다고 하였더니 어떻게 아느냐고 물었다.

음양오행, 그리고 목(木), 화(火), 토(土), 금(金), 수(水)로 풍수를 설명하니 지인의 말로 정말 주인이 은행 빚으로 한 달에 600만 원 정도 빚을 갚고 있는 처지라며, 공장 운영이 너무 어려워 힘들어하고 있다고 하였다. 음양오행으로 보는 풍수는 미신이 아니라 과학이다.

● 폐가(廢家) ●

이 집 폐가(廢家)를 잠깐 해석하자면 돈을 모으려고 아무리 허리띠를 졸라매도 돈이 들어오면 다시 흘러나가는 터라서 돈이 모이지 않는 집터였다. 또한 이 집은 4방위가 불 배합으로 되어 있었고 흉상이었다.

한 가지 꿀조언을 말하자면 나무가 집보다 크면 집의 기가 빠져나가 흉가나 폐가의 집이라 할 수 있다. 집 주변에는 집보다 작은 나무를 심어야만 양택의 기운을 받게 된다. 집 내부에는 잎이 큰 나무를 심어야 좋은 기운과 재물이 들어오고, 집 마당에는 잎이 뾰족한 나무를 심어야 나쁜 기운을 물리친다. 그래서 예로부터 잘 사는 집에는 외부 공원에 값비싼 소나무를 조경수로 심어 오고 있다.

臍

복부의 반응점

주름과 응어리를 보면
모든 질병을 진단할 수 있다.

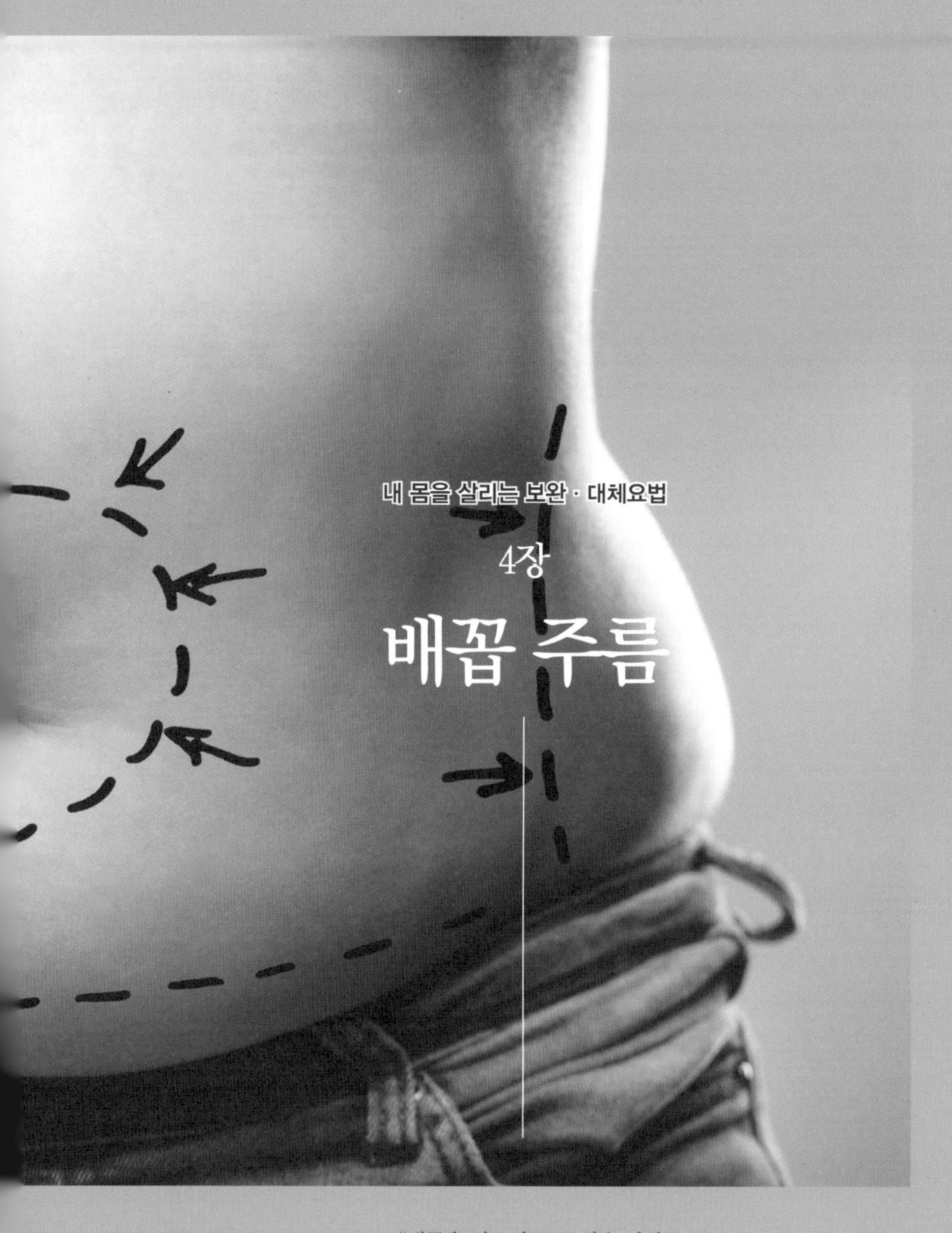

내 몸을 살리는 보완 · 대체요법

4장

배꼽 주름

"재물을 잃으면 조금 잃은 것이고
명예를 잃으면 많이 잃은 것이며
건강을 잃으면 모두를 잃은 것이다"

1

만병의 원인은 배꼽(안복법 테라피)

배꼽 안복법은 17세기부터 전해 내려오는 치료법이다. 중국에서는 수천 년 전부터 호흡, 배, 복부 마사지로 전해져 내려왔고, 일본에서는 400년 전부터 전해져 내려왔다.

일본 에도시대의 승려였던 미소노무분사이(御園夢分斎)는 배꼽 안복법 혹은 배꼽 테라피로 배를 치료하고 진단했다는 그 시대의 인물이다. 아즈치모모야마(安土桃山) 때부터 미소노무분사이의 '타 침법'은 복부만을 진찰하여 침(鍼)을 사용하여 복부를 치료하였다.

또, 침도비결집(鍼道秘訣集)이라는 문헌 기록을 보면 환자에게 맨손만 사용하여 아무것도 묻지 않고 숙련된 기술로 손가락의 강약을 조절하여 아프지 않게 누르다 보면 뱃속의 결림을 느끼게 되는데, 오장육부와 12경락의 반사구 위치에 따라 질병을 알 수 있다고 하였다. 어쩌면 질병을 미리 찾아내고 예방할 수 있다.

미소노무분사이 승려는 '타 침법'으로 오직 복부만 진찰하여 10명 중 9명의 병을 낫게 하였다. 배꼽법은 누구나 쉽게 어떠한 도구도 필요 없이 피부 표면을 가볍게 자극하면서 '자신의 몸을 치유할 수 있다'라는 것이다.

배꼽 마사지는 간단하여 때와 장소를 가리지 않고 쉽게 따라 할 수 있다는 장점이 있다.

'오장육부(복부)가 근본이고 흐르는 12경락, 그리고 우리 몸의 반사구인 손과 발은 부수적이다. 그 중심이 바로 배꼽이다'라는 기록이 『침도비결집』이라는 문헌에 기록되어 있다. 미소노무분사이가 주장한 방식은 특별한 기구(침, 도구)를 사용하지 않고도 오로지 손으로만 그 효과를 얻을 수 있는 배꼽(안복법) 마사지요법이다.

정자와 난자가 결합하면, 생명의 출발점이 시작되어 엄마의 자궁에 착상되면서 맨 처음 배꼽이라는 끈으로 이어져 인간의 생명으로 탄생하고, 탯줄의 혈관을 통해 아기가 산소와 영양소를 공급받는다. 배꼽은 우리 몸의 내장과 신경계가 만들어지면서 신체의 좌우, 상하, 전후, 내외를 연결하고 우리 몸 전신의 중앙에서 장기 기관의 사령탑으로 중요한 위치에서 중요한 역할을 담당하고 있다. 우리 몸은 60조의 세포로 이루어져 배꼽 주변이 몸 전체에서 중요한 위치를 차지하고 있다.

아기는 배꼽(탯줄)이 분리되는 순간 한 생명으로 탄생하고 존엄한 인간으로 살아간다. 이런 배꼽의 형태, 모양을 보면 건강과 질병을 진단할 수 있다.

배꼽은 출산 후 탯줄을 끊은 자리에 오목하게 흔적이 남아 있는 것이다. 배꼽(신궐, 神闕)의 혈(穴) 자리는 연결되어 오장육부의 원기가 숨어 있다. 동양의학에서 질병을 예방, 치료할 때 중요한 신궐혈 자리가 배꼽이다.

배꼽의 오장육부 중 오장(五臟)에는 간(肝), 심(心), 비(脾), 폐(肺), 신장(腎)이 있고, 육부(六腑)에는 담(膽), 위(胃), 대장(大腸), 소장(小腸), 방광(膀胱), 삼초(三焦) 등의 장기가 있다.

오장 중에 장기는 배꼽을 말하며 배꼽을 '삼초(三焦)'라고 부른다.

삼초는 상초, 중초, 하초로 구분되어 있다. 상초는 들숨과 날숨 호흡을 주관하고 중초는 위장을 통해 소화시키는 일을 하며 하초는 대소변 기관을 담당하고 있다. 사람의 생명유지에 관여하는 삼초는 중요한 역할을 담당하고 있다.

손, 발, 귀, 배꼽 등의 오장육부 반사구는 같다.

손과 발, 귀가 저리거나 이상이 생기면 뿌리는 배에 있다. 배꼽의 체온을 따뜻하게 하면 손, 발, 귀 반사구의 반응 때문에 오장육부의 기능이 자연스럽게 좋아진다.

● 질병의 원인은 복부 ●

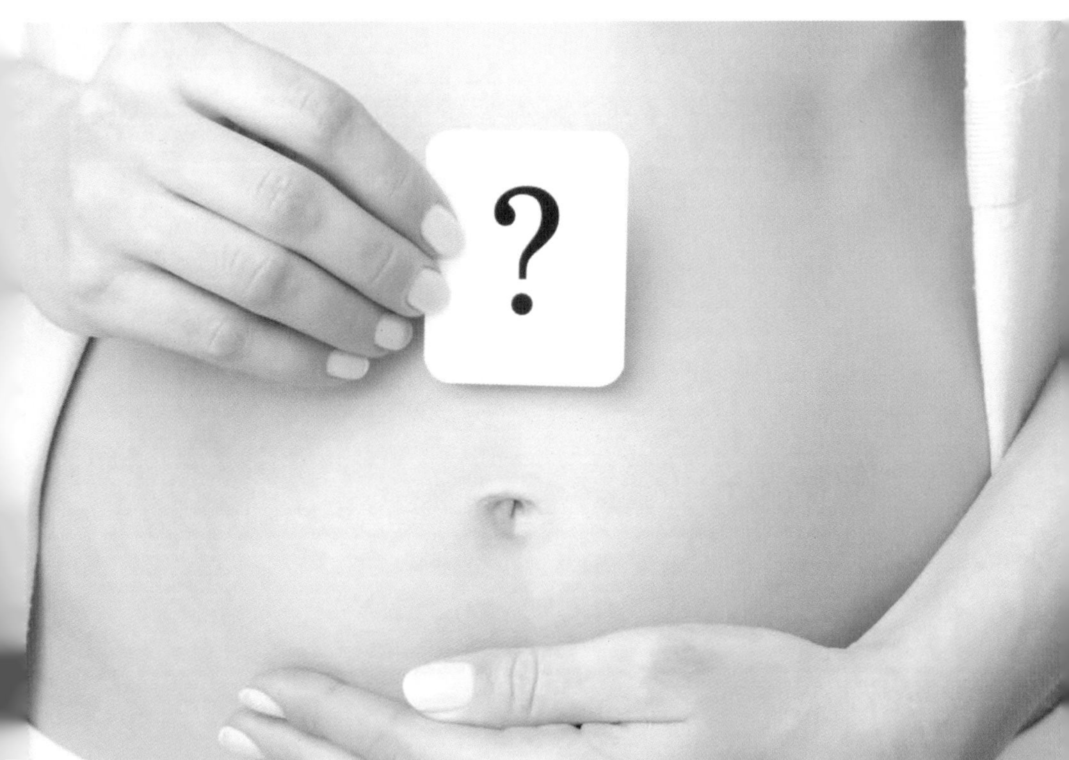

2

모든 질병의 원인은 복부의 셀룰라이트(cellulite)

지방세포의 축척으로 노폐물이 결합하여 변형된 세포가 쌓이면 분해되지 않고 세포질이 두꺼워지면서 지방이 뭉쳐 림프와 혈관이 울퉁불퉁하게 변형된다. 이때 혈액순환이 안 되어 상복부, 복부, 대퇴부, 둔부 등에 나타난다.

셀룰라이트(cellulite)의 원인은 비정상적인 호르몬 문제로 폐경기, 영양 불균형, 과다한 인스턴트 식품, 유전적인 요인, 운동부족들이 주범이 되고 있다.

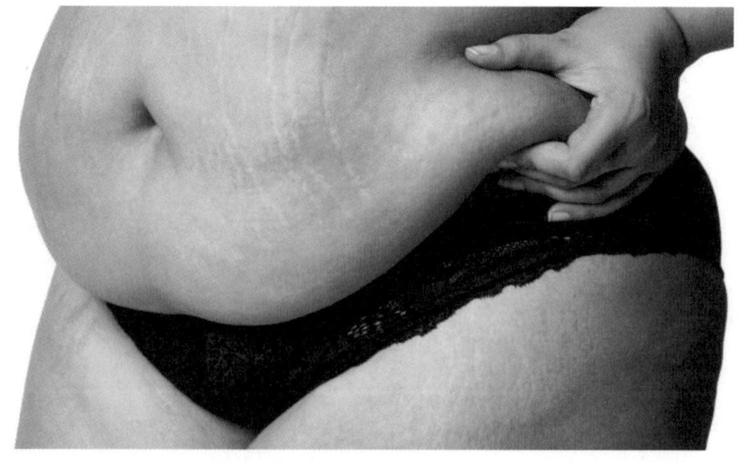

• 질병의 원인은 복부 •

복부의 셀룰라이트가 심해지면 복부에 주름이 생기고 배꼽이 변형되어 여러 가지 질병이 생기게 된다. 셀룰라이트 노폐물의 축적을 피하려면 꾸준히 운동하고 섬유질이 많은 채소 및 과일을 섭취하며 복부 마사지를 매일 해야 한다. 이렇게 되면 비만뿐만 아니라 여러 가지 질병을 예방할 수 있다.

1. 복부 림프 4가지 마사지 효과

복부의 마사지는 림프에 막힌 노폐물을 배출시켜 내장의 기능을 활발하게 한다. 손과 발의 반사구가 오장육부에 있어 손발이 차가운 사람은 내장이 차갑다. 그래서 손발이 차가우면 오한, 두통을 자주 느끼고 이런 사람은 소음인 체질에 해당한다. 복부 림프 마사지를 통해 혈액순환을 촉진해 주면 오한이나 두통 증상이 사라진다. 복부의 림프 마사지는 림프의 흐름을 좋아지게 하고 신진대사를 높여 피로 회복에 효과적이다.

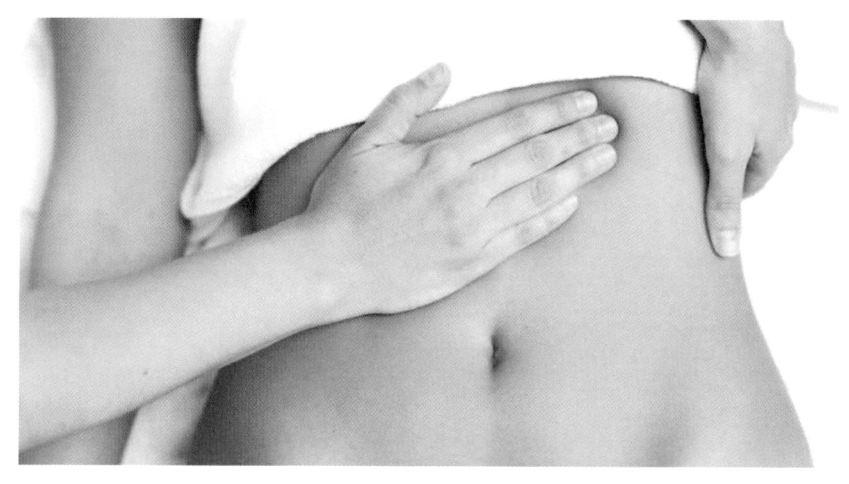

● 복부의 림프 마사지 ●

① 찬기를 몰아내어 냉증 개선 효과

② 내장운동이 활발해져 림프의 흐름 개선

③ 다이어트 효과

④ 스트레스 완화

2. 장부도를 보고 쉽게 진단하는 순서

① 배의 중앙 반응점을 보고 진단 ▶ **위장**

② 배의 옆구리 반응점을 보고 진단 ▶ **간**

③ 배의 하복부 반응점을 보고 진단 ▶ **방광, 신장, 다리**

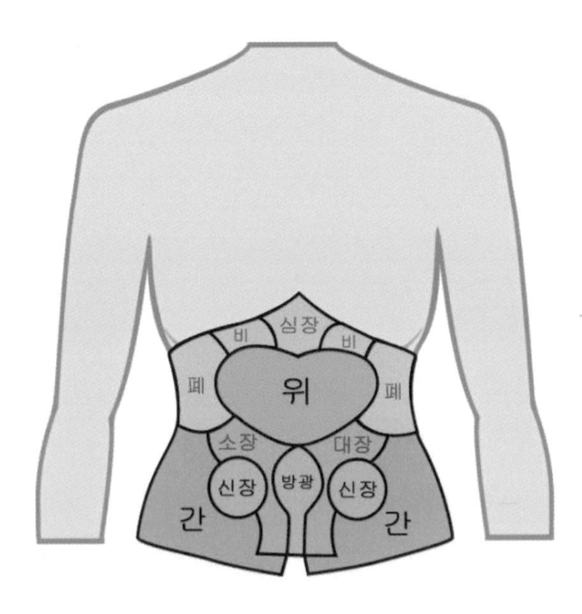

● 복부의 장부도 반응점 ●

한의사는 환자를 문진할 때 배꼽을 손으로 만지고 눈으로 보며 배꼽의 혈(신궐혈)을 보고 병을 진단한다.

어릴 적 우리네 어머니들이 아이가 소화가 안 되어서 보채며 잠을 이루지 못할 때, 아이의 배꼽 주위를 문지르면 아이는 어느새 새근새근 깊은 잠에 들곤 하였던 기억이 모두 있을 것이다. 배의 뭉친 혈을 풀어줌으로써 이완이 되어 아이는 새근새근 잠이 들었던 것이다.

허준의 『동의보감』에 의하면 “뱃속이 늘 따뜻한 사람은 질병이 생기지 않는다”고 하였다. 즉, 배꼽(神闕)을 노출하거나 차게 하면 ‘만병의 근원’이 된다는 것이다. 여기서 옛 선조들의 지혜를 엿볼 수가 있다. 우리 어머니들은 항상 어린아이의 배를 중요시하였고, 잠을 자도 항상 배에 이불을 덮어주었던 기억이 있다. 배꼽 주위를 마사지하듯 문질렀던 어머니의 지혜가 있었다. 어머니의 약손으로 질병 예방과 건강을 유지할 수 있었다.

3. 배꼽으로 보는 질환

인체의 중심 배꼽에는 림프관이 집중되어 있어 제2의 뇌라고 부른다.

● 배꼽으로 보는 질환 ●

1) 건강한 원형 배꼽

남성의 경우 정력이 건강하다고 볼 수 있고, 여성의 경우 자궁과 난소가 건강하고 오장육부가 건강하며 혈압과 맥박 체온이 정상이다.

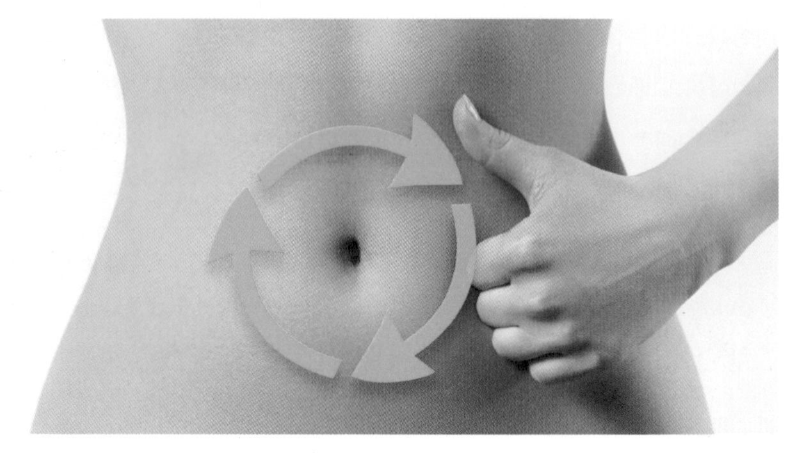

● 건강한 원형 배꼽 ●

2) 아래로 삼각형의 배꼽

삼각형 배꼽에는 위하수, 변비, 만성 위장염, 여성들은 부인과 질병이 있다.

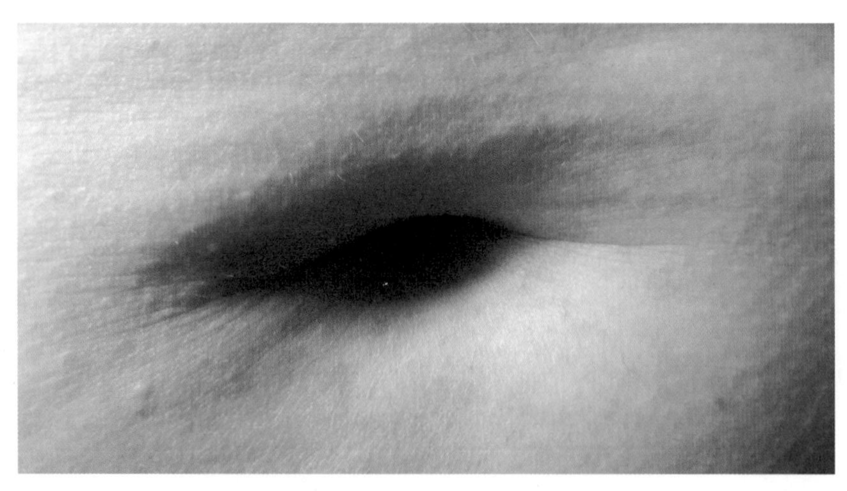

● 아래로 삼각형의 배꼽 ●

3) 위로 삼각형의 배꼽

소화불량, 담낭과 췌장에 문제가 있다. 또한 잦은 설사를 하게 된다.

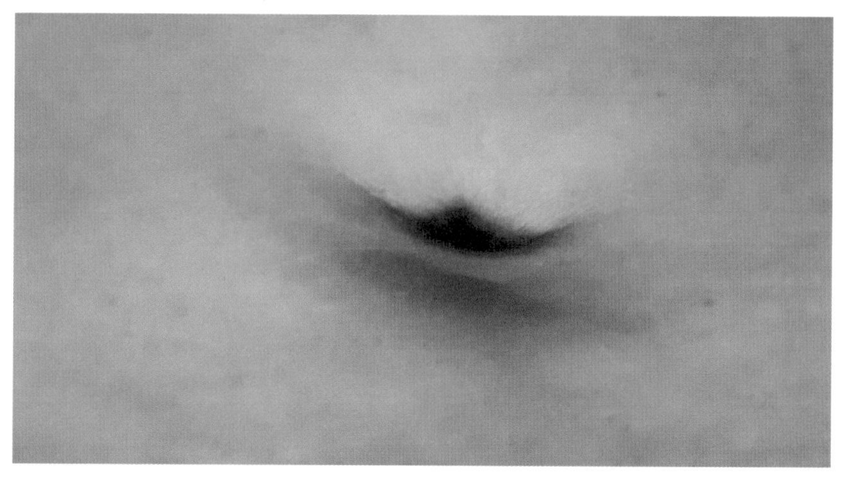

● 위로 삼각형의 배꼽 ●

4) 해사형, 양쪽이 좁혀져서 중간에 틈만 보이는 배꼽

이런 경우는 간경화 또는 간의 질병을 예고하고 있어 간을 잘 관리해야 한다.

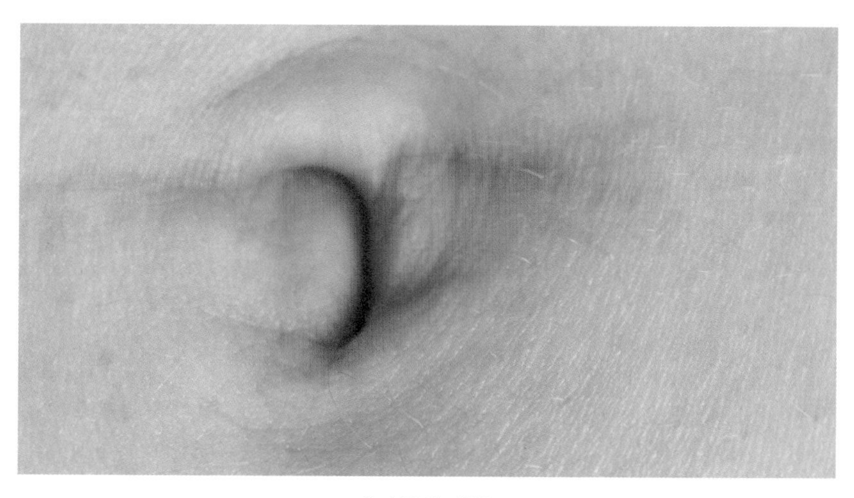

● 해사형의 배꼽 ●

5) 만월형 배꼽

풍만하고 탄탄해 보인다. 탄력 있는 하복부와 어울려 건강함을 말해주며 여성은 자궁이 건강하다는 것을 보여준다.

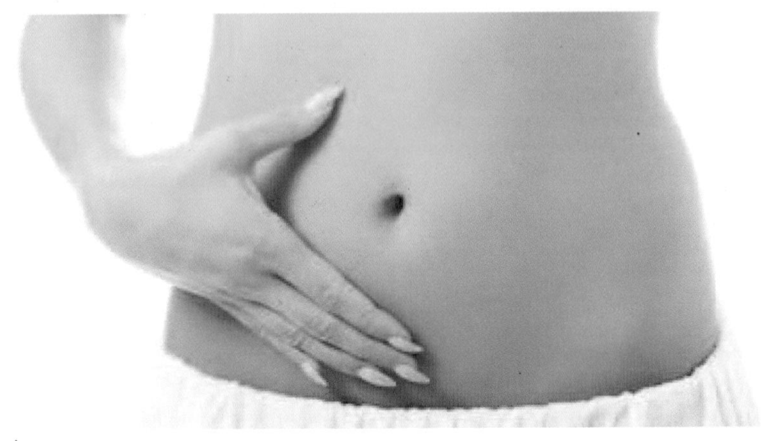

● 만월형 배꼽 ●

6) 좌측으로 치우치는 배꼽

장 기능이 안 좋다. 변비 또는 장점막에 병이 있다는 것이다.

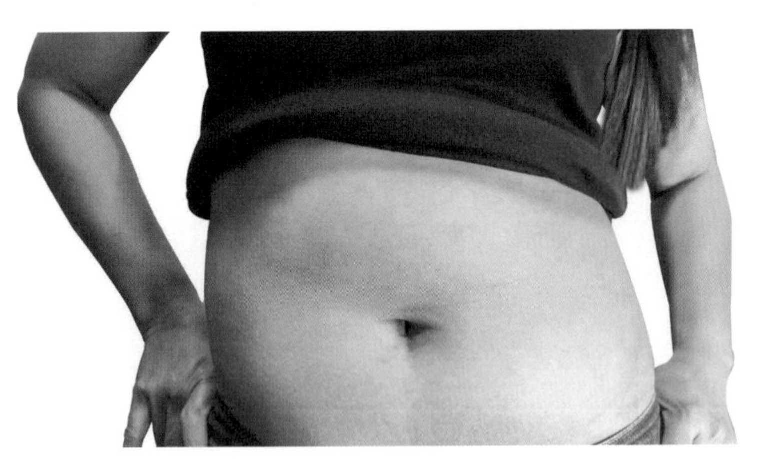

● 좌측으로 치우치는 배꼽 ●

7) 우측으로 치우치는 배꼽

간에 문제가 있다. 그리고 십이지장 궤양 질병이 있으며, 체형이 비틀어져 있다는 것이다.

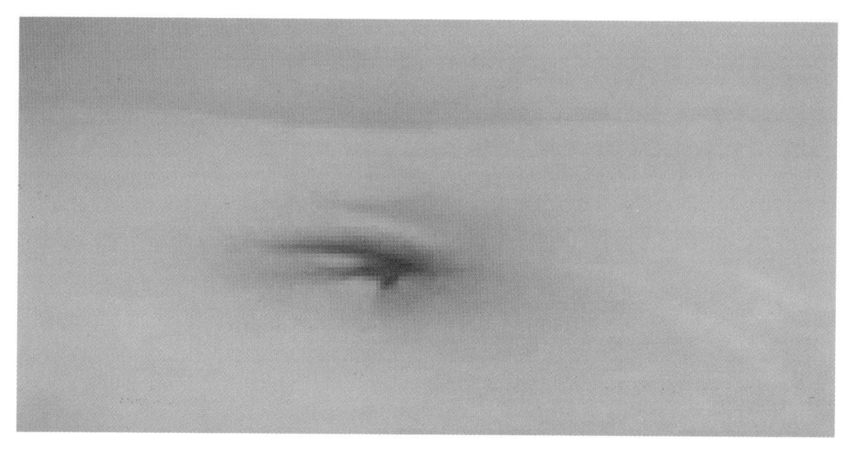

● 우측으로 치우치는 배꼽 ●

8) 돌출되는 배꼽

복부에 복수가 찼을 때 또는 남자인 경우는 탈장이 있을 때 배꼽이 돌출되고, 여자는 난소 낭종이 생기면 배꼽이 돌출된다.

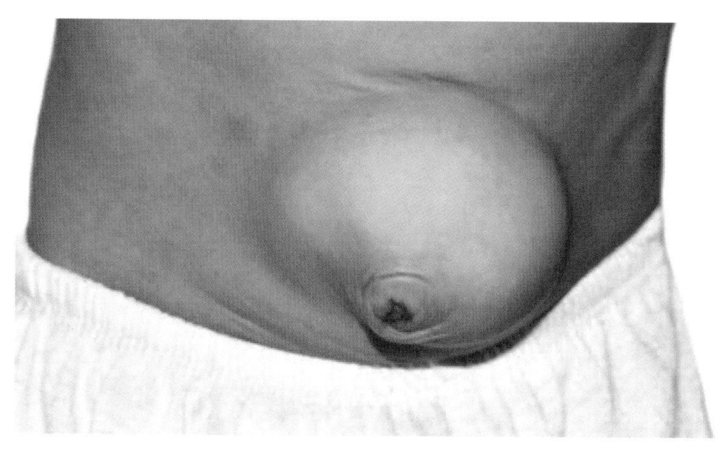

● 돌출되는 배꼽 ●

9) 안으로 들어가는 배꼽

비만과 복부염증, 복막염 등을 경고하고 있다.

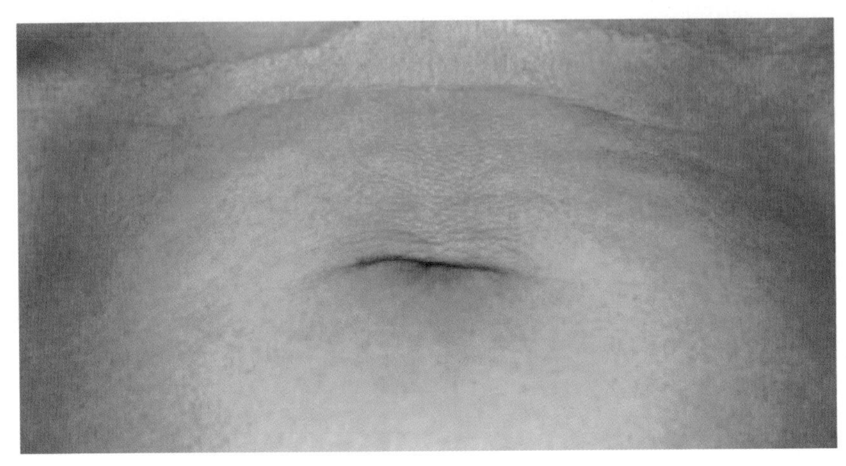

● 안으로 들어가는 배꼽 ●

10) 작고 옅은 배꼽

몸이 허약하고 체내 호르몬 분비가 정상이 아니며 무기력하다는 것이다.

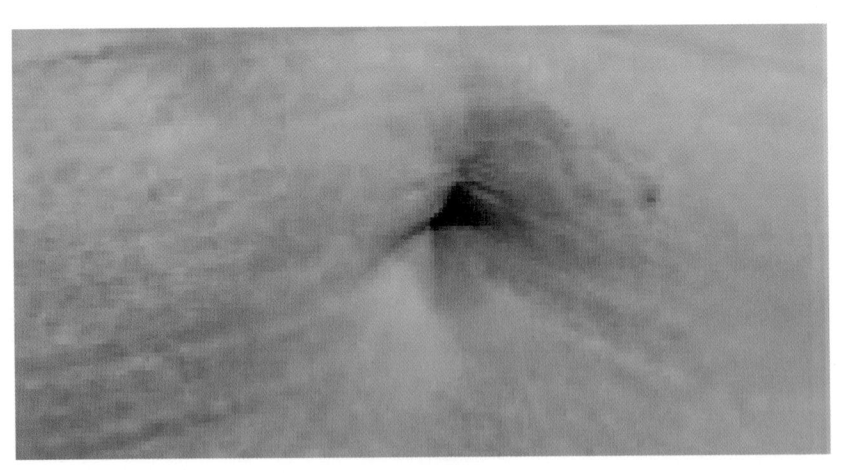

● 작고 옅은 배꼽 ●

책을 쓰면서 다양한 배꼽을 해석하려고 사진을 받게 되었다.

후배에게 목욕탕에 가면 배꼽 사진을 보내달라고 부탁을 하자 갑자기 여러 장의 배꼽과 복부 사진을 카톡으로 받게 되었다. 사진을 보고 해석을 해달라고 전화가 와서 사진의 주인공과 통화를 하면서 하나씩 해석을 해주었다. 위가 안 좋은 사람이다, 골반이 비틀어졌다, 자궁이 안 좋은 사람이다, 갱년기가 심하다, 불면증이 있다, 다리가 아프다, 혹시 위암이지 않느냐 했더니 배꼽만 보고 어떻게 알 수 있냐고 주변 사람들에 배꼽과 복부를 찍어 계속 해석해 달라고 보채어 곤욕을 치렀다.

또 다시 배꼽과 복부에 다양한 사진을 얻기 위해 어린이집 원장에게 부탁했더니 교사들의 배꼽과 복부를 찍어서 보내 왔다. 사진을 보고 해석해 주자 어린이집 교사들이 어떻게 배꼽과 복부만 보고서 질병들을 알아 맞히냐고 대체의학이 신기하고 정말 재미있다고 하였다.

3

스스로 자기 병을 고치는 배꼽 마사지(안복법)

아침에 일어나 화장실을 가기 전에 누워서 배꼽 마사지를 스스로 좌, 우로 50번씩 하게 되면 위장, 간, 뇌, 신진대사가 원활하여 면역력이 향상된다.

● 누워서 하는 배꼽 마사지, 좌우 흔들기 ●

4

배꼽이 노출되면 생리통

배꼽을 가볍게 마사지하듯이 만져주면 편안해진다. 이는 오장육부와 연결되어 무병장수하는 효과가 있다. 한의학에서 오장육부에 질병이 생기면 배꼽 형태를 보고 문진하여 건강 상태를 진단한다. 그래서 한의사는 꼭 혀와 손, 배꼽을 문진한다.

여성들은 멋을 내기 위해 위의 옷을 짧게 입고 배꼽이 보이는 패션을 선호하는 경우가 있는데, 이럴 때 배꼽이 노출되면 생리통의 원인이 된다.

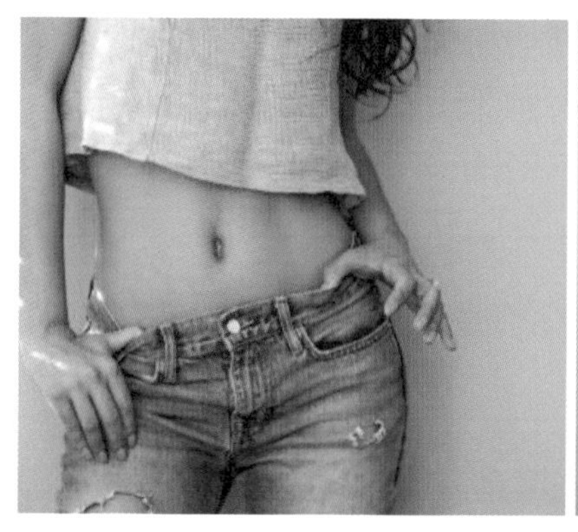

● 배꼽이 노출되면 생리통 유발 ●

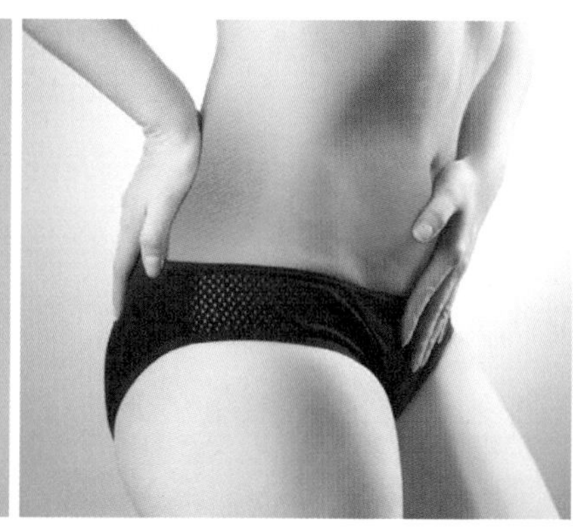

● 생리통 ●

5

배에 주름이 생기는 이유

우리가 살아가면서 배에 주름이 왜 생기는가? 의식해 본 적이 없다. 자신의 배를 만지게 되면 어느 부분은 딱딱하고 어느 부분은 부드러운 곳이 분명 있을 것이다. 자신의 배를 부드럽게 살살 만져보면, 배의 딱딱하게 굳어진 부위, 처진 부위가 구체적으로 어느 혈 자리인가를 확인하라. 늘어진 부분은 탄력이 없고, 단단한 곳은 건강해서 근육으로 가득 찬 것이라고 생각하겠지만 사실은 전혀 그렇지 않다. 배의 늘어진 부분은 '허'가 되고, 배의 단단 근육은 '실'이다. 우리는 어떤 일이 잘 풀리지 않을 때 기가 막힌다는 말을 사용한다. 기가 막힌다는 것은 혈액이 더러워져서 '어혈'이 생겼다고 이해하면 된다. 어혈은 체내에 독소가 막히는 반응으로 '실'이라고 한다. 허와 실 때문에 피부 표면에 울퉁불퉁하게 배의 주름이 생겨 경계선이 형성되며 혈액순환이 되지 않아 생리 기능이 저하되면서 여러 가지 질병을 유발하게 된다.

6 배의 주름이 몸의 질병을 예고

배의 표피를 눌러 통증이 느껴지는 자리가 '압통점'이라고 한다. 압통점은 염증성의 병변에 의해서 나타난다. 위궤양일 때 명치에 통증이 나타나고, 급성 충수염일 때는 우측 하복부에 통증이 있다. 엄살이 많은 사람은 가만히 눌러도 통증을 느낄 수 있기에 전문가가 아니면 압통점을 찾기가 어렵다.

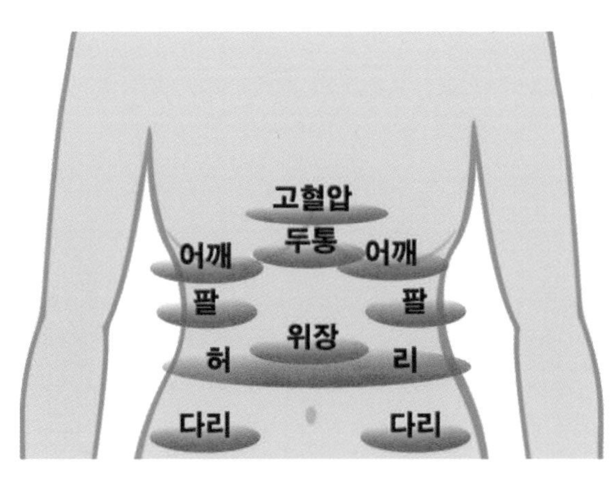

● 복부 주름 위치 ●

안복법은 간단한 마사지법으로 도구 없이 손으로 문질러 주기만 하면 된다. 흔히 심장병, 위장장애, 우울증, 어깨 결림, 다리 통증, 내장기관, 암 통증이 발생하게 되면 제2의 뇌로 불리는 배의 주름과 색상이 어두워지고 배의 혈자리에 뭉친 응어리가 손으로 느껴진다. 뭉친 응어리를 통증약에 의존하면 부작용이 따르지만, 배꼽 마사지 안복법을 하게 되면 부작용에 대해 염려할 필요가 없어, 배의 주름을 보면 누구나 자기의 병을 스스로 치료할 수 있다.

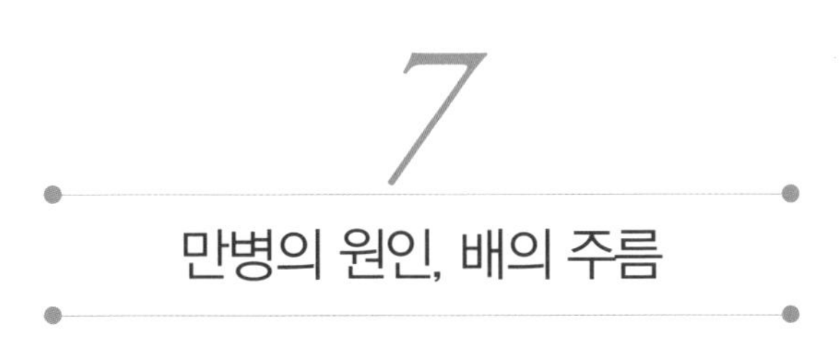

7 만병의 원인, 배의 주름

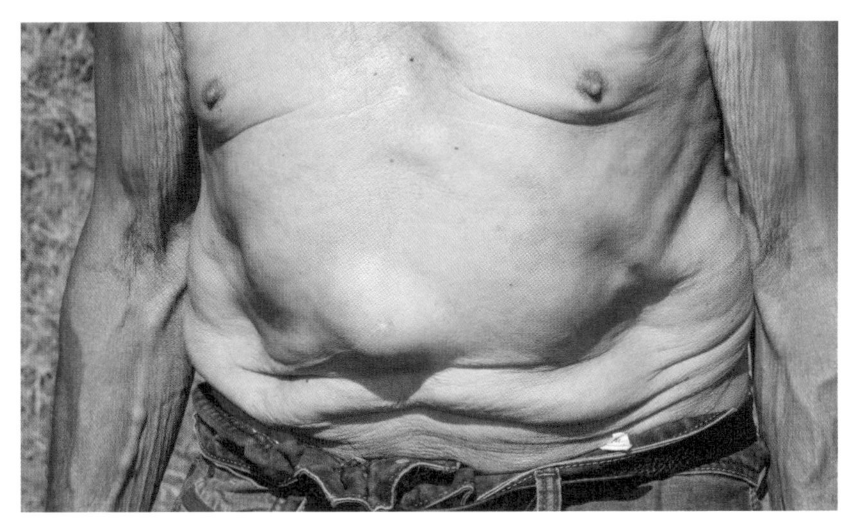

● 복부 주름과 질병의 위치 ●

① 질병의 뿌리는 배의 주름, 응어리가 원인이다.

② 허와 실의 불균형은 질병의 원인이 된다.

③ 배의 반응점에서 통증이 느껴지는 곳이다.

④ 배를 부드럽게 마사지한다.

⑤ 누구나 쉽게 따라 할 수 있다.

⑥ 진단과 치료를 동시에 할 수 있다.

⑦ 배의 주름을 찾는 방법

- 반듯하게 누운 자세
- 옆으로 누운 자세
- 몸을 옆으로 튼 자세
- 몸을 앞으로 구부리는 자세
- 어깨를 튼 자세

8

배꼽 마사지 방법(안복법)

1. 배의 응어리를 제거하는 3가지 기법

① 문지른다.

② 감싼다.

③ 집는다.

2. 복부 마사지 6가지 방법(자기 스스로 치유)

① 배꼽 중앙에서 위로 아래로 각각 반을 나누어 10번씩 마사지해준다.

② 가슴 중앙에서 심장으로 지나가는 혈 자리에 쓸어내리듯 마사지해준다.

③ 가슴 가운데서 양쪽으로 밀어내듯 승모근, 어깨 혈 자리를 마사지해준다.

④ 혈압을 내려 주고 혈액순환과 위장 혈 자리를 마사지해준다.

⑤ 배의 통증과 어혈을 풀어주고 암 통증을 풀어준다.

⑥ 복부마사지를 아침 · 저녁으로 10번씩 반복하면 소화 촉진에 도움이 되고 혈액순환이 개선된다.

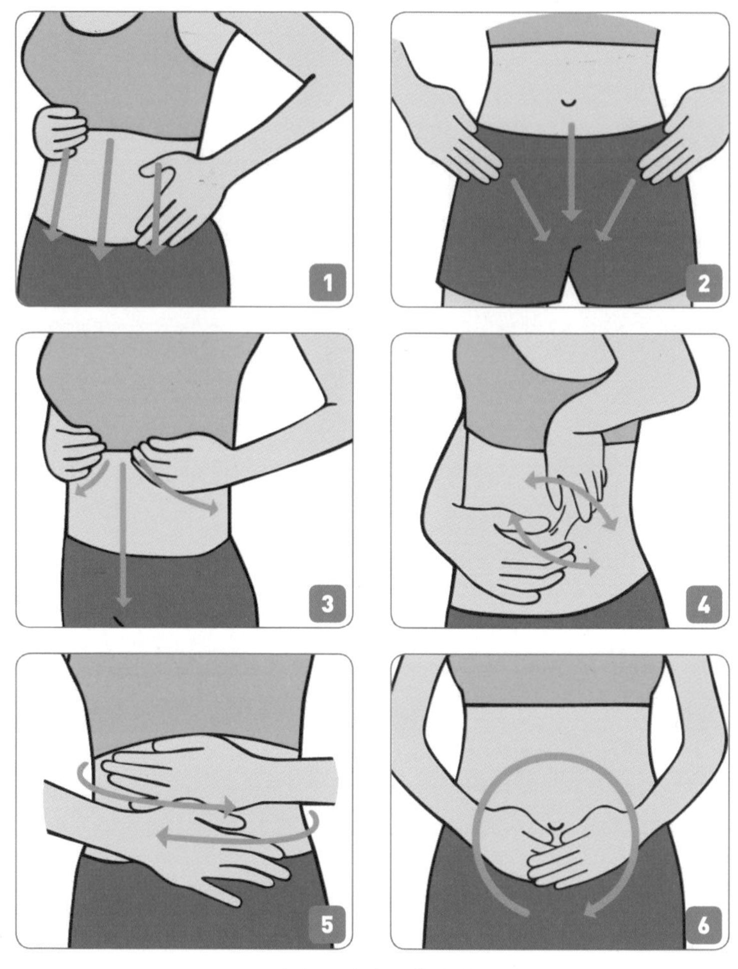

● 복부 마사지 6가지 방법 ●

9

입체적인 배꼽 안복법

일본의 미소노무분사이의 장부도에서 발전시킨 배꼽 안복법은 복부, 둔부, 허리와 등까지 확대되어 입체적으로 넓은 범위를 말한다. 미소노무분사이의 장부도 기록을 보면, 등 뒤쪽 부분의 주름에 20% 반응점이 더 있다는 사실을 알 수 있다. 모든 만병의 뿌리는 배쪽의 응어리가 90%라면 뒤쪽 주름에 반응점 10~20%가 있다는 것이다. 미소노무분사이는 몸 앞면의 평면도로 배를 본다면, 배꼽 안복법에서는 몸의 뒷면 등까지 입체적인 방법으로 넓고 광범위하게 보고 있다.

미소노무분사이는 옆구리, 겨드랑이에서 허리와 등의 좌우를 비교해보고 주름과 옆구리가 들어간 부분, 양쪽이 다른 부분, 배의 색깔에 따라 '간'의 건강을 진단할 수 있다고 한다.

또한 미소노무분사이 기록에 의하면 90%까지 증상과 질병이 치료됐으나 10%는 고치지 못했다. 사례를 보면 배의 주름이 허리, 둔부, 등에 확대되는 경우가 많다. 자신의 몸을 거울 앞에서 뒤틀어 보게 되면 어느 부위에 주름이 더 있고 없고를 확인할 수 있을 것이다. 실제로 고치지 못했던 10% 정도의 주름은 뒤쪽에 반응점이 있다는 것이다.

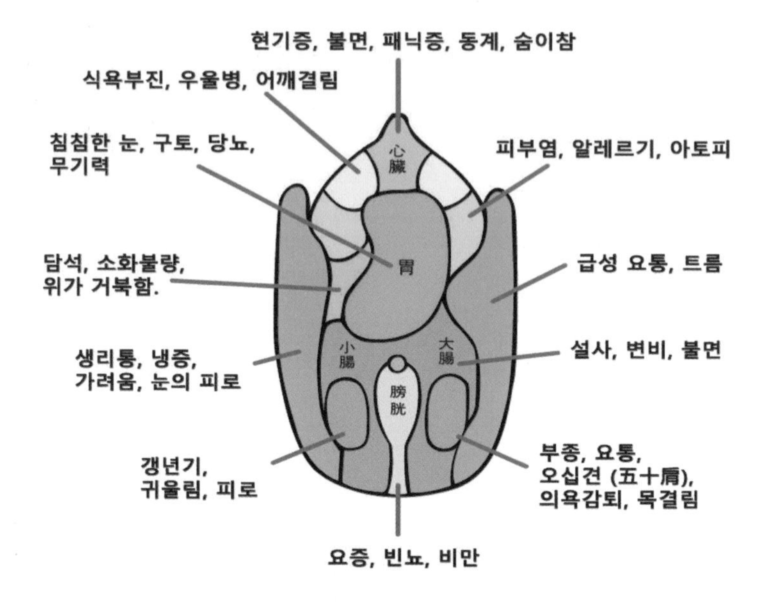

● 배꼽 주변 장부도 ●

10

복부 마사지를 통해 배 응어리를 녹여라

만병의 원인은 배의 응어리였다. 손발은 지엽, 뿌리는 배, 특히 배꼽의 기능을 높이지 않으면 안 된다. 배꼽 마사지는 간단하게 누구나 쉽게 배울 수 있다.

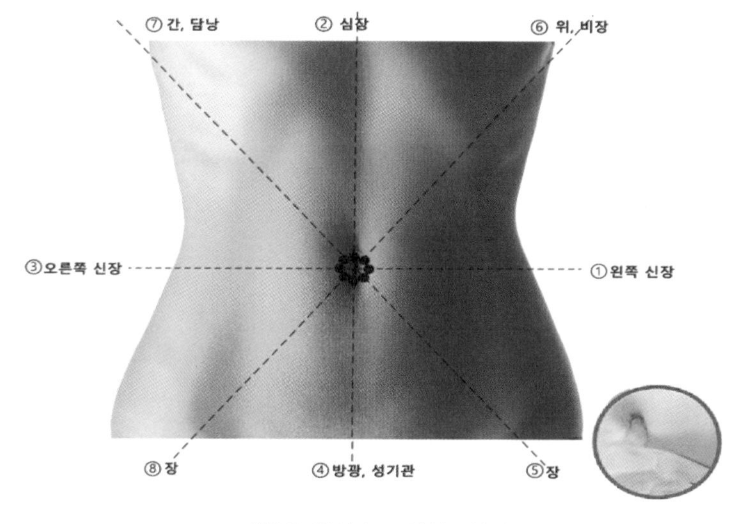

● 배꼽을 중심으로 복부 8등분 ●

① 배의 주름이 어느 혈 자리에 있는지 파악한다.

② 딱딱하게 응어리진 혈 자리를 찾아낸다.

③ 배꼽 안복법의 1, 2번 그림을 보고 병을 알아낸다.

④ 마사지를 통해 응어리를 분산시켜라.

⑤ 어떠한 도구도 없이 맨손으로 치유하는 배꼽 마사지를 실행한다.

⑥ 배꼽 중심에서 좌측으로 시작하여 8등분한 부분을 서서히 가볍게 문지르며 응어리를 풀어주면서 지압하는 마사지요법을 실행한다.

11

배의 반응점을 찾아서 질병 치료 이용

만병의 원인은 배의 응어리 장부도에 있고, 질병의 뿌리는 배의 반응점 주름에 있다. 누구나 걱정이 되는 아픈 증상들이 나타난다면, 장부도 그림을 보면서 아픈 증상과 관련된 응어리와 주름 위를 살짝 누르며 손가락 끝으로 가볍게 집어본다. 이 때 응어리가 만져지고 응어리에 위압감이 느끼는 곳(반응점이 느껴진 곳)이 질병 상에 문제가 있다는 것이다. 우리가 살아가면서 모든 사람의 배 반응점이 각각 다르다는 것은 흥미로운 문제일 것이다.

사람 얼굴이 각각 다르듯이 배의 반응점도 똑같은 사람은 없다. 그 이야기는 질병 또한 개개인(個個人)마다 다르다는 이야기다.

1. 배꼽 중앙에 반응점 주름이 있으면 위장에 문제

▶ 위장에 치료적 이용

아래 사진의 사례자에게 질문을 던져보면 분명히 소화가 안 된다, 위장이 안 좋다고 말한다. 이런 사람은 매일 양배추와 친해져야 위장을 치료할 수 있다. 양배추를 데쳐서 쌈으로 먹고 차로 끓여 마시면 위장뿐만 아니라 혈관 건강에 효과적이다. 먹기 힘들거든 양배추 샐러드로 만들어 먹으면 좋다.

양배추는 식이섬유가 많이 함유되어 인슐린이 원활하지 못한 당뇨 환자와 위장환자의 혈중 콜레스테롤과 담즙을 배출시켜 콜레스테롤 수치를 낮추어주는 효능이 있다.

위염, 역류성 위염, 위궤양, 위장염 등 위장 관련 병을 앓고 있는 사람들이 주변에 있다면 양배추 샐러드, 양배추 요리, 양배추 차를 한 달 정도 섭취하도록 권유해보기 바란다.

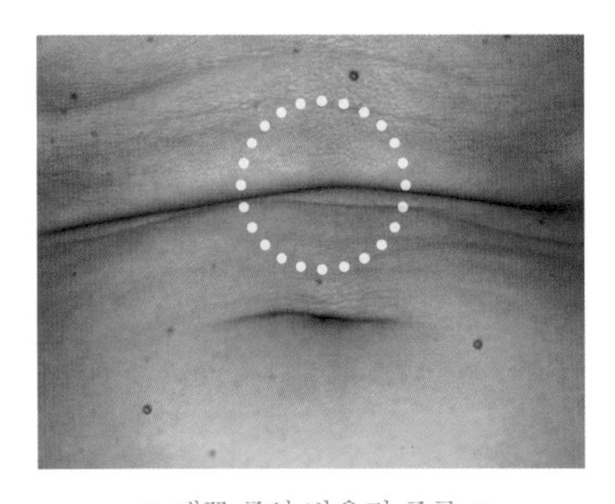

● 배꼽 중앙 반응점 주름 ●

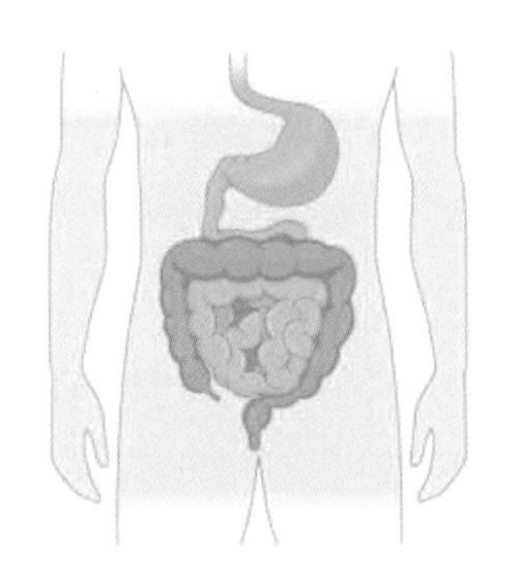

● 위장 ●

2. 옆구리 부분에 반응점 주름이 잡혀지면 간에 문제

▶ 간의 치료적 이용 ❶

평소 간 경화증이나 지방간 등의 증상이 있으면 사례자의 눈을 보라. 눈에 염증이 노랗게 가득 차 있고, 얼굴 피부색은 검은색을 띠고 있는 것을 볼 수 있다. 이럴 때 치료가 필요한데, 오로지 식이요법으로 건강을 관리해야 한다.

이는 간이 해독을 못 해서 오는 질병이기에 때문에 과일, 채소, 약선 음식으로 다스려야 한다. 세계보건기구(WHO)에서 조사한 결과, 인구 10만명 당 여자 10.5%, 남자 36.7%가 간암에 걸린다고 한다. 간암, 간염뿐만 아니라 간이 안 좋으면 황달, 복통, 만성피로가 생기며 일상생활에 어려움이 생긴다. 간은 '침묵의 장기'라고 한다.

미국 국립암연구소가 뽑은 10대 암 예방 식품 중의 하나인 브로콜리는 알코올을 섭취하지 않아도 생기는 비알코올성 지방간 예방에 좋다. 브로콜리는 간의 독소 배출을 돕고 간을 해독시켜 간의 지방 흡수를 줄여주는 역할을 해준다. 미국 일리노이대학 연구팀은 미국 학술지 『영양학지(Nutrition)』에서 양배추, 피망, 파프리카, 부추, 브로콜리 등 채소를 꾸준히 섭취하게 되면 간암 발병률이 낮아진다고 밝혔다.

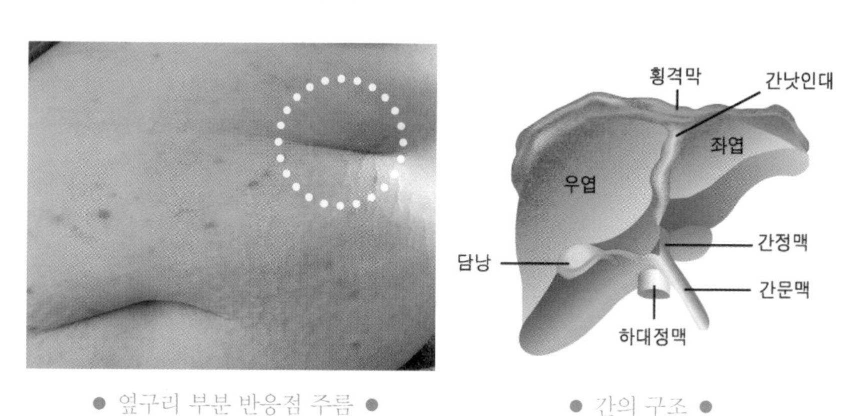

● 옆구리 부분 반응점 주름 ●

● 간의 구조 ●

▶ **간의 치료적 이용 ❷**

자몽은 비타민 C와 항산화 성분이 풍부하여 체내 독소를 제거하고 간의 세포 손상을 막아주고, 나린제닌(naringenin)이라고 불리는 자몽 추출물은 손상된 지방간 회복에 좋다.

● 자몽 ●

▶ **간의 치료적 이용 ❸**

아몬드는 비타민 E가 함유되어 간 기능이 허약한 사람들에게 좋다. 아몬드는 간 효소의 활성화를 도와주고 지방간이 쌓이는 것을 막아주기 때문에 하루에 20개 정도를 섭취하는 것이 적당하다.

● 아몬드 ●

3. 가슴과 가슴 사이에 반응점 주름이 있으면 심장병 의심

이런 경우 흔히 불면증이 있어 깊은 잠을 이루기가 어렵고, 가슴과 가슴 사이 주름은 심장이 안 좋은 사람에게 나타난다. 심장이 안 좋은 사람은 예민하고 소심하고 신경질적이고 날카로워 '잠자는 사자'라 할 수 있다. 이럴 때는 심신이 안정되고 숙면효과에 좋은 연자육(蓮子肉)을 하루에 15개 정도 넣어 밥을 지어 먹으면 숙면효과에 도움이 된다.

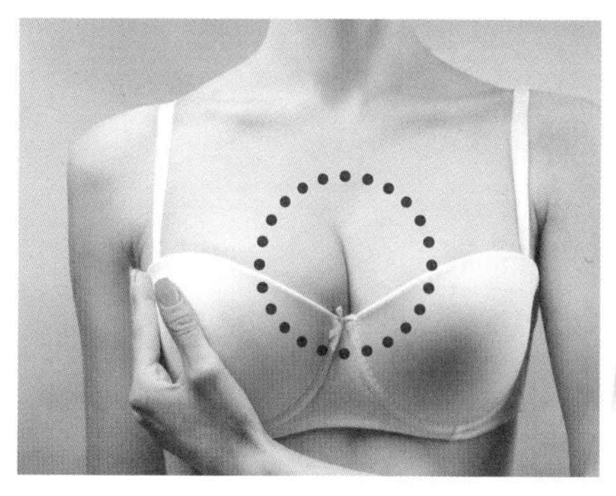

● 가슴과 가슴 사이 반응점 ●

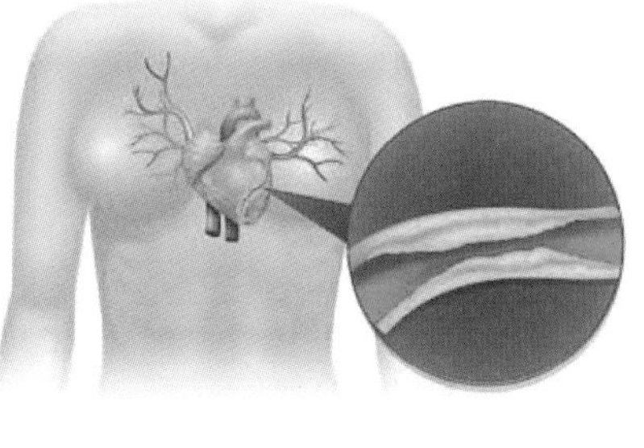

● 심장 ●

▶ 심장의 치료적 이용

3천 년 후에 다시 연못에 심으면 뿌리가 나오고 번식이 된다고 하여 돌연사를 막아주는 연자육의 생명력은 무척이나 강하다.

연자육은 과거 왕들도 건강을 위해 즐겨 먹었던 음식이다. 연자육에는 필수 아미노산인 메티오닌이 함유되어 있어 혈관에 쌓이는 노폐물을 청소해주고 배출시켜 주며, 네페린 성분이 혈관의 중성지방을 낮추어 준다. 연자육은 숙면장애 개선, 다이어트, 소화 장애, 혈당조절, 독소 배출, 단백뇨 완화에 효능이 있다. 하지만 연자육은 생으로 복용하게 되면 심장에 무리가 갈 수 있어 반드시 조리하여 익혀 먹어야 하며, 과다 복용하게 되면 설사 또는 복통을 일으키게 되니 조심해서 섭취해야 한다. 연자육의 섭취는 하루 15개를 넘지 말아야 한다. 연자육을 차로 마시면 불면증에 도움이 된다.

● 연자육 ●

4. 가슴과 가슴 사이 그 밑에 반응점 주름이 있으면 혈압 이상

수시로 혈압을 점검하여야 하며 혈압을 낮추는 데 도움이 되는 마그네슘과 칼륨이 많이 함유된 음식을 식습관으로 생활화하여야 한다.

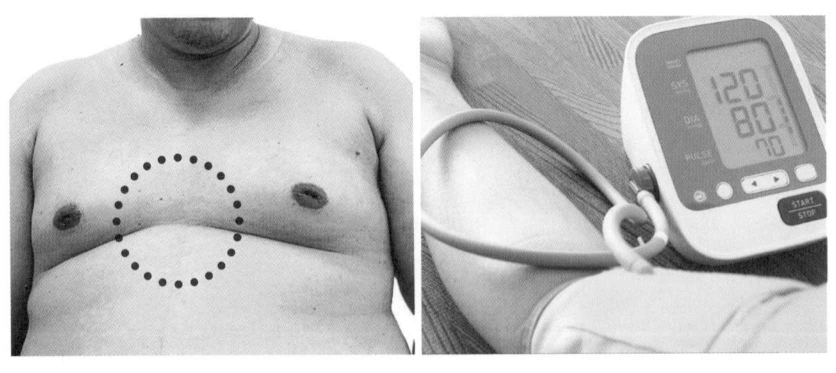

● 가슴과 가슴 사이 주름 ●　　● 혈압계 ●

표 1 **혈압 정상 수치, 경계성 고혈압 수치, 고혈압 수치, 저혈압**

혈압분류	수축기 혈압		이완기 혈압
정상	120 이하	그리고	80 이하
고혈압 전 단계	121~139	또는	80~89
1기 고혈압	140~159	또는	90~99
2기 고혈압	160 이상	또는	100 이상
저혈압	90 이하	그리고	60 이하

▶ 혈압의 치료적 이용

① 과일류는 키위, 자두, 바나나를 자주 섭취하여야 한다.

② 채소류는 고구마, 무, 시금치, 감자

③ 콩류는 팥과 완두콩

④ 해초류는 김, 미역, 다시마

⑤ 버섯류는 새송이버섯, 목이버섯, 표고버섯

⑥ 혈압 유지에 도움이 되는 대표적인 식품은 마늘

- 일상생활에서 쉽게 접할 수 있는 마늘에 함유된 알리신(allicin)이라는 성분은 혈중 콜레스테롤을 저하시켜 항혈전 작용으로 우리 몸속의 혈액을 원활하게 함으로써 혈압을 낮추는 데 도움을 준다.

● 마늘 ●

⑦ 콜레스테롤을 낮추어주는 콩

- 콩의 이소플라본 성분은 콜레스테롤을 낮추어주고 혈관을 깨끗하게 청소하여 혈압을 낮춰 주는데 효과가 있다.

● 콩 ●

⑧ 등푸른생선

- 참치, 고등어, 갈치 등의 생선들도 심근경색과 동맥경화를 예방해주고, 등푸른생선에 함유된 불포화 지방산이 혈소판 응고 방지에 도움이 된다.

● 등푸른생선 ●

⑨ 과일식초는 혈소판에 덩어리가 생기는 것을 막아주고 혈액순환을 원활하게 하는 효능이 있다.

● 식초 ●

고혈압 환자에게 주의해야 할 음식은 동물성 지방, 과다 나트륨이 함유된 식품, 그리고 인스턴트 식품 등이 있다.

5. 가슴 아랫부분에 반응점 주름이 있으면 어깨 승모근에 통증

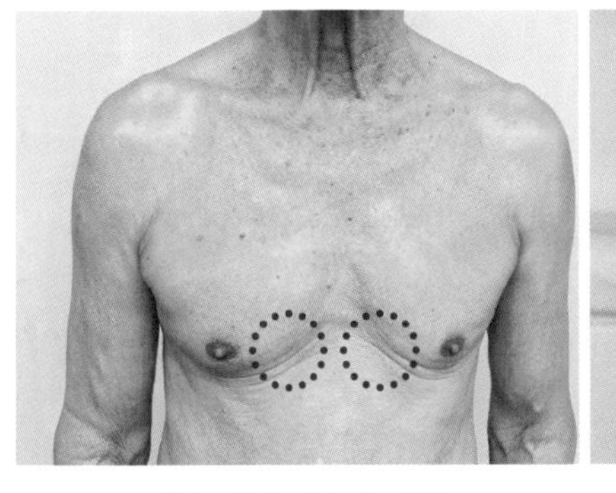

● 가슴 아래 반응점 주름 ●

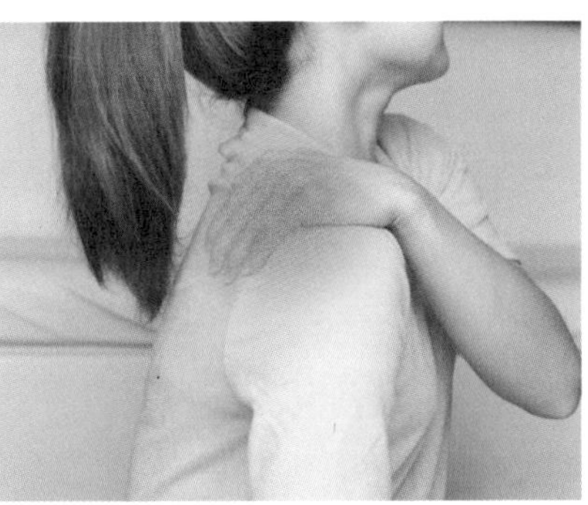

● 승모근 통증 ●

▶ **치료적 이용**

① 강황

- 강황의 주성분인 커큐민은 치매 증상은 물론 만성염증 제거에 효과가 있고, 강황은 승모근의 통증과 염증을 없애는 효능이 있다는 연구 결과가 있다.

● 강황 ●

② 생강

- 생강은 메스꺼움을 완화하고 위장에 천연 진정제와 소염 역할로 사용하였다. 생강은 편두통이나 근육통, 관절염으로 통증이 있을 때 차로 마시면 통증을 가라앉히는 효능이 있다.

6. 하복부 주름에 반응점이 있다면 신장, 방광에 문제

남녀 구분 없이 나이가 들어가면서 우리 몸은 오래된 기계와 마찬가지로 여기저기 고장나기 시작한다. 특히 50대 갱년기에 접어들어 호르몬이 깨지기 시작하면서부터 건강에 변화가 찾아온다. 불면증이 시작되면서 암, 혈압, 당뇨, 갑상선, 골다공증 등 호르몬의 변화로 급격히 몸에 이상 신호가 찾아오는 시기는 바로 60대이다. 40대에 잘 관리해야 50대를 건강하게 살고, 50대에 잘 관리해야 60대를 건강하게 잘 살 수 있다. 우리 몸 중에서 가장 일을 많이 하는 장기는 신장이다. 신장은 강낭콩 모양이고 '팥' 색깔이라 해서 '콩팥'이라고 불리고 있다. 신장은 다른 기관들은 가만히 유지하고 있을 때에도 소변이 항상 차 있으므로 쉬지 않고 일을 하고 있다. 신장은 생리적인 기능과 생명유지에 중요한 역할을 담당하고 있다. 하지만 최근 들어 신장과 관련된 질환 환자들이 늘어나고 있다. 신장의 기능이 저하되면 소변을 자주 보게 되고 손과 발이 붓는 부종이 나타나며 피로감이 동반되어 무기력해진다.

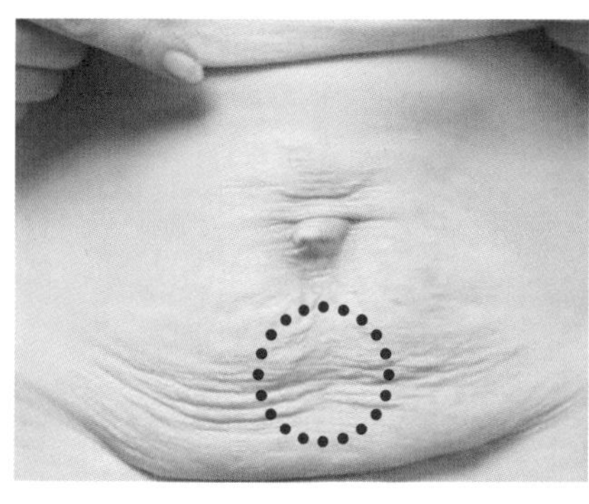

● 배꼽 하복부 신장의 반응점 주름 ●

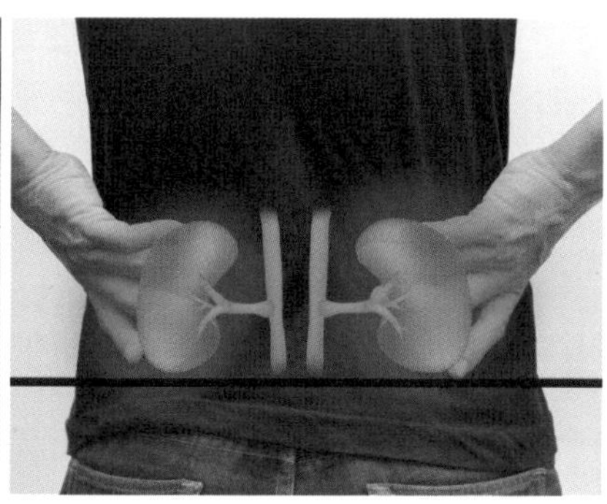

● 신장 콩팥 ●

▶ 치료적 이용

① 산수유

산수유는 코르닌이나 모르니사이드 등의 유효 성분을 함유하고 있어 신장기능 회복 개선에 좋고, 5~60대에 남자들의 전립선과 여자들의 방광염에 좋은 약제로 쓰이고 있다. 산수유의 신맛은 방광의 늘어진 근육의 수축작용을 도와준다.

동양의학에서 어린아이의 야뇨증이나 허약자, 노인의 기력이 떨어져 신장이 허해지면서 귀에 소리가 나는 '신허이명(腎虛耳鳴)' 증상이 있을 때 산수유를 차로 마시면 빠른 시일 내에 효과를 볼 수 있다.

● 산수유 ●

② 오미자

오미자는 심장을 강하게 하고 신장에 좋은 약제이다. 하지만 오미자를 진하게 마시면 위장 벽이 자극을 받아 염증이 생길 수 있다. 연하게 소주 컵으로 한 컵 정도 소량을 마시면 신장과 위뿐만 아니라, 폐 기능을 강하게 해주고, 혈압을 내려주어 갈증 해소에도 좋고 몸의 면역력을 높여준다.

그 밖에 신장에 좋은 약제로써 사상자, 토사자, 복분자, 오가피, 야관문. 천궁 등이 있다. 그러나 약제 차를 마실 때 주의해야 할 사항이 있다.

주전자에 물은 3 L를 넣고 약제는 20 g 정도 넣고 끓인다.

장기간 복용하고자 할 때는 좀 더 연하게 끓여야 하고 1~2개월 복용하며, 간의 해독 작용을 위해 1~2달 쉬었다 다시 복용하면 된다.

● 오미자 ●

● 오미자차 ●

7. 배꼽 하복부 양옆 반응점 주름이 있다면 다리에 문제

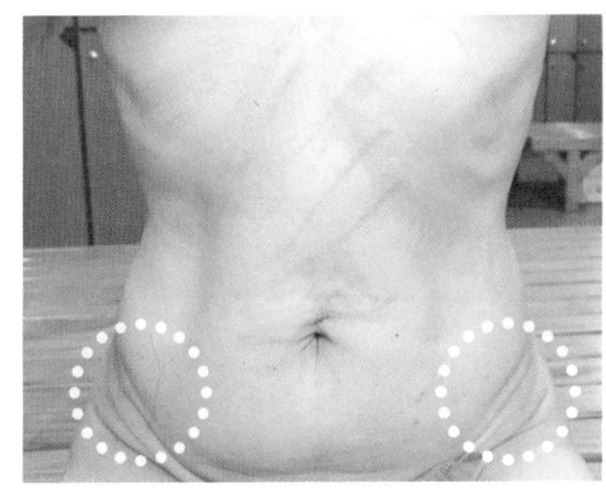

● 배꼽 하복부 양옆 반응점 주름 ●

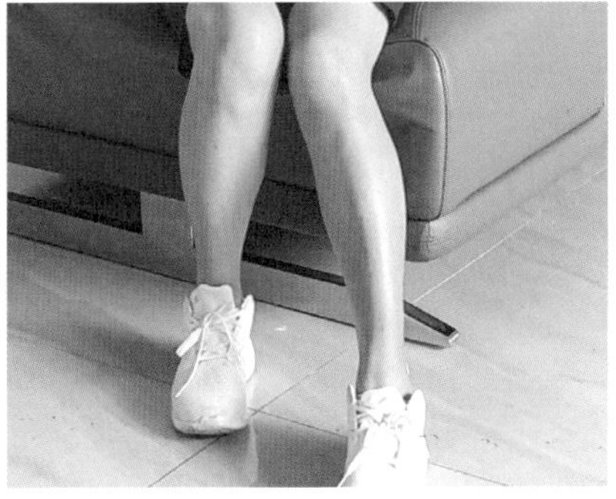

● 다리 ●

▶ 치료적 이용

① 모과

동의보감에서 모과는 맛이 시고 독이 없으며, 성질은 따뜻하다. 나무에서 열리는 '참외'와 같다고 하여 목과(木瓜 또는 木果)라고도 부른다. 모과는 위장을 다스려서 소화를 잘 되게 하고, 다리가 붓는 증상인 수종과 다리에 쥐가 나는 근육을 풀어주는 효능이 있다. 또한 간의 기를 통하게 하여 피로를 풀어주고, 조혈(造血) 능력이 있어 다리의 힘줄과 뼈를 튼튼하게 하며, 근육통, 신경통을 치료하는 데 사용한다. 자주 마시게 되면 피가 맑아져 피부가 윤택해지고, 습을 제거하여 설사를 멎게 하며, 감기를 예방하므로 면역력을 상승시켜 다리의 통증이 사라지게 된다.

통증에 좋은 모과차 만드는 법

1. 모과를 깨끗하게 씻어 물기를 뺀다.
2. 모과를 2 mm 정도로 얇게 썬다.
3. 모과와 설탕을 1:1 비율로 넣는다.
4. 상온에서 15일 보관 후 끓여 마시면 된다.
5. 마실 때 대추를 채 썰어 넣고 잣을 띄우는 등 기호에 맞게 섭취한다.

● 모과차 ●

② 두충(杜仲)

『동의보감』에서 두충(杜仲 또는 杜沖)은 두충나무 껍질를 말려 볶아서 사용하는데, 이것을 '법제(法製)'라고 한다. 두충의 성질은 따뜻하고, 맛은 맵고 달다. 간, 신장 경락에 작용하며, 무릎, 허리, 근골을 강화시키고 혈액순환을 촉진시켜 혈액을 맑게 해주어 무릎관절, 좌골신경통, 요통, 통증을 호소한 환자가 장기간 복용하면 효과를 볼 수 있다. 중성지방 혈관에 노폐물로 인한 통증과 염증을 빼주고 나쁜 콜레스테롤을 감소시키는데 효능이 있다.

두충 잎은 간과 신장을 보호하므로 근육과 골격을 강건하게 하고 기억력 및 정력 감퇴, 고혈압, 신체가 허약한 사람에게 활력을 불어 넣으니 '불로장수(不老長壽)' 보약이 따로 없다. 하지만 정력이 왕성하거나 열이 있는 사람은 피하는 게 좋다.

통증에 좋은 두충차 만드는 법

1. 두충은 두충나무 껍질을 약재로 사용한다.
2. 볶은 두충 20 g과 물 1 L를 넣고 약한 불로 한 시간 정도 끓인다.
3. 하루에 3번 마신다.
4. 꿀을 섞어 마시면 약성이 두 배로 올라간다.

12

암 환자는 반응점 임맥을 다스려서 치료

배의 안복법 중심으로 암 환자를 치료하게 되면 손에 잡히는 종양이 없어지면서 치유되는 환자도 있다고 한다. 임맥(任脈)의 경로는 머리에서 우리 몸의 중앙을 지나 음부를 향해 지나고 있다. 대장암, 폐암, 뇌종양, 위암, 후두암, 설암, 유방암, 전립선암, 갑상선암, 자궁암 등 다양한 암들의 반응점이 임맥상 단중(膻中, 심포경) → 중완(中脘, 위경) → 신궐(神闕, 배꼽), 제중까지 연결되어 나타나기 때문에 암은 면역력이 떨어지면 항상 위험하다. 임맥상 단중의 혈자리는 가슴 젖꼭지와 젖꼭지 사이를 단중(膻中)이라 하고, 중완(中脘)의 혈자리는 배꼽 중심에서 윗배의 중앙에 있으며 인체의 중심을 잡아주는 4번째 갈비뼈 부분이다. 신궐(神闕)의 혈자리는 배꼽이다. 배꼽 형태에 따라 질병을 진단할 수 있다. 모든 병은 배꼽에 있다.

환자를 편하게 침대에 눕혀서 여자의 경우 브레지어를 풀고 벨트나 단추를 풀어 편한 옷차림으로 누운 다음, 단중(膻中) → 중완(中脘) → 신궐(神闕)까지 양손의 손가락으로 가볍고 부드럽게 집어서 밀듯이 살살 마사지하면 된다. 암 환자의 경우 하루에 몇 차례 반복해서 하게 되면 놀라운 효과를 볼 수 있다.

암 환자에게 주의 사항이 있다. 암 환자의 환부는 손을 대지 말아야 하며, 절대로 꼬집거나 잡아 당겨서는 안 된다.

배에 딱딱하고 울퉁불퉁한 부분은 우리 몸의 질병을 나타내고 있다고 생각하면 된다. 딱딱한 배에 울퉁불퉁한 응어리를 세게 눌러서 풀려고 하면 절대로 안 된다.

반응점이 오래되어 딱딱하고 울퉁불퉁하다면 배의 안복법으로 배아래 하복부 반응점을 자극하여 마사지하듯 풀어준다. 멍들만큼 세게 꼬집어서 풀어내려고 하면 안 되고 손에 힘을 주지 않고 쓸어 내리듯 풀어내려야 한다.

배의 반응점을 만졌을 때 평소 통증을 느낀다면 반드시 검사를 받아야 한다.

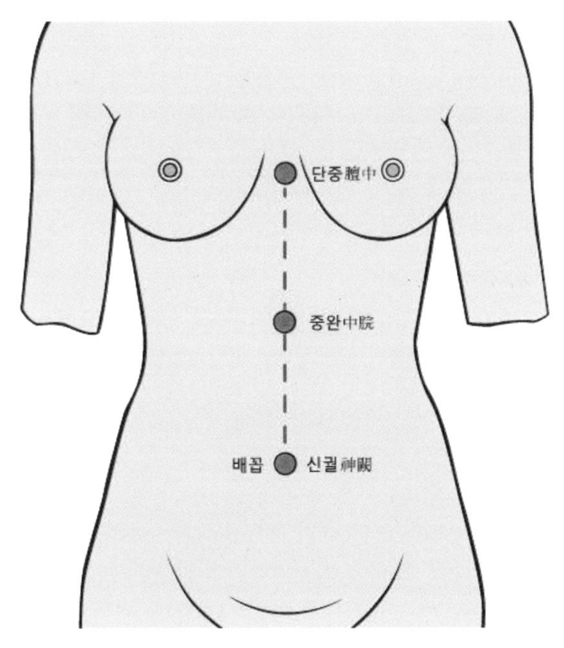

● 임맥: 단중(膻中) → 중완(中脘) → 신궐(神闕) ●

▶ **치료적 이용**

① 암 환자는 면역력을 높이는 음식을 섭취해야 한다.

② 암 환자는 체온을 1℃ 올리면 면역력이 5배 상승한다.

③ 반대로 체온이 1℃ 내려가면 면역력의 30%가 뚝 떨어진다.

④ 암 환자는 스트레스가 독약이다.

⑤ 암 환자는 수맥파가 없는 곳에서 숙면을 취해야 한다.

⑥ 암 환자는 지금껏 본인이 먹던 음식을 바꿔야 산다.

13

엄지발가락 반응점이 배꼽

발 마사지를 하게 되면 우리 몸 전체를 마사지하고 자극해주는 효과가 있다. 여기서는 발 반사구에 대해 언급하고자 한다. 엄지발가락은 머리에 해당하고 엄지발가락의 좌우는 왼쪽에 코와 안쪽에 삼차신경이 있으며, 엄지발가락 아래는 목에 해당된다. 엄지발가락을 자극하게 되면 기혈이 소통되어 경락에 기 순환이 잘 되기 때문에 혈액순환에 좋다.

매일 3~40분 정도를 걸으면 혈압, 당뇨병 환자, 폐질환 환자, 암 환자 등의 혈액순환뿐만 아니라 면역력이 좋아지고 여러 가지 질병에 자연치유력이 생긴다. 엄지발가락을 좌우로 돌리고, 앞뒤로 돌리고, 까치발로 엄지발가락에 체중을 실어 걸으면 경락의 신경이 더 자극을 받게 된다. 엄지발가락으로 걷게 되면 전신의 윤활유 역할이 반사구가 되는 동시에 비장, 신장, 간을 스스로 자극하게 된다. 한의학에서 비경(脾徑)과 간경(肝徑)을 통하게 하려면 엄지발톱 위에 언저리 경락을 통하게 하면 된다. 그래서 엄지발가락이 배꼽이다. 수시로 엄지발가락을 만져주고 주물러 주고 마사지 해주면 건강이 좋아진다.

발바닥을 보면 오른쪽과 왼쪽 반사구가 다르다. 왼쪽에는 심장이 있고, 오른쪽에는 간이 있다. 심장이나 간이 안 좋을 때 혈자리를 수시로 자극해 주면 혈액순환이 잘 된다. 아래 그림을 보면 우리 몸의 인체를 축소해 놓은 오장육부가 발 반사요법, 손 반사요법, 귀 반사요법, 배 반사요법 등에 동일한 반응점이 있다.

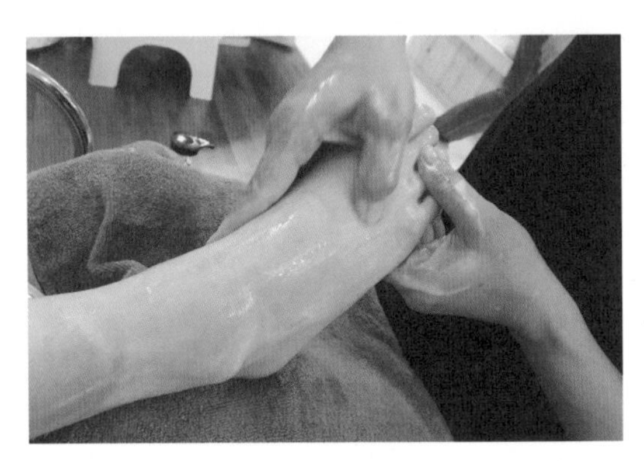

● 발 마사지 ●

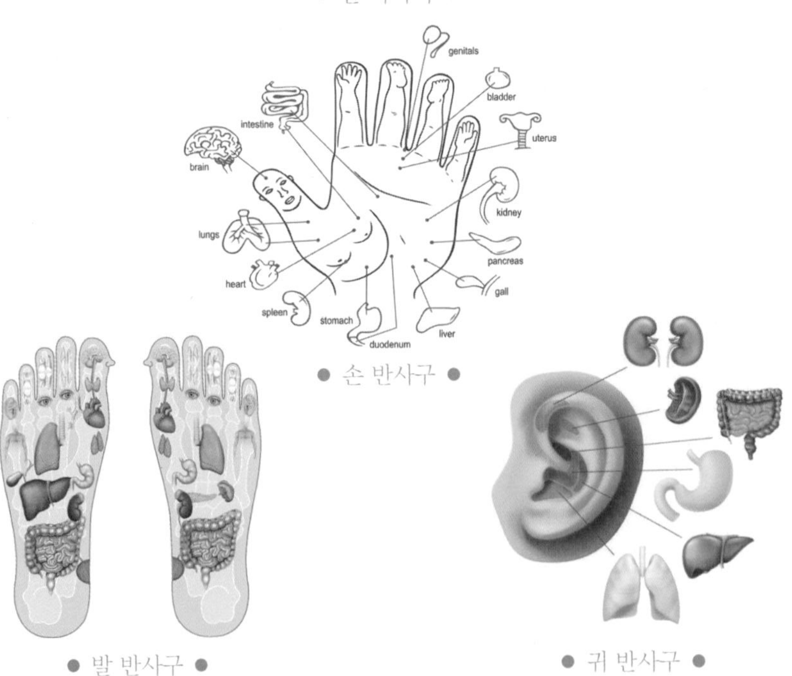

● 손 반사구 ●

● 발 반사구 ●

● 귀 반사구 ●

14

배의 반응점 주름은 목욕탕에서 공부

배 반응점 주름은 대중목욕탕에서 많은 사람의 배를 통해 쉽게 관찰해 볼 수 있다. 실 오라기 하나 걸치지 않고 있어 더 자세히 배의 반응점과 질병의 관계를 관찰할 좋은 기회이다.

혼자서 살짝 배를 관찰하면서 저 사람은 어깨가 안 좋은 사람, 이 사람은 위장에 문제가 있는 사람, 또 이 사람은 혈압과 심장이 안 좋은 사람, 그리고 신장과 방광에 문제가 보이는 사람이라고 생각한다. 또 어떤 사람은 하체의 다리나 무릎이 좋지 않아 보여 가끔 다가가 여쭈어보면, 몸의 부위를 가리키며 아프다고 통증을 호소한다. 그 다음 필자는 대체의학에 보완 · 대체요법으로 치료 이용과 치료 적응증을 알려 주었다.

남에게 배를 보여 달라고 하면 흔히 배꼽에 이물질이 끼어 창피하다고 생각하게 된다. 그래서 배꼽이나 배를 남에게 보여주는 것을 꺼린다. 하지만 대중목욕탕은 커피 한잔 여유 있게 마시면서 배꼽과 배를 자연스럽게 볼 수 있어 이보다 더 좋은 기회는 없다.

지금껏 무심코 지나쳤던 복부와 배꼽의 소중함을 다시 한 번 느껴보면서 손과 발의 지엽, 발 반사구, 배 반사구, 귀 반사구, 손 반사구를 자주 자극을 하게 되면 우리 몸의 오장육부가 건강해진다는 것을 알아두면 좋을 것이다.

● 공동 목욕탕 ●

藥膳料理

약선요리

약으로 고치지 못한 모든 질병은
음식 속에 답이 있다.

내 몸을 살리는 보완 · 대체요법

5장

음식과 질병의 관계

(면역력을 높이는 음식)

히포크라테스는 양방과 서양의학의 공통점은
초자연의 환경과 상생하여 조화롭게 균형을 이루고,
질병은 식이요법을 하면서 예방하여
자연치유하는 것이라 하였다.

우리 몸은 음양의 균형이 깨지면 곧바로 면역력이 떨어져 호르몬의 불균형으로 암, 당뇨병, 뇌졸중, 심장병, 우울증 등 다양한 고질병에 걸리게 된다.

수승화강의 원리로 넘치는 것을 조절하여 다스리고 부족한 부분은 보완하여 면역력을 높여주는 음식을 복용하게 되면 우리 몸은 스스로 면역력이 회복되어 성인병을 다스리게 된다.

약이 되는 약용식물과 천연 약재를 사용하여 일반적인 채소, 과일 등의 식재료와 영양학을 접목해서 환자의 질병에 맞게 적용한다. 이를 한의학에서는 '의식동원(醫食同源)'이라 하여 음식물에 의한 치료와 약물에 의한 치료를 동일시하고 있다. 그러나 천연 자연이 준 약선요리(藥膳料理)를 고질병 환자에겐 더 중요시하고 있다. 최근에는 서양의학에서도 대중요법(大衆療法)을 기본으로 예방의학 차원에서 인간의 건강과 생명을 유지하기 위하여 동양의학을 접목하고 있다.

질병에 따라 면역력을 높이는 요리법은 각각 다르며, 음식으로 고치지 못한 질병은 현대의학으로도 고칠 수가 없다. 최근 현대의학인 서양의학에서 암 환자에게 온열요법과 면역력을 높여주는 약이 되는 음식을 대체의학의 암 치료에 적용하고 있다.

히포크라테스는 양, 한방의 공통점은 초자연의 환경과 상생하여 조화롭게 균형을 이루고, 질병은 식이요법을 하면서 예방하여 자연치유하는 것이라고 하였다. 서양의학에서 환자가 열이 나면 해열제로 증상을 완화하는 방법을 적용하였다면 동양의학에서는 음양의 체질을 진단하고, 음의 체질은 양을 보충하고, 양의 체질은 음을 보충하는 방법으로 조화와 균형에 맞추는 예방의학의 식이요법을 하면서 신체 반응을 믿고 자연치유가 되도록 하였다.

우리의 대표 식재료인 마늘의 주성분, 알리신은 강력한 살균 작용을 통해 인체의 해로운 세포를 제거해주고 세포를 활성화하여 항암효과와 노화를 막아주며 셀레늄과 게르마늄 성분이 다량 함유되어 꾸준히 복용하게 되면 인체의 면역력을 높여주는 효과가 있다.

조지아주립대 강상무 교수는 항생제를 무차별하게 먹는 것보다 면역력을 강화해주는 음식섭취가 더 중요하다고 말한다. 강상무 교수는 홍삼의 진세노사이드 효능은 항혈전, 면역기능 강화, 항피로, 항건망증 효과, 진정효과, 항암제, 암세포 전이 억제, 내성 억제, 항염증 등 면역력을 증진시킨다는 연구결과를 발표한 바 있다.

1

아침 공복에 먹으면 '약'이 되는 음식
(알고 먹어야 면역력이 상승한다)

바쁜 일상에서 현대인들은 시간에 쫓기다 보니 간단하게 먹기를 원한다. 그래서 공복에 두서없이 간단하게 먹거나 아침 끼니를 때우는 경향이 있다. 그러나 공복에 먹으면 '보약'이 되는 음식과 공복에 먹으면 '독'이 되는 음식을 알고 먹으면 '내 몸을 살린다'라는 것이다.

1. 달걀

완전식품이라 부르는 달걀은 두뇌 신경 물질인 아세틸콜린이 생성되어 기억력 상승과 치매 예방에 좋으며, 골다공증에 좋은 셀레늄과 비타민 D가 풍부하여 노인에게 좋은 음식이다. 달걀 노른자는 루테인 성분이 함유되어 백내장을 예방해 주고 콜레스테롤 수치를 분해해 심근경색증, 동맥경화증, 고혈압 등 혈액순환 질환을 예방해 준다. 달걀에 함유된 필수 아미노산은 열량을 줄여주는 효과가 있어 하루 2개씩 먹으면 하루에 필요한 단백질의 20%를 채울 수 있다. 공복 시에 먹으면 포만감을 주어 속이 든든하다. 그래서 공복 시에 섭취하는 습관이 필요하며, 완전히 익히지 말고 반숙으로 먹으면 소화 흡수가 더 잘된다.

● 달걀 ●

2. 견과류

견과류는 아침 공복 시에 복용하면 포만감을 준다. 그래서 공복에 복용하면 한 끼 식사 대용으로 좋다. 견과류는 오메가3 지방산, 단백질, 비타민, 칼슘, 칼륨, 미네랄 식이섬유 등 갖가지 영양이 풍부하게 들어 있어 면역회복에 좋다. 견과류는 위장의 pH 균형을 맞춰주는 역할을 하고 체내에 좋은 불포화지방이 함유되어 세로토닌 분비를 촉진해 주기 때문에 정신건강에 도움을 준다. 또한 숙면효과에 좋은 호르몬을 분비시켜주는 멜라토닌이 함유되어 필수아미노산 트립토판이 분비된다. 그러나 너무 과다하게 섭취하면 열량이 높아서 살이 찌게 되므로 양 조절이 필요하다. 피칸, 호두, 잣, 아몬드, 땅콩, 캐슈, 호박 씨앗, 피스타치오, 해바라기 씨앗 등 견과류에 함유된 불포화지방산은 산화되기 때문에 꼭 냉장 보관하는 것이 좋다.

● 견과류 ●

3. 당근

당근은 풍부하게 함유된 카로틴 성분이 항산화 작용에 탁월하여 항암효과에 뛰어나 항염증성, 항알레르기, 항일관성 작용으로 폐암에 좋은 음식이다.

당근에는 베타카로틴과 식이섬유가 풍부하여 아침 공복 시에 당근을 섭취하면 배변을 촉진시키고 심장질환과 고혈압에 콜레스테롤 수치를 낮추어 혈관 건강에 좋다. 주황색 당근은 비타민 A가 풍부하여 눈 건강에 좋은 음식이다. 당근은 익히지 않고 생으로 갈아 마시면 혈압조절에 도움이 되지만 소화기능이 약한 사람은 익혀서 먹는 것이 좋다.

● 당근 ●

4. 오트밀

세계보건기구(WHO) 10대 건강식품으로 선정된 오트밀(귀리)은 공복 섭취 시 위에 보호막을 형성을 해주고, 수용성 식이섬유, 아미노산, 칼슘, 단백질 등 영양소가 풍부하여 혈관의 콜레스테롤을 낮추고 비만, 고혈압, 당뇨, 변비 등에 좋은 음식이다.

● 오트밀 ●

5. 감자

감자는 녹말 성분이 위를 보호하는데 탁월한 효능이 있어, 아침 공복 시 감자를 갈아서 생즙으로 3수저 정도 섭취하게 되면 위궤양 예방에 좋다. 아침에 두 개만 먹으면 탄수화물이 풍부하여 포만감을 주고, 속이 든든하여 다이어트와 피로 해소에 좋은 식품이다. 감자 속의 비타민 C는 전분 보호막에 둘러싸여 있어 열을 가해도 빠져나가지 않는다는 장점이 있다. 감자에는 수분이 80%, 탄수화물이 20% 들어 있다. 또한 흰쌀밥의 16배 가량 많은 칼륨이 들어 있어 몸속의 나트륨을 배출시켜 주기 때문에 하루에 2개씩 먹으면 혈액 응고를 촉진해 고혈압, 당뇨병, 빈혈 등이 있는 사람에게 좋은 음식이다.

감자에서 파란 싹이 트게 되면 솔라닌과 차코닌이라는 독성물질이 생기게 된다. 솔라닌은 어른일 때 치사량이 350 mg, 어린아이일 경우에는 치사량이 35 mg이다. 솔라닌 독은 열을 가해도 사라지지 않기 때문에 싹이 튼 감자는 아깝다고 먹지 말고 폐기 처분해야 한다.

감자를 보관하는 방법은 감자 상자가 5 g이면 사과 2개를 넣고 10 g이면 사과 3개를 분리한 후 넣어 신문으로 덮어서 보관한다. 그러면 사과에서 에틸렌 가스가 품어져 나와 파란 싹이 트는 솔라닌 현상을 막을 수 있다.

● 감자 ●

6. 베리류

아사이베리, 킹스베리, 마키베리, 크랜베리, 라즈베리, 블랙베리, 스트로베리, 블루베리 등 베리류는 공복에 섭취하면 배가 된다는 연구 결과가 나왔다. 항산화 물질이 풍부하여 기억력과 집중력을 증진시켜주는 베리류는 비타민 A, 비타민 C, 비타민 E, 베타카로틴이 풍부하고, 눈 건강에 좋은 성분 폴리페놀 안토시안이 풍부해 백내장, 시력저하, 망막염, 결막염 등의 염증 증상 완화에 도움이 되고 예방해 준다. 또한 안토시안이 딸기보다 8배나 많아 체지방을 억제하여 비만, 다이어트에 도움을 준다. 노화에 원인이 되는 활성산소를 빼주고 항산화 성분이 몸속의 나쁜 콜레스테롤인 LDL 콜레스테롤의 수치를 낮추어 집중력과 기억력이 향상됨에 따라 치매, 고지혈증, 동맥경화, 뇌 심혈관질환을 예방해 준다. 또한 신진대사 및 혈압조절을 해준다. 베리류는 항암효과에 좋은 항산화 성분이 풍부해 암 예방에 좋다. 베리류는 차가운 성질이므로 30개 이상 복용하면 설사를 유발할 수 있다.

● 베리류 ●

7. 꿀

아침에 일어나자마자 공복에 꿀 한 스푼을 물에 타서 섭취하면 잠자는 뇌가 활성화되어 잠을 깨워주는 역할을 한다. 또한, 꿀에는 세로토닌이라는 물질이 함유되어 있어 잠자기 전에 마시면 숙면 유도에 도움이 된다. 이로 인해 면역력이 상승되어 심신이 안정되고 기분이 좋아진다. 꿀은 피로 회복에 좋으며 혈압조절에 도움을 준다. 금 수저는 영양분이 파괴될 수 있어서 꿀을 수저로 먹을 때는 나무 수저를 사용해야 한다. 또한 뜨거운 물에 먹으면 미네랄과 비타민이 파괴되기 때문에 미지근한 온수 물로 먹는 것이 좋다.

● 꿀 ●

8. 양배추

공복 시에 섭취하면 공복감을 해소해주며, 섬유질과 비타민이 풍부하여 포만감과 변비를 개선시켜주고 비만인이 먹으면 중성지방 분해를 촉진시켜 다이어트에 효과적이다. 양배추에 포함된 비타민 U는 손상된 염증을 막아주고,

비타민 K는 출혈을 막아주어 역류성 식도염, 위궤양, 위염, 장염, 대장질환에 위 점막을 재생시켜 준다. 양배추즙은 열에 약해서 고온중탕으로 끓이면 양배추 맛은 사라지고 시래기를 달인 향이 난다. 양배추에 함유된 좋은 영양소인 식이섬유, 베타카로틴, 설포라텐, 칼슘, 칼륨, 비타민 C, 비타민 E, 플라보노이드, 비타민 U, 비타민 K를 고온중탕으로 끓이게 되면 발암물질을 억제하는 엽록소 인돌 성분이 사라지고 파괴된다.

항암효과에 좋은 양배추는 저온추출법으로 끓여 마시는 게 좋다. 양배추는 생으로 먹는 것보다 뜨거운 물에 2~3분 정도만 쪄야 아삭하고 맛과 향이 좋으며 영양성분이 파괴되지 않는다.

양배추는 미국 타임스에서는 3대 장수식품으로 선정되었다. 양배추는 바로 칼로 썰지 말고 씻은 다음 칼로 썰어야 한다. 미리 양배추를 칼로 썰어 씻으면 양배추에 들어있는 수용성 비타민이 빠져 나가버린다. 양배추에 풍부하게 함유된 수용성 비타민은 뇌 기능 향상과 뼈 건강에 중요한 면역 체계를 유지시켜준다. 양배추는 찬 성질이라 과다하게 섭취하면 가스가 차서 설사와 복통을 일으킬 수 있으므로 갑상선기능저하증 질환이 있다면 양을 줄여서 먹는 것이 좋다.

● 양배추 ●

2

아침 공복에 먹으면 '독'이 되는 음식

1. 커피

커피를 아침 식전에 섭취하면 커피에 포함된 타닌(tannin) 성분이 철분 흡수를 방해하기 때문에 공복에 마시는 건 주의해야 한다. 커피는 식사 후 30분 후에 마시는 것이 위를 보호하고 위에 부담을 주지 않는다. 빈 속에는 철분제와 비타민 C를 같이 섭취하면 흡수가 잘 된다. 아침 식전에 커피를 섭취하게 되면 위산이 과다하게 분비되어 위 속이 쓰려 위에 부담을 주기 때문에 아침 식전에 커피를 마시려면 중화시켜 마셔야 한다. 커피의 떫은 맛을 내는 클로로젠산(chlorogen 酸)이 일종의 타닌 성분이다. 유럽에서는 17세기경 커피에 소금을 넣어 마셨다는 기록이 전해지고 있다. 커피의 타닌 성분을 줄이기 위해 소금을 약간 넣어 중화시켜 마시면 위에 부담을 줄여준다. 갑상선 질환, 고혈압, 심장질환이 있는 사람이 섭취하게 되면 커피의 카페인(caffeine)은 신경과민을 일으켜 불면증으로 숙면 장애를 겪게 된다. 숙면 장애가 길어지면 호르몬이 깨져 여러 가지 질병을 유발하게 된다.

● 커피 ●

2. 고구마

고구마를 빈속에 섭취하면 속이 쓰린 이유는 타닌과 아교질이 풍부하게 함유돼 있어 위벽을 자극하며 위산을 과다 분비하기 때문에 위장 장애로 속이 쓰리다. 당뇨가 있을 시 고구마를 공복에 먹게 되면 혈당이 올라갈 수 있어서 피해야 한다. 고구마에는 베타카로틴과 비타민 A, 미네랄이 풍부하여 세포 활성 산화와 건강을 지켜주는 유해산소가 노화를 억제한다. 또한 고구마는 항산화 성분과 안토시아닌이 풍부하여 눈 건강에 좋으며, 고구마를 섭취할 때는 식사 후에 먹으면 위장에 부담을 주지 않는다. 포만감을 주는 고구마는 섬유질이 많아 변비 예방에 도움이 된다. 또한 콜레스테롤과 지방을 빼주고 높은 칼륨으로 나트륨을 배출시켜 고지혈증 및 고혈압에 좋으며, 혈관의 찌꺼기를 빼주어 질병을 예방해 주는 식품이다.

● 고구마 ●

3. 바나나

아침 공복에 먹으면 독이 되는 바나나는 단백질, 탄수화물, 섬유질, 지방 등 식이섬유가 풍부하여 포만감을 주고 변비 예방에 좋다. 바나나는 수분이 70%로, 에너지를 공급해 주기 때문에 다이어트에 좋은 음식이다. 그러나 바나나는 다량의 마그네슘 성분이 함유되어 아침 식사 대용으로 먹으면 인체의 혈액 내에 마그네슘과 칼륨이 증가하여 무기질 불균형으로 균형이 깨지므로 심혈관 질환이 있다면 아침 식사 대용으로 바나나를 먹는 것은 피해야 한다.

● 바나나 ●

4. 우유

우유는 식전 공복에 먹으면 카세인 단백질과 칼슘이 위산 분비를 촉진해 복통이나 설사를 유발한다. 위가 약하다면 빈속에 우유를 마시는 것은 피해야 한다.

매운 음식을 먹고서 혀가 알딸딸하게 매워 물을 계속 마셔도 매운 맛이 사라지지 않을 때에는 우유 한 잔을 마시면 입 안의 매운맛을 사라지게 한다. 또한, 술을 마시고 다음 날 속이 쓰릴 때 우유를 마시면 지방과 단백질이 손상된 위 점막을 보호하여 속 쓰림이 사라진다. 우유는 성장하는 아이들과 노인에게 매일 하루 두 잔씩 마시게 하면 콜레스테롤을 억제하고, 우유에 함유된 칼륨, 칼슘, 마그네슘, 비타민 D가 뼈 건강에 도움을 주며 면역력을 높여 준다.

● 우유 ●

5. 토마토

토마토는 아침 공복 시에 먹으면 독이 되는 음식이다. 토마토는 흔히 과일로 착각하는데 채소이다. 토마토를 먹으면 무조건 몸에 좋다고 생각하지만, 유해성 수렴성분과 펙틴(pectin)을 공복에 섭취하게 되면 위산과 결합하여 용해가 잘 되지 않아 위장의 내부 압력 상승으로 화학반응을 일으켜 위장에 복통을 유발한다. 빈 속에 먹으면 토마토에 함유된 타닌산이 위장의 산도를 높여 위벽을 자극하고 속을 쓰리게 하며 더부룩하게 하여 소화불량과 위궤양 증상을 일으킨다.

미국 공공도서관 학술지와 과학잡지 『플로스원(plos one)』에서는 토마토에 들어 있는 리코펜(lycopene) 성분이 혈관 기능과 심혈관 질환을 개선한다는 연구 결과를 발표하였다. 영국에 애든브룩 병원 임상약리학자인 조셉 체리얀(Joseph Cheriyan) 박사는 리코펜 성분이 심혈관 질환과 혈관 기능 개선에 도움이 된다는 사실을 밝혔다.

토마토에 함유된 리코펜 성분은 노화 방지와 고개 숙인 중년 남성 50~60대를 위협하는 전립선암을 예방해 주고, 강력한 항산화 성분이 암세포를 자가사멸(自家死滅)하도록 작용하여 질병을 예방하며, 손상된 염색체를 억제한다. 토마토는 생으로 먹는 것보다 익혀 먹으면 5배의 영양 효과가 있다.

● 토마토 ●

6. 파인애플

공복에 먹으면 독이 되는 파인애플은 다이어트를 하기 위해 공복에 섭취할 때도 있다. 과일을 알고 먹으면 약이 되고 모르고 먹으면 독이 된다는 사실을 기억해야 한다. 파인애플은 섬유질이 풍부하고 비타민 C, 탄수화물, 단백질, 지방, 엽산, 칼륨, 비타민 B1, 비타민 B6, 마그네슘 등이 함유되어 있다. 파인애플에는 특히 비타민 C가 풍부하여 피로 회복에 좋다. 파인애플의 강한 단백질 효소는 고기를 재울 때 넣으면 고기가 부드러워지게 하고 소화작용이 잘 되게 하여 변비 개선에 도움을 준다.

필리핀에서 발표한 「파인애플에 대한 영양 연구」 실험 자료에 의하면, 파인애플이 면역력 향상에 미치는 효과를 알아보기 위해 2달 동안 어린아이들에게 파인애플을 일정량 섭취하게 하였더니, 섭취 전과 비교하여 확연하게 박테리아 감염이 낮아지고 백혈구 수치가 높아졌다는 연구 결과가 밝혀졌다. 또한 파인애플에 함유된 브로멜린, 미네랄과 비타민이 신진대사를 활발하게 하여 우리 몸의 면역력 향상에 도움을 주는 것으로 밝혀졌다. 그리고 베타카로틴이 풍부하여 눈 시력을 보호하고 노화 방지뿐만 아니라 피부 보습과 재생 효과가 있어 화장품 원료로도 이용되고 있다.

파인애플의 브로멜린(bromelin) 성분이 위와 장의 부산물을 분해해 주기 때문에 식후에 먹는 것이 피로 해소와 다이어트에 좋다. 칼륨이 풍부하고 콜레스테롤을 감소시키는 파인애플은 혈관 건강에 좋다.

파인애플에는 분해효소(lyase)라는 성분이 있어 공복에 섭취하면 위를 자극하므로 속 쓰림과 위에 상처가 생기기 때문에 파인애플을 빈 속에 먹는 것은 피해야 한다. 파인애플에는 단백질을 분해하는 산과 효소를 도와주는 브로멜린 성분이 소화 분비를 돕고 위산을 지나치게 배출하여 빈속에 섭취하면 속 쓰림 증상이 심하게 나타날 수 있다. 지나치게 섭취하면 위벽에 상처가 생길 수 있어 하루 150 ㎖ 이상은 먹지 않는 것이 좋다.

● 파인애플 ●

7. 귤

귤에는 당분과 유기산이 풍부하게 함유되어 있어 공복에 먹으면 위점막을 자극하여 통증을 유발하기 때문에 빈 속에 먹으면 독이 된다.

귤은 식후에 먹으면 비타민 A, 비타민 B, 비타민 C가 풍부하여 면역력을 높여주기 때문에 감기 바이러스를 예방해 준다. 귤을 식초에 15분 정도 담가두었다가 씻으면 농약 잔여물이 깨끗하게 제거된다. 귤껍질을 한방에서 '진피(陳皮)'라고 부른다. 귤껍질을 잘게 썰어 말려서 차로 마시면 감기 예방에 좋다.

귤에는 미네랄, 칼륨, 마그네슘, 비타민 A, 인 등이 함유되어 감기 예방과 진통 소염, 소화불량, 골다공증을 예방한다. 구연산과 젖산이 풍부하여 피로해소에 좋으며, 비타민 C와 테르펜(terpene)이 스트레스를 완화해 준다. 귤에 포함된 베타카로틴이 혈관의 찌꺼기를 제거하여 콜레스테롤 수치를 낮추어 준다. 귤의 풍부한 식이섬유는 장운동을 활발하게 하여 변비 예방에 도움을 주고, 귤 속의 흰 줄기에 들어있는 펙틴 성분은 우리 몸에 있는 중금속을 빼주는 역할을 하고 있어 귤을 먹을 땐 흰 줄기 부분을 벗겨내지 않고 먹는 것이 좋다. 비타민 C와 베타크립토잔틴(β-Cryptoxanthin)은 항산화 작용으로 노화를 억제하고, 구연산의 신맛은 입맛을 되찾게 해준다.

● 귤 ●

8. 감

공복에 감을 먹으면 안 되는 이유는 감에는 타닌산과 펙틴이 함유되어 있어 장운동을 둔하게 하여 위궤양과 소화불량을 일으키므로 위장이 약한 사람은 공복에 먹는 것을 피해야 한다. 추위에 약한 감은 경기도, 강원도 지역보다는 따뜻한 남쪽 지방에 있는 전남 장성, 영암, 경남 하동, 밀양지역에서 재배되고 있다. 감에는 비타민 A, B, C가 함유되어 감기 예방에 좋으며, 기관지 염증 완화에 도움을 준다. 또한 엽산과 칼륨, 티아민, 스코폴레틴 성분이 풍부하여 고혈압이 있는 사람이 감을 먹게 되면 스코폴레틴 성분이 혈관의 염증을 없애주기 때문에 곶감을 하루 3개 정도 먹으면 동맥경화증, 고혈압, 심혈관 질환을 예방해 준다. 독특한 떫은 맛을 내는 타닌 성분은 음주로 인해 손상된 간을 회복시켜 준다. 또 감에는 눈에 좋은 루테인과 베타카로틴이 사과보다 10배 더 함유되어 있다. 특히 대봉에는 다른 감에 비교해 타닌 성분인 디오스프린(diospyrin)이 풍부해 우리 몸의 활성산소를 제거해주어 혈관의 콜레스테롤을 낮추기 때문에 다양한 질병들을 예방해 준다. 홍시, 단감, 대봉, 연시 등을 건조해서 곶감으로 먹거나 감 장아찌 등을 이용해서 먹기도 한다. 감에는 암세포 전이를 막아주는 베툴린산(betulinic acid)과 자유라디칼(free radical) 성분이 들어 있어 암을 억제하고, 암 예방에 도움을 준다.

감에는 노화 방지에 도움을 주는 멜라닌과 콜라젠이 함유되어 혈관 건강에 좋지만 감의 성질이 차서 저혈압이 있는 사람은 자주 먹으면 설사를 하게 되므로 가끔 먹는 것이 건강에 좋다. 감은 건조시켜 차로 마시거나 약밥을 할 때 넣어도 좋고 고혈압이 있는 사람은 단감 장아찌를 만들어 먹으면 혈관 건강에 좋다.

● 감 ●

3

면역력을 높여주는 음식(치료적 이용)

약으로 고치지 못한 모든 질병은 음식 속에 답이 있다.

1. 사향 기러기

사향 기러기는 오릿과에 속하며 홍안(鴻雁) · 옹계(翁鷄)라고 한다. 1982년 11월 4일, 천연기념물 제325호로 지정되어 전 세계에 14종이 있고, 우리나라에는 7종으로 기록되어 있다. 큰기러기와 쇠기러기는 부산 다대포와 전남 여수 앞바다 해상에 약 1천 마리 정도 무리를 지어 다니는데, 바닷가 주변 개발로 인하여 이제는 한정된 곳에서만 볼 수 있게 되었다. 큰기러기는 흑갈색에 몸 길이가 85 cm 정도이며, 쇠기러기는 회갈색에 몸 길이 72 cm 정도이다. 이는 오리보다 두 배 가량 크다.

우리나라에는 10월 하순쯤에 날아와서 따뜻한 남쪽 해안 갯벌 또는 습지, 초지, 저수지, 하천가 등에 서식한다. 11월이면 먹잇감으로 갓 자란 연한 보리와 풀을 먹고 자라고, 암컷보다 수컷이 월등하게 크다. 기러기는 봄에 돌아가서 가을에 돌아오니 소식을 전해주는 새라고 부른다. 기러기는 사랑과 정의가 두텁고, 다른 동물에 비해 수컷과 암컷이 사이좋게 지내는 의좋은 동물이다. 인간도 남자와 여자가 만나 기러기처럼 의가 좋게 살라는 의미로, 혼례식에서 혼인예식으로 신랑이 나무로 깎은 기러기 목안(木雁)을 신부의 집에 선물로 보내는 풍습이 있다.

『동의보감』에서 보면, 한방에서는 풍비(風痹, 팔다리와 몸이 마비되는 증상)에 기러기 기름을 약으로 사용하며, 기(氣)가 통하지 않는 모든 풍(風)에 마비 증상을 다스린다고 기록되어 있다. 사향 기러기 고기는『동의보감』에서 뼈를 튼튼하게 하고 기력회복에 특효라고 소개될 만큼, 면역력이 떨어지는 암 환자와 중풍 환자, 골다공증이 있는 노인에게 면역력을 높여주는 최고의 보양식이다. 사향 기러기는 불포화지방산이며 저지방 고단백 식품이다. 기러기 기름은 물에 녹는 수용성 기름으로 기(氣)가 막혀 혈액순환이 되지 않는 혈관을 뻥 뚫어 주는 작용을 한다. 또한 면역력 회복, 정력 증강(精力增强), 다양한 성인병, 기력회복, 피부미용에 좋고, 허약 체질의 보양식으로 으뜸이다. 금기 사항 없이 어떤 병증과 체질에도 모두 먹을 수 있는 것이 사향 기러기 고기의 장점이다.

사향 기러기 고기는 오리고기와 비교하면 기름이 없고 맛은 훨씬 담백하고 좋다. 돼지고기, 양고기, 개고기, 사슴고기, 토끼고기는 특이한 냄새가 있어 먹기를 꺼려하는 사람도 있고, 종교적인 면에서 금기 사항으로 제한을 받는 예도 있지만, 사향 기러기 고기는 종교적인 제한이나 금기 사항이 없어서 식용으로 먹는 데 아무런 제약을 받지 않는다.

필자는 유방의 종양을 떼어내고 무통 주사를 맞은 뒤, 움직이기 위해 걸으면 땅이 흔들려 도저히 걸을 수가 없고, 누워만 있어도 하늘이 빙빙 돌고 기가 빠져 사경을 헤맸다. 이 때 사향 기러기 알을 매일 챙겨 먹고 기력이 회복되었다.

사향 기러기에 음양오행을 적용하여 기러기의 음과 유황의 양을 배합하고 기러기의 물통에 홍삼, 백과, 유황, 매실을 혼합하여 넣어 주었더니 기러기의 식성이 왕성함을 볼 수 있었다. 기러기는 음(陰)이기 때문에 보리밥을 지어 양(陽)의 홍삼박 가루와 감초가루, 그리고 유황과 버무려 기러기 밥으로 매일 주었다. 기러기는 따뜻한 남극 동물이라서 조금만 추워도 예민하기 때문에 알을 낳지 않는다.

기러기는 최소 3년 이상 키워야 약이 된다. 사향 기러기를 탕 요리로 할 때는 5시간 이상 오래오래 끓여야 담백하고, 뼈는 바윗덩어리처럼 단단하여 고기를 자를 때 칼이 부러지는 경우가 있다. 매일 식사 30분 전 공복 시에 기러기 알을 먹고 어지럼증 증상이 깨끗이 사라졌다. 눈 시력이 좋아지고 불면증과 피곤함이 사라져 활동하는데 너무 좋았다.

어떤 지인은 유황 기러기 알을 복용한 후 고혈압과 불면증이 완화되고 피부가 좋아졌다고 하였다. 또 다른 사례자는 뇌진탕으로 평소 머리가 아팠던 사람인데, 유황 기러기 알을 복용하고 두통이 사라졌다고 한다.

● 직접 기른 유황 기러기 ●

● 기러기 알은 달걀에 비교해 더 크다 ●

▶ **치료적 이용**

사향 기러기 성질은 따뜻(溫)하고 맛은 달며 평하고 독이 없다. 뼈와 힘줄을 튼튼하게 하고 눈썹과 머리털, 수염을 자라게 하며, 기(氣)가 돌지 않고 한쪽을 쓰지 못하는 풍(風)을 다스린다. 마음을 진정시키고 나쁜 사기를 없애주므로 몸의 염증을 빨아내는 작용을 하며, 사향(麝香)을 섭취하게 되면 정력이 왕성하여 회춘하게 된다. 돼지, 소, 닭, 오리와 비교하면 인과 칼슘은 55배까지 함유하고 있다. 또한 기러기는 지방이 적고 골다공증, 고혈압, 중풍에 효과적이다. 다른 동물들에 비교해 사향 기러기는 불포화지방산(리놀레산), 아라키돈산 등의 필수지방산(비타민 F) 함량이 높고, 레시틴과 비타민 E가 풍부하게 들어 있어 유해산소를 없애 주며, 항산화 성분이 콜레스테롤을 억제하고 혈액순환이 잘 되게 하여 중금속을 해독하는 능력이 탁월하다.

또한 두뇌활동과 성장발육, 뇌세포에 좋은 DHA와 필수 아미노산 17종을 다량 함유하고 있어 성장하는 아이들에게 약이 되는 음식이다. 그리고 치매를 예방하며 집중력과 기억력을 높여주고 간염, 간질, 지방간을 억제한다. 기러기는 노화를 방지하며 설사를 멎게 하고 폐를 맑게 한다. 빈혈 예방과 눈의 시력 회복에 좋으며 심장을 튼튼하게 보(保)하여 여러 가지 성인병 예방에 도움을 주는 훌륭한 음식이다.

기러기 알을 섭취할 때는 하루에 1~2개가 적당하며 완숙보다는 반숙이 좋다. 기러기 알은 남녀노소 누구에게나 좋은 식품이다. 다만 설사를 자주 한다든지 속이 습하고 냉한 사람은 식후 30분 후에 먹는 것이 좋다. 기러기 알은 아연, 비타민 A, 철, 탄수화물, 지방, 단백질 등을 다양하게 함유하고, 독이 없다.

『신약본초』에 따르면, 유황 사향 기러기는 질병 치료를 예방하여 산삼보다 약효가 뛰어나다고 하였다.

평소 필자의 아이가 피곤해하고 기운이 없고 추위를 잘 타는 편이며 성격이 예민해 사소한 일에도 화를 내는 편이다. 그래서 아이에게 주기 위해 음양오행을 적용하여 천궁+계피+생강+인삼+백복령+황기+숙지한+감초+당귀+백작약+대추+백출+배와 사과 말린 것과 4년된 유황 기러기 두 마리를 가마솥에 장작을 지펴 24시간 동안 끓였더니 120봉지가 나왔다. 아침저녁으로 하루 두 번을 먹였더니 피곤이 사라지고 몸무게가 늘어났다. 면역력이 떨어지고 피로를 느낀다면 유황 기러기 1마리+대추(12)+영지(20)를 넣고 달여 마시면 기력회복에 좋다.

기러기와 삼백초(三白草)의 궁합은 최고로 좋다. 일본에서는 삼백초를 이뇨제로 사용하며, 중국에서는 삼백초 전체를 해독제로 사용하고 있다. 삼백초는 비만인 사람이 먹으면 다이어트에 효과적이다. 한방에서는 변비와 소변에 어려움을 겪는 사람에게 처방하고 있다. 울릉도에서는 삼백초를 약모밀이라고 부른다. 삼백초에 포함된 타닌 성분은 독소를 배출하고 해독하는 효능이 있어 나트륨의 원인으로 손발이 붓는 부종을 삼백초가 잡아 준다. 양파에 들어 있는 쿼세틴(quercetin)은 혈관에 있는 콜레스테롤을 배출하는 성분으로 삼백초에도 폴리페놀(polyphenol)과 퀘세틴 성분이 들어 있다. 삼백초는 피를 맑게 하는 폴라본(flavone)과 타닌 성분이 모세혈관을 강하게 해주기 때문에 혈관 건강에 도움이 된다. 삼백초는 보습작용과 소염작용이 있어 피부 문제를 개선하고 진정시켜주는 효능이 있다. 쿠에르치트린 성분이 풍부하여 이뇨작용을 해주고 장운동을 원활하게 함으로써 고혈압, 당뇨병, 숙변, 변비에 도움을 주고 있다.

어느 TV 방송에서 삼백초는 활성산소를 제거해주고 세포가 노화되어 가는 것을 막아주는 항산화, 항암 효능이 있어 삼백초로 암을 극복했다는 사례자가 나온 적이 있다. 삼백초는 진시황이 불로초라 부를 만큼 노화를 막아주고, 항염, 항암작용이 뛰어나며, 기러기의 풍부한 단백질과 칼슘은 인체 면역력을 올려주고 원기회복을 증강하는 효과가 있어서 삼백초와 기러기는 최고의 궁합이라고 한다.

● 삼백초 ●

2. 복령

복령(茯苓)의 성질은 차지도 않고 덥지도 않아서 평하고 독이 없으며, 단맛이 난다. 조선시대 영조가 즐겨 먹었던 복령은 장수의 음식으로 알려져 있다. 복령은 주로 소나무를 벌채한 후 약 3~4년이 지난 소나무 뿌리에 기생하는 균체로, 덩어리가 혹처럼 생겼고 형체는 일정하지 않다. 소나무 뿌리를 감싸고 자란 것은 복신(茯神)이며, 내부가 적색인 것은 적봉령(赤茯苓)이고, 흰색인 것은 백복령(白茯苓)이라 한다. 백복령은 주로 심장, 위, 폐, 신장, 비장의 경락을 주관한다.

복령은 심경을 다스리는 데 사용하며 주로 약용으로 쓰인다. 공 모양에 둥글고 무게는 50 g~10 kg까지 다양하다. 복령 작업은 벌목한 소나무 뿌리 주변을 꼬챙이로 여러 차례 쑤셔야 하는 번거로움이 있어 쉬운 작업은 아니다.

복령의 껍질은 꺼칠하고 흑갈색이나 적색이며, 껍질이 터져 있는 경우가 많고 신선한 냄새가 감돌면서, 겉은 균열이 있어 손질하기가 쉽지가 않다. 참나무에 기생하는 겨우살이가 자라듯이, 백복령은 죽은 소나무 뿌리에서 기생하며 자란다. 살아 있는 소나무 뿌리에서 자란 복신은 우량으로 귀하게 여긴다. 백복령 채취 후 물에 담근 다음 알맞게 잘라 말려서 사용하면 된다. 술을 담가서 약으로 먹을 때는 복령을 가득 넣지 말고 1/5만 술을 붓고 담가서 마시면 되는데, 불면증 있는 사람이 잠자기 전에 마시면 좋다. 백복령은 소화기능 계통에 좋으며, 심신을 안정시켜 정신신경 계통을 안정시켜 주는 효능이 있어 스트레스로 인하여 잠을 못 자는 경우나 불면증으로 힘들어하는 사람이 먹으면 심신을 안정시켜 주기 때문에 좋은 약제이다.

담을 삭혀주고 비장을 보호하게 되면 위장이 좋아지기 때문에 혈액세포가 생성되어 림프기관 기능이 좋아지고 면역력이 높아진다. 복령이 가지고 있는 균핵은 항암물질이 함유되어 있어 암세포의 증식을 억제한다.

● 부숴 놓은 복령 ●

▶ **치료적 이용**

복령은 주로 소변 이상이 동반된 부종이 있을 때 먹으면 좋다. 백복령은 우리 몸의 습기를 제거해주고 수분 조절을 원활하게 하며, 주로 부인병인 방광염, 신장염, 요도염으로 인해 이뇨작용이 있어 부기를 제거하는 효험이 있으며, 체내 수분을 높여주고 숙면 장애로 인한 불면증에 효과적이다.

백복령은 물 2 L에 복령 20 g을 넣고 끓여 차로 복용하면 좋다. 이는 하루에 3번 마시면 좋다.

백복령 가루와 쌀가루를 넣고 나무 주걱으로 저어 준다. 대추를 곱게 채 썬 뒤, 죽에 넣어 잘 젓고 소금으로 간을 맞추어 먹으면 불면증이나 노화에 좋고 면역력이 떨어진 사람의 원기회복에 최고의 좋은 영양식이다. 백복령 가루를 내어 홍삼 및 생지황을 함께 넣고 경옥고를 만들어 먹게 되면 위장염, 허약 체질, 췌장염, 우울증, 심장병, 불면증, 각종 부인병, 당뇨병, 두통, 고혈압, 건망증, 간 기능 회복에 좋고 늘 피곤한 사람에게 좋다. 백복령과 적복령은 차이가 있다. 적복령은 곰솔(해동, 海松)의 뿌리에 기생하는 기생 식물이고, 백복령은 적송(赤松)의 뿌리에 기생하는 기생 식물이다.

적복령은 진정작용과 소화기 작용에 도움을 주고, 부종으로 소변이 잘 나오지 않을 때 부종을 빼주고 소변을 시원하게 나오게 하는 효능이 있다. 또한 백복령은 기관지 천식, 가래를 삭이는 작용을 한다.

생명공학 박성환 박사 연구자료를 보면 「복령 추출물의 생리활성에 관한 연구」 결과, 복령에서 높은 에스트로겐 생리활성이 검증되어 갱년기 증상을 예방하고 개선하는 효과가 있어 복령을 복용하게 되면 호르몬이 증가되어 유방암 발생이 감소한다고 하였다.

• 부작용

백복령을 복용하는 중에는 자라, 인삼, 뽕나무를 함께 복용해서는 안 되며, 몸이 차고 허약한 사람은 복용하지 않는 것이 좋다. 또한 소음인 체질이나 땀을 많이 흘린 사람, 또는 오줌소태 증상, 탈수 증상이 있는 경우 섭취하지 않는 것이 좋다.

3. 키위(양다래)

다랫과에 속하는 키위는(참다래, kiwifruit) 덩굴성 낙엽 과수이며 원산지는 중국 양쯔강 연안이다. 19세기 아편전쟁 이후 봉건제국이었던 청나라는 멸망의 길로 들어서면서 중국 양쯔강에 서양인들이 살게 되었다. 서양인들은 넓은 정원의 담장에 키위나무를 심어 그늘막으로 사용하고 먹지는 않았다. 그러다가 1910년경부터 뉴질랜드와 캘리포니아 미국 등 고향으로 돌아가게 되었는데, 그 이후 중국에서 가져온 키위 씨앗을 뉴질랜드에 가져가 1920년도에 본격적으로 원예가들이 식용으로 활용하였다. 키위를 심어 개량을 거듭하였고, 굵고 당도 높은 품종의 키위가 전 세계적으로 심어지게 된 것이다. 이에 키위는 인기 있는 과일로 미국 캘리포니아, 뉴질랜드의 과일 생산 1위를 차지하였다. 그리고 이후 1978년경 우리나라에 들어오게 되었다.

뉴질랜드 서양에서 들어 왔다 하여 '양다래'라고 부르다가 그 후 '참다래'로 불렀다. 우리나라는 제주지역, 경남 사천, 전남 고흥, 보성, 장흥 등 따뜻한 남쪽 지역에서 키위(참다래)를 재배하고 있다. 키위나무 크기는 8 m 정도까지 자란다. 키위는 후숙 과일로 숙성 기간에 따라 당도와 맛이 달라 신맛, 단맛을 즐길 수 있다. 키위 종류는 그린 키위, 레드 키위, 골드 키위가 있다.

뉴질랜드 원예학자 헤이워드 라이트가 키위 크기와 과육, 당도를 높여 6개월 가량 저장할 수 있도록 단단한 품종을 개발한 것이 그린 키위이다. 골드키위는 뉴질랜드 원예작물 호트 연구소에서 개발한 황금색 품종으로 칼륨, 엽산, 칼슘, 인, 비타민 E, 비타민 C, 무기질 함량과 당도가 높다. 레드 키위는 그린 키위와 비슷하지만 레드 키위를 절반으로 잘랐을 때 중심 부분이 붉은색이라 하여 레드 키위라 부른다. 키위 품종 중에서는 레드 키위의 당도가 18~20 브릭스로 가장 높고, 엽산, 비타민, 무기질, 토코페롤, 비타민 등 함량이 높지만 단점은 저장 기간이 짧다. 제주도의 한라 골드키위는 2007년 국내의 농촌진흥청 원예 특작 과학원에서 개발하여 재배한 품종이다. 수확 시기는 10월 하순에 출하되어 맛은 새콤달콤하고 과즙이 많아 우수하다. 메가 그린 키위는 2010년 그리스에서 제주도에 가져온 품종이다. 일반 키위에 비교해 크기가 약 1.4배 정도이고 당도는 16 브릭스이다.

키위에 함유된 불용성 식이섬유는 대장에 있는 노폐물을 배출시켜 몸속에 쌓인 독소를 제거하고 변비를 개선해 준다. 키위는 사과보다 식이섬유가 3배 높다. 그래서 비만인 사람이 다이어트 식품으로 매일 2~3개를 먹게 되면 콜레스테롤을 낮추어 주는 효과가 있어 혈관 건강에 도움을 준다.

● 골드키위, 레드 키위, 그린 키위 ●

▶ **치료적 이용**

키위는 맛은 달고 성질은 차다. 키위의 열매는 갈증을 없애주고 요로결석에 좋으며 면역력에 좋다. 뿌리는 청열해독 작용을 하고, 덩굴은 소화불량에 효험이 있으며 잎은 지혈작용을 한다.

돼지고기를 먹은 후 소화제로 키위 한잔을 마시게 되면 지방과 콜레스테롤을 분해하고 키위에 함유된 불용성 식이섬유가 변비를 개선해 주고 대장에 쌓인 노폐물과 독소를 잘 배출하도록 도와준다. 변비나 대장 문제로 인한 기미, 주근깨, 잡티, 검버섯의 생성을 막아주어 피부를 깨끗하게 정화해주는 성분이 함유되어 있어 자주 마시게 되면 탄력 있고 건강한 피부를 유지시켜준다. 키위를 반으로 잘라서 수저로 긁어먹을 때 가용성 식이섬유가 과육보다 껍질 부위에 더 많아서, 될 수 있으면 키위 껍질의 파란 부위를 수저로 긁어먹는 것이 좋다. 돼지고기 요리를 할 때는 키위 절반을 으깨어 넣으면 고기의 육질이 부드러워 진다.

키위에는 단백질 분해효소인 액티니딘(actinidain)이 풍부하여 육류를 먹은 후에 키위를 섭취하면 소화가 잘 된다. 이뿐만 아니라, 키위에 풍부하게 들어 있는 엽산과 글루탐산은 어린아이와 청소년 성장발육에도 좋다.

임신하기 전 필수로 산부인과에서 기형아 예방을 위해 엽산이 많은 키위를 권장하고 있다. 또한 키위에 들어있는 수용성 식이섬유 펙틴은 유선암, 간염, 고혈압, 당뇨병 환자에게 좋은 식품이다. 키위에 열량이 100 g당 54 kcal로 낮지만 철분, 칼슘, 무기질이 풍부하여 하루에 2~3개만 먹어도 1일 양의 비타민 C를 충족시킨다. 비타민 C가 풍부하여 잼이나 주스, 샐러드 등 다양한 방법으로 먹을 수 있다. 키위는 좋은 영양소가 골고루 들어 있지만 나트륨이 적어 빈혈 예방에 좋다. 최근 노르웨이 오슬로대학 아시마 두타로야 교수는 "키위는 혈전 용해를 돕는 작용을 하는 효소를 가지고 있다"고 하여, 키위가 심장병 예방과 다이어트 관절에 효과가 있고, 키위의 케르세틴(quercetin) 성분이 암을 억제하고 세포 손상을 예방하는 데 효과적이라고 한다.

• 부작용

키위는 찬 성질이기 때문에 과다하게 먹게 되면 설사를 하게 되고 산성이 있어 위가 좋지 않은 사람은 공복 시에 복용하지 않는 것 좋다.

4. 계피

계피는 중국, 베트남, 브라질, 인도, 스리랑카, 마다가스카르, 자메이카 등 열대 지방에서 자란다. 계피는 녹나무에 속한다. 중국에서는 카시아 계피나무를 육계나무(cinnamomum cassia)라 부르고, 베트남에서는 로우레이로이 녹나무라 부르며, 스리랑카에서는 실론 계피나무(cinnamomum verum)를 시나몬이라 부른다. 중국의 약학 서적인 『신농본초경(神農本草経)』에도 기록되어 있다. 참고로 국산 계피는 없다. 계피는 열대 지방에서만 자란다고 보면 된다.

기원전 400년경부터 이집트에서는 미이라에 방부제로 사용하였다는 기록이 있으며, 세계에서 가장 오래된 향신료이기도 하다. 『동의보감』에는 '계피의 성질은 따뜻하고 막힌 혈맥을 통하게 하고, 맵고 달다. 손발이 차고 소화가 안 되는 체질에는 보약이 따로 없다'고 쓰여 있고, 『본초강목』에서는 '계피는 남자에게 양기가 부족하고 여자에게 아랫배에 음이 많을 때 몸에 찬 냉기를 몰아 내어 혈맥을 통하게 해준다'라고 하여 한의원에서 십전대보탕에 계피를 넣어 처방하고 있다.

돼지고깃집에서 식사 후 수정과를 후식으로 주는 이유는 돼지고기는 찬 성질이고, 생강과 계피는 따뜻한 성질이기 때문에 수정과와 돼지고기는 음(陰)과 양(陽)의 궁합이 잘 맞아 중화를 시켜주기 때문이다. 계피는 혈액순환을 돕기 때문에 손발이 차가운 사람이 먹게 되면 면역력을 높이는 데 도움이 된다. 계피나무는 음력 3~4월에 꽃이 피고, 음력 10월경에 껍질을 벗겨 음지에 말린 뒤 법제하여 사용하면 된다. 계피는 만성질환으로 신경통뿐만 아니라 풍(風)으로 인한 사지마비를 그치게 한다.

얼마 전 베트남 다낭에 갔을 때 가이드가 계피를 파는 곳을 안내했다. 계피에 대한 관심이 많았던 필자가 즐겨 먹던 계피와는 전혀 다른 맛이었다. 슈퍼에 가면 통 계피가 3천원 정도 하니 비교적 착한 가격이었으나, 맛은 독하고 달지는 않았다. 그러나 다낭의 다른 곳에서 아이들 등만큼 넓적한 계피를 보여주며 계피가 100년 이상 오래되면 달고 독이 없다고 하여 맛을 보았더니 달고 순한 맛이었다. 너무도 신기한 것이다. 한국에서 먹는 것과 전혀 달랐고 대체의학 박사를 전공한 필자는 눈이 동그래졌다. 그리고는 계피에 대해 한의학 서적들과 논문을 찾아보니, 강황과 울금이 같은 커큐민이 아니라 성분과 성질에 차이가 있듯이, 계피도 카시아 계피와 실론 계피가 화학적 성질인 쿠마린 함량이 달랐다.

실론계피(Ceylon cinnamon) 시나몬는 인도네시아, 스리랑카가 원산지이며, 인도의 전통의학인 아유르베다(Ayurveda)에서 부인과 질환, 호흡기질환, 소화기계통에 약제로 사용하고 있다. 실론 계피와 카시아 계피의 쿠마린 함량을 비교해 보면, 실론 계피의 쿠마린 함량이 0.0004%인 것에 비교해 카시아 계피의 쿠마린은 1% 함량으로 카시아 계피가 쿠마린 성분이 250배 가량 높은 것으로 나타났다. 쿠마린 성분이 높은 카시아 계피는 독성이 강하여 장기간 복용하게 되면 간, 폐, 신장을 손상시켜 위험하다. 카시아 계피와 비교하면 실론 계피는 훨씬 안전하다. 그러나 카시아 계피와 실론 계피 모두 쿠마린 성분의 독성이 강하기 때문에 장기간 복용해서는 안 된다.

실론 계피는 부드럽고 단맛이 강하며 색상은 더 연하고 속이 꽉 차 있어 진짜 계피라 부른다. 하지만 중국 계피인 카시아 계피는 쓴맛이 강하고 속은 비어 있으며, 얇고 색은 진한 갈색이면서 길이가 30 cm에 6개 정도 들어 있는 한 묶음에 3천원으로 저렴하다.

실론 계피는 흔하지 않아서 국내에서 구매하기 어렵다. 실론 계피 가격은 500 g 정도에 7만원 정도 하고 있다. 정향, 후추, 계피는 3대 향신료에 속한다. 카시아 계피는 일반적으로 향신료로 사용하고 있어 식사 후 후식으로 나오는 것이 카시아 계피차이다.

실론 계피와 카시아 계피를 맛으로 구별하고자 할 때는 단맛과 쓴맛으로 구별하면 되며, 분말로 구별하기는 어렵다. 카시아 계피는 베트남산 카시아 계피가 품질이 우수하다.

유럽식품안정청(EFSF)에서는 쿠마린에서 간 독성식품 화학물질로 발암성을 가진 유전 독성 메커니즘이 발견되면서 2004년 쿠마린의 하루 섭취량을 0.1 mg으로 제한을 발표한 바 있다.

● 육계나무 카시아 계피 ●
: 육계나무 카시아 계피는 얇고 껍질째 먹는다.

● 실론(시나몬) 계피 ●
: 실론, 시나몬 계피는 껍질이 손질되어 두껍고 넓다.

▶ **치료적 이용**

카시아 계피와 실론 계피는 잎과 껍질을 말려서 방향제로 사용할 뿐만 아니라 벌레와 모기 퇴치제로 사용하고 있다. 수정과를 하기 위하여 카시아 계피를 물에 끓이면 독한 향과 함께 끓인 물에 이물질 찌꺼기가 떠 있는 것을 볼 수 있다. 계피는 1시간 이상 끓여야 하며, 중금속에 노출되지 않으려면 찌꺼기는 국자로 떠서 버려야 한다. 그러나 실론 계피를 끓이면 맑고 투명하여 계피 향이 은은하고 찌꺼기가 보이지 않는 것이 특징이다.

계피로 수정과를 만들 때 수정과를 펄펄 끓인 후 흔히 설탕을 넣는다. 그러나 설탕보다 꿀을 넣게 되면 피로 해소에 좋다. 또한 감기 기운이 있을 때 기침을 멎게 하고, 꾸준히 복용하게 되면 항암효과에 좋으며, 식전에 마시게 되면 소화 장애가 개선이 된다. 계피를 자주 먹게 되면 피부에 탄력이 생겨 노화를 방지해 주고, 면역력을 강화시키며 혈관을 개선해 콜레스테롤을 낮추어 주기 때문에 심장병 예방에 좋다.

인도의 아유르베다 의학과 일본 연구에 의하면 소화, 호흡, 신장, 부인과 질환에 특히 좋다고 한다. 하루에 한 번 꾸준히 마시게 되면 관절염을 잡아주어 혈관 건강에 좋다.

계피를 먹을 때는 꼭 법제해서 먹는 것을 잊지 말아야 하고, 생계피로 먹지 않아야 하며, 꼭 수정과나 차로 끓여서 마셔야 한다. 독성이 강한 카시아 계피의 쿠마린 성분인 발암성 물질은 간, 신장, 폐를 손상 시킬 수 있다. 카시아 계피차를 만들 때는 코르크 껍질을 벗겨서 사용하면 코르크의 쓴맛을 감소시킨다.

실론 계피차는 추위를 잘 타는 허약체질이 먹었을 때 땀이 나오게 하여 냉증을 개선해 주고, 혈액순환에 도움이 된다. 치매 예방과 불면증을 앓고 있는 사람이 계피차를 꾸준히 마시게 되면 계피 향이 심신과 중추신경을 편안하게 안정시켜 숙면효과에 도움을 줌으로써 불면증과 대사 증후군에 효과를 준다.

미국 화학 소사이어티와 미국 당뇨병협회에 발표된 「계피가 당뇨병 환자의 포도당과 지방질을 개선한다」 논문 결과는 다음과 같다.

① 계피 섭취 후 포도당 수치 18~29% 감소

② 계피 섭취 후 중성지방(트리글리세라이드) 23~30% 감소

③ 계피 섭취 후 콜레스테롤 수준 13~26% 감소

④ 계피 섭취 후 LDL(나쁜 콜레스테롤) 10~24% 감소

• 부작용

카시아 계피의 성질이 혈액을 순환시키므로 열감이 있으면 설사와 복통을 일으킬 수 있다. 또한 카시아 계피를 장기간 복용하게 되면 쿠마린 성분에 독성이 있어 간, 폐, 신장을 손상하므로 주의해야 한다.

5. 명태(황태)

명태(明太)의 유래는 조선시대 이유권의『임하필기』에 기재되어 있다. 초기 함경도 명천(明川)군에 새로 부임한 군수가 이름 없는 물고기로 진수성찬을 차려 놓고 먹는 태(太)씨 성을 가진 어부를 보고, 함께 먹어본 뒤 너무 맛있어서 어부에게 "이 물고기 이름이 무엇이냐"라고 묻자 어부는 모른다고 하였다.

이에 명천군수는 명천군이라 하여 밝을 명(明)을 썼고 어부의 성씨가 태(太) 씨라 하여 클 태(太) 자를 써서 명태라고 지었다는 설이 있다.

원래 명태는 무명(無名)의 바닷물고기로 귀신이 좋아한다고 하여 미신 때문에 먹지도 않았고 잡지도 않았으나, 명태라고 이름이 붙여진 후부터 먹게 되었다고 한다. 조선 후기 어업이 발달되면서 명태라는 이름으로 부르기 시작한 것이다.

비타민 B가 많이 함유되어 있어 명태를 자주 먹게 되면 눈이 밝아진다고 한다.

명태가 건어물 상회에 있으면 황태포이고 냉동되어 있으면 동태이다. 명태의 어린 것을 노가리, 그물로 잡은 것을 망태라 부르고, 명태가 크고 작고, 냉

동인지 건조인지, 생태인지에 따라 여러 가지 이름(북어, 대구, 명태, 코다리, 깡태, 춘태, 조태, 동태, 맹태, 노가리, 꺽태)으로 다양하게 부르고 있다.

또한 황태를 겨울에 잡으면 동태, 봄에 잡으면 춘태, 가을에 잡으면 추태, 그물망에 잡으면 망태, 얼리면 동태, 말리면 북어 등 명태는 참으로 많은 이름을 가진 바다의 물고기이다.

명태는 경상북도 동해안과 함경남도, 일본 북해도, 러시아 연안에서 많이 잡힌다. 수명은 8년이고 몸 길이는 40~60 cm 가량되며, 알을 낳는 산란기인 겨울에 주로 잡는다.

명태는 1년 중에 11월~ 2월까지 3개월만 어업을 할 수 있다. 수심 150 m 아래에서 암놈은 하층 바다에서 살고 숫놈은 중층 바다에서 산다. 암수는 서로 나누어 떼를 무리지어 다닌다.

명태 알을 젓갈로 담그면 명란젓이라 부른다. 과거에는 흔한 생선이었지만 온난화 현상으로 난류 영향에 의해 해수 온도가 상승함에 따라 우리나라 동해안에서 좀처럼 잡히지 않고 있다. 그러다 보니 러시아산 명태들이 자리매김을 하는 추세이다.

러시아산 명태가 어느 지역의 덕장에서 건조하냐에 따라 국산과 외국산으로 나누어진다. 우리나라는 강원도 인제군 북면 용대리 황태 덕장과 강원도 평창군 대관령면 대관령 황태 덕장이 유명하다. 가끔 TV에서 보면 황태를 건조시킨 모습이 그림 같고 너무 아름답고 정교하다.

겨울철 밤에는 영하 10℃ 이하로 기온이 뚝 떨어져 얼었다가 낮에는 따스한 햇볕에 녹기를 반복하면서 명태를 청정한 봄바람과 매서운 눈보라를 맞혀가며 3~4개월 동안 잘 건조시키면 속이 노란 황금색을 띤 황태가 완성된다.

● 황태 덕장 ●

▶ **치료적 이용**

우리 몸의 노화를 막는 콜라겐(collagen)이 가장 많이 들어 있는 명태는 하나도 버릴 게 없다. 콜라겐은 우리 몸 전체의 단백질 중 약 30%를 구성하고 있다.

우린 평소에 동물성 콜라겐을 보충하기 위해 기름기가 많은 돼지 족발이나 닭발을 먹고 소화 흡수가 잘 안 돼서 배탈이 나거나 설사를 하는 경우가 있다. 동물성 콜라겐의 경우 질기고 고분자 물질의 콜라겐이라 흡수하는 데 시간이 걸린다. 동물성 콜라겐과 어류 콜라겐의 차이점은 동물성 콜라겐은 흡수율이 2%이고, 어류 콜라겐은 분자량이 적어서 소화와 흡수가 잘 되어 체내 흡수율이 84%라는 점이다. 동물 콜라겐은 소화와 흡수가 안 되어 일부는 지방이 되고 나머지는 거의 몸 밖으로 배출되지만 어류 콜라겐은 대부분 소화 및 흡수가 이루어진다고 보면 된다.

스트레스를 받으면 호르몬 반응을 일으켜 코르티솔, 아드레날린이 생기게 되어 몸의 면역기능을 떨어트리고 얼굴은 즉시 반응을 하여 피부 이상과 뾰루지 등이 생긴다. 스트레스를 받게 되면 활성산소가 모여 콜라겐 단백질을 산화시켜 여러 가지 기능이 저하되고 노화로 인해 늙게 만들어 면역력을 떨어트리기 때문에 소화 능력뿐만 아니라 암, 뇌출혈 등 무서운 질병 등을 일으킨다. 피부 노화를 막는 콜라겐이 생선살보다, 특히 생선 껍질에 많이 들어 있어 일주일에 3~4번 정도 먹게 되면 인지기능이 향상된다는 연구가 있다.

육류 콜라겐 덩어리를 많이 먹게 되면 지방과 콜레스테롤 분해가 되지 않아 살만 찐다고 보면 된다. 콜라겐을 흡수하게 하려면 비타민 A와 비타민 C 그리고 황, 항산화제를 복용해줘야 제대로 콜라겐이 생성된다.

어떤 논문에서는 콜라겐을 먹는다고 해서 콜라겐이 생성되는 되는 것은 없다고 한다. 하지만 비타민 A-C와 항산화제를 함께 복용하면 콜라겐 생성에 효과가 크다는 연구가 있다. 콜라겐을 먹을 땐 비타민 A-C와 항산화제는 필수라는 것을 잊지 말아야 한다.

대구, 아귀, 명태 껍질의 어류에 천연 콜라겐이 많이 들어 있다. 홍어의 콜라겐 덩어리를 이용한 홍어 묵에 젤라틴 성분이 풍부해 골다공증을 앓고 있는 사람이 먹으면 호전되는 것을 볼 수 있다. 전어를 굽는 향이 집 나간 며느리도 냄새를 맡고 돌아오게 한다는 설이 있다. 전어의 고소한 향은 콜라겐이 분해되면서 나오는 냄새이다.

갱년기가 시작되면서 노화로 인하여 관절염이 약해지고, 골다공증이 생기면서 관절에 부종이 생기기 때문에 염증과 통증이 발생하는데, 이는 콜라겐이 빠져나가면서 생기는 증상이다. 혈관을 정상으로 다시 복구하려면 신진대사가 원활하게 영양공급이 잘 이루어져야 하고, 그러면 염증과 통증이 감소하게 된다.

손발톱이 부서지고 발뒤꿈치가 갈라져 각질로 인하여 스타킹을 신으면 올이 신자마자 나가는 경우, 굳은 각질을 벗겨 내기가 무서운 이 현상은 황태를 이용한 껍질 요리와 전골을 주기적으로 먹게 되면 천연 콜라겐으로 흔적도 없이 각질이 사라지고 부드럽고 뽀송뽀송한 예쁜 발로 변신한다.

술을 마신 뒤 간의 해독을 풀어주기 위해 흔히 북엇국이나 명태 해장국을 끓여 먹게 되는데, 명태의 글루타티온(glutathione) 성분은 강력한 항산화 작용이 있어 숙취 해소와 중금속 등의 해독작용을 해준다. 명태의 풍부한 타우린 성분은 간을 좋게 하고 글루타티온은 눈의 시력과 백내장의 질환을 예방하여 눈의 노화를 막아주는 좋은 역할을 한다.

2015년 한국식품영양과학회지를 통해 연구 발표를 한 양수진, 홍주헌(대구가톨릭대학교 식품공학전공)의 논문「명태 껍질 유래 콜라겐의 분자량에 따른 이화학적 특성 및 생리활성」을 보면, “어류 부산물인 명태 껍질에서 콜라겐을 추출하기 위하여 0.1 N NaOH로 알칼리 처리 후 pepsin으로 효소 처리하였고 저분자화를 위해 neutrase를 이용하여 분자량별로 콜라겐을 제조하였다. 콜라겐은 1 kDa 이하, 1~3 kDa, 3~10 kDa 및 10 kDa 이상의 분자량별로 분리하여 이화학적 특성 및 생리활성을 조사하였다. 광 노화에 의한 피부 주름 개선 효과는 HS68 cell을 이용하여 MMP-1 저해 활성을 측정하였고, 그 결과, 10 kDa 이상에서는 MMP-1 저해 활성이 나타나지 않았으나, 3 kDa 이하에서는 MMP-1 저해 활성이 나타나 세포 보호 효과가 있음을 확인하였다. 콜라겐의 분자량은 항산화 활성 및 생리활성과 유의적인 상관관계를 나타내어 저분자 콜라겐은 기능성 식품과 화장품 소재로써 활용 가능할 것으로 생각한다”고 발표하였다.

최근 들어 어류 콜라겐이 피부 노화 방지, 항산화 활성 및 생리활성으로 ‘바르는 콜라겐 화장품’과 ‘먹는 어류(피쉬) 콜라겐’ 등으로 상품화되어 인기를 끌고 있다.

명태(황태)는 미네랄과 단백질이 풍부하고, 칼슘은 고등어에 비해 4배나 높아 저지방 식품으로 남녀노소 관련 없이 즐겨 먹을 수 있는 음식이다.

민간요법 중에는 뱀에 물린 사람이 사경을 헤매고 있을 때 명태(황태, 북어)를 고아서 마시게 하여 해독작용으로 독을 없앴다고 한다. 연탄가스에 노출되거나 지네에 물렸을 때도 명태를 서너 시간 푹 고아서 먹게 되면 해독작용으로 독이 빠진다. 알아두면 지혜롭게 대처할 수 있을 것이다.

● 매콤한 황태찜 ●

● 숙취 해소에 좋은 황태포와 유황 기러기 알 해장국 ●

필자는 피곤할 때면 매콤한 황태찜과 황태 계란탕을 즐겨 먹는다.

조리법은 먼저 황태를 먹기 좋게 2등분하여 30분 정도 물에 담가둔다. 그 다음, 소스를 만든다. 다시마가루 3분의 1수저, 생강가루 3분의 1수저, 고춧가루 5수저, 고추장 2수저, 녹말가루 2수저, 물 2컵, 청주 1수저, 간장 2수저, 소금 약간, 참기름 1수저, 다진 마늘 1수저, 매실 효소 1수저, 청양고추 2개, 홍고추 2개, 깨소금 1수저, 설탕 2수저를 넣고 잘 저어준다. 불린 황태를 밑간한 다음 냄비에 담고 밑간을 부어준다. 그리고 약한 불로 끓인 후 미나리와 대파, 양파를 넣고 마무리하면 맛있는 황태찜이 완성된다.

황태포를 넣은 유황 기러기 알 해장국은 황태포 한 주먹을 가위로 잘게 썰어 물에 5분 정도 불린 다음 불에 끓여 새우젓으로 간을 맞추고, 홍고추 하나를 잘게 썰어 넣고, 유황 기러기 알을 채에 걸러서 국물에 넣고 저어주면 끝이다. 시원하고 개운한 맛이 일품이다.

황산화제는 산화를 억제한다는 의미이다. 한의학에서 동물의 단백질이나 콜라겐을 인체에 흡수시키려면 보완 · 대체요법으로 약초와 식물을 지혜롭게 활용해야 한다. 그 방법으로 햇볕에 노출되면서 자란 대표적인 식물인 아로니아, 블루베리, 블랙커런트, 아사이베리, 열매 씨앗 아몬드, 채소 등을 섭취해야 한다. 이들에는 각종 미네랄과 비타민, 황산화제가 들어 있어 콜라겐과 함께 복용하게 되면 노화로 세포가 산화되는 것을 막아 주는데 중요한 역할을 한다.

골다공증 증상에는 어류 콜라겐을 복용하게 되면 통증 완화에 도움이 된다. 발의 각질이나 눈 시력 저하 등이 눈에 띄게 회복되어 건강 염려증을 극복할 수 있다. 나이보다 젊게 살려면 많은 노력이 필요하다.

• 부작용

명태(황태)의 성질은 짜고 따뜻하여 손발이 차가운 사람에게 좋으며, 허와 중풍을 다스린다. 그러나 사상의학에서는, 소양인 체질은 자주 먹으면 안 된다고 말한다.

• 요리할 때 주의할 점

명태는 열에 쉽게 부서져 요리할 때는 처음부터 넣고 끓이지 말고 절반쯤 끓을 때 넣고, 자주 뒤집으면 부서지니 익힐 때까지 손대지 말아야 한다.

6. 머위

머위는 여러해살이풀로써 국화과에 속하며 봄에 꽃이 핀다 하여 관동화(款冬花)라 부른다. 머위는 거담, 건위, 해열, 진해, 편도선염이나 인후염으로 아팠을 때 약제로 사용한다. 머위의 이름은 머위, 머우, 머굿대 등 지역마다 조금씩 다르게 부른다. 우리나라에서는 한자어로 머위를 사두초(蛇頭草) 또는 봉두채

(蜂斗菜)라고 쓴다.

북반구 온대 지역에서 자생하며 한국과 중국, 일본에서 분포되어 있는 다년생 식물로써 대나무 옆이나 활엽수 밑 야산의 산자락, 밭둑, 계곡, 다습한 곳에서 옹기종기 모여 무리지어 자란다. 머위는 겨우내 엄동설한(嚴冬雪寒)에 눈보라를 이겨내고 입춘이 지나 음력 1월 말쯤이면 새싹이 돋아나는데, 머위의 어린 새싹 순은 보약과 같다.

섬유질, 무기질, 비타민이 풍부해 봄에 입맛이 없을 때 머위 나물을 먹게 되면 머위의 쓴맛이 식감을 돌게 한다. 봄철에 기운이 없고 나른할 때 섭취하면 면역력이 올라가고, 혈액순환이 잘 되어 피곤함을 느끼지 않는다.

머위 잎과 뿌리는 수분이 96% 함량되어 있어, 수분 섭취에 좋을 뿐만 아니라 알칼리성 식품이라 뼈에 좋아 골다공증 예방에 좋고, 통증 완화에 좋다. 머위는 칼슘과 비타민 A가 풍부하여 쇠약해진 노인과 어린이가 먹으면 보약이 따로 없다. 콜레스테롤을 정상적으로 유지시켜줌으로써 고혈압이 있는 사람이 먹으면 혈압을 낮추어 주고, 동맥경화와 뇌출혈, 심혈관질환이 예방되고, 항산화 작용이 뛰어나 항암효과가 있어 질병 예방에 도움이 된다. 머위 잎이나 머위대를 오래 보관하려면 삶아서 물에 담아 냉동 보관하면 된다.

머위의 암컷과 수컷을 구별하는 방법은 암컷은 아이보리색이고, 수컷은 노란색에 가깝다. 땅속에 있는 뿌리의 줄기로 번식하여 잎이 나온다. 머위는 번식률이 뛰어나 굳이 재배할 필요는 없다. 시골 모퉁이에 몇 개만 뿌리를 옮겨 놓으면 특별하게 관리를 하지 않아도 2년쯤 지나 머위 잎이 무성하게 무리를 지어 머위 밭이 되기 때문에 누구나 쉽게 초보자도 키울 수 있다. 머위 대를 베고 한 달 정도 지나면 또 자라고 그럼 또 베고 1년에 최소한 6번 정도 수확할 수 있다. 머위 뿌리를 15~20 cm 정도 크기로 30 cm 정도 간격을 두고 3~4월쯤에 옮겨 심으면 잘 자란다.

머위 잎을 삶아 물에 5~6번 정도 씻어 낸 다음 다시 물에 1~2시간 우린 뒤, 무쳐서 나물을 하면 쓴맛이 사라진다. 머위 나물, 머위 된장국, 머위대 새우볶음, 머위 쌈장, 머위 장아찌, 머위 밥을 만들어 먹을 수 있다. 머위의 향과 맛이 좋아서 집에 심어둔 머위 잎을 봄부터 가을까지 나물과 살짝 데쳐 쌈으로 먹는다.

머위 잎은 도로나 하천가에서 채취하게 되면 농약이나 환경오염 등 중금속에 노출되어 뇌경색이나 뇌출혈의 위험이 있기 때문에 함부로 섭취해서는 안 된다.

● 머위 잎 ●

민간요법에서 천식이 심할 때 머위를 달여 마시게 되면 기침이 멎고, 위염이 있는 사람이 먹으면 염증이 가라앉으며, 몸속의 독을 풀어주어 심신을 안정시키고 소변을 잘 나오게 하며, 뇌종양, 자궁암, 간암, 위암, 직장암, 폐암 등 여러 가지 암을 억제하는 효과가 있다.

머위를 먹을 땐 손바닥보다 커서는 안 된다. 크게 되면 질겨서 먹기가 곤란하다. 손바닥 크기 정도가 연하고 식감도 좋아 데쳐서 쌈으로 먹기 적당하다. 머위 나물, 쌈, 국, 밥 등을 여러 가지 요리법으로 먹게 되면 정상 세포는 보호하고, 기형 세포와 비정상의 세포, 염증세포, 암세포만 골라서 파괴하여 스스로 죽게 만든다. 용종이나 염증은 1차 세포이고, 기형 세포는 2차, 3차이며, 4차는 암이다. 식이섬유가 가득한 머위는 베타카로인, 나트륨, 철분, 칼슘, 인, 칼륨, 아연, 나이아신 등 다양한 영양 성분이 들어 있다. 특히 머위는 비타민 A, 비타민 B1, 비타민 B2, 비타민 B6, 비타민 C, 비타민 E 여러 가지가 함유되어 있어 암, 뇌졸중 같은 고질병 환자에게는 좋은 약이 되는 음식이다.

머위는 염증을 삭이는 효능이 있어 신진대사를 원활하게 해줌으로써 혈관을 건강하게 하고, 그로 인해 콜레스테롤이 낮아지며 정상혈압을 유지하게 되면서 자연스럽게 면역력은 올라가게 된다. 머위는 암세포를 억제하는 효과가 높다. 머위는 청혈제 작용과 해독작용이 강하고 어혈을 풀어주며 혈액순환을 원활하게 해준다. 머위는 당뇨병과 고혈압에 좋고 숙취 해소에도 좋다.

폐결핵을 앓고 있는 사람이 머위를 12시간 이상 달여 먹으면 효과를 볼 수 있다.

치매는 알츠하이머 80%, 뇌 혈관성 치매 15%, 상세 치매 5%라고 한다. 그런데 머위의 극미립자 향기 성분은 뇌 혈류 장벽을 뚫고 들어가 뇌의 노폐물 찌꺼기를 내보내 치매를 예방하고 기억력을 좋게 한다. 타우 단백질(tau protein)이 망가지게 되면 알츠하이머 치매가 나타나는데, 독성 단백질을 분해하는 베타 아밀로이드(beta-amyloid)와 타우(tau)가 치매를 치료하고 예방한다.

머위는 야산에 넓게 분포되어 있어 조금만 신경을 쓰면 쉽게 구할 수 있다.

2005년 조선대학교 식품의약과 조배식 박사의 「머위의 항산화 효능 및 항균작용에 관한 연구」 논문에 의한 머위의 영양성분연구 분석 결과는 다음과 같다.

① 머위의 잎에 조단백질(crude protein)과 조지방(crude fat)의 함량이 줄기보다 2.6배 많았다.
② 유리당(free sugar, ex; 포도당) 또한 줄기보다 잎이 월등하게 많았다.
③ 잎의 아미노산 함량이 줄기보다 3배 높았다.
④ 잎과 줄기에 불포화 지방산이 포화 지방산보다 약 3배 이상 함유되어 있다.
⑤ 머위 잎에는 비타민 C와 비타민 E가 함유되어 있고, 머위 대에는 비타민 A가 많았다.
⑥ 유기산이 줄기보다 잎에 많이 함유되어 있다.
⑦ 잎과 줄기에서 무기질은 마그네슘 칼륨, 칼슘 순으로 검출되었다.
⑧ 오미자, 참깨, 들깨, 겨자, 칡, 해초류, 감초와 비교하면 머위에 천연 황산화제가 높게 함유되어 있다.
⑨ 머위는 알코올로 인해 손상된 간을 해독시켜 회복시킬 수 있는 생리활성 물질이 많았다.

머위 잎과 꽃, 뿌리, 대 버릴 것이 하나도 없다. 민간요법으로 머위는 다양한 약재로 쓰이고 있다. 특히 연구 논문을 보면 머위 대 보다 머위 잎에 효능이 훨씬 더 많다는 것을 알 수 있었다.

▶ 머위 대 나물 조리방법

머위는 폴리페놀(polyphenol)류가 많이 들어 있어 껍질을 벗기고 시간이 지나면 공기 중에 산화되어 색깔이 갈변(褐變)할 수 있기 때문에 가능한 빨리 삶아서 물에 담가야 한다. 그러면 떫은 맛이 사라지게 된다.

머위 대 나물은 머위에 소금을 넣고 데쳐 찬물에 씻는 다음, 머위 대를 벗겨서 찬물에 1~2시간 정도 담갔다가 4~5 cm 정도 크기로 잘라 들깨가루와 올리브유, 새우젓국, 다시마가루, 생강가루, 다진 마늘, 약간의 물을 넣고 섞어서 프라이팬에 익힌 뒤 깨소금만 뿌려서 그릇에 담으면 완성이 된다.

• 부작용

머위 뿌리와 줄기에 많이 들어 있는 알칼로이드(alkaloid)는 너무 많이 복용하게 되면 간을 손상할 수 있고 알레르기가 있는 사람은 주의해서 복용해야 한다.

● 머위 대 나물 ●

7. 비트(혈관 청소)

비트 재배의 기원은 이탈리아의 시칠리아섬이며, 16세기경 독일에서 본격적으로 재배하기 시작하여 나폴레옹이 재배를 장려하였다고 한다. 원산지는 주로 남부 유럽과 북아프리카이며, 요즘은 영국, 루마니아, 폴란드, 터키, 미국, 프랑스, 러시아 등에서 많이 생산된다.

명아주과에 속하는 비트 잎은 적근대와 비슷하고 강화 순무와 유사하여 잎, 뿌리, 줄기 모두 활용도가 높다. 빨간색 비트, 노란색 비트, 줄무늬 비트 다양한 종류의 비트가 있다. 농수산물시장에서 가장 많이 유통되는 빨간색 비트는 단맛이 풍부하고 짙은 자주색을 띠며 약간의 흙냄새가 나고 과육이 풍부하다. 반면에 노란색 비트는 흙냄새는 덜 나지만 단맛이 덜하고 맹맹한 맛이 나며 잎과 줄기, 뿌리가 노란 색상이다. 노란 비트는 흔치 않아 일반인들이 접하기 쉽지 않다. 줄무늬 색 비트는 잎, 줄기, 뿌리에 줄무늬가 있어 열에 약해 가열하게 되면 색상이 변색되어 손님에게 대접하기에는 조금 힘들다. 그래서 대체로 빨간색 비트가 시중에 95%를 차지하고 있다.

비트의 재배 기간은 60~90일 정도가 적당하고 비트는 서늘한 기후를 좋아하여 13℃~18℃에서 잘 자라며 22℃ 이상 조건에서는 생육하기 어렵다. 3~4월에 심어 6월에 수확하고, 8~9월에 심어서 11월 눈이 내리기 전까지 수확하면 된다. 그 이후에 수확하게 되면 수분이 빠져나가 단단하고 질기며 단맛이 덜하다. 그러나 10월에서 11월에 채취하면 속살이 가득 차 있어, 이를 저장하면 1년 내내 다양한 요리에 제철 과일과 곁들여 활용할 수 있고, 샐러드나 드레싱으로 요리의 풍미를 즐길 수 있다.

비트는 주스, 차, 즙, 밥, 냉국, 김치 등으로 활용할 수 있다. 다양한 채소와 함께 곁들여 먹어도 좋다. 우크라이나의 보르쉬(borscht)는 전통으로 내려오는 비트 수프로 동유럽에서는 매우 유명하다.

유기물이 풍부한 비트에는 비타민 A와 비타민 C, 리보플라빈(비타민 B2), 철 등이 함유되어 있고, 염소 성분이 들어 있어 간장 정화 작용을 하기 때문에 아동의 발육이나 뼈가 약한 노인, 그리고 생리불순과 갱년기 장애에 노화된 혈관을 청소하고 적혈구를 생성하는 효과가 있는 것으로 알려져 있다.

● 비트 ●

▶ **치료적 이용**

비트에는 피토케미컬(phytochemical)이라는 성분이 함유되어 있어 손상된 세포 억제, 염증 완화, 간 해독작용으로 피로 해소에도 좋다. 비트에 들어 있는 베타 레인(beta lain) 색소는 항암작용을 하여 암 예방에 좋고, 관절염증 완화에 효과가 있는 것으로 알려져 있다. 특히 빨간색 비트는 항산화 성분의 함량이 높은 베타시아닌(betacyanin)이 풍부하여 다양한 질병을 예방하고, 세포의 활성산소로 인한 노화를 방지하며, 발암물질을 억제하는 효과가 있다. 비트에는 혈관 노화를 막아주는 베타인(betaine)이 양파보다 1,280배, 양배추보다 320배나 많이 함유되어 혈관을 확장해주기 때문에 혈압을 낮춰 주는데 도움이 된다.

비트에 들어 있는 질산염은 세포 에너지를 만들어 주기 때문에 무기력하고 피곤할 때 먹게 되면 원기회복에 도움이 된다.

우리 몸의 혈관을 청소해 주는 비트는 혈관에 쌓인 혈전을 막아주고 막힌 혈관을 확장해 줌으로써 정상혈압을 유지시켜주는 효능이 있어 누구나 다양하게 복용할 수 있다. 비트에 함유된 질산염은 산화질소로 흡수되면서 몸속의 나쁜 콜레스테롤과 노폐물을 몸 밖으로 배출시켜 주는 역할을 한다. 철분이 많이 함유되어 빈혈에도 좋고, 엽산이 풍부해 뇌 혈류개선 효과가 있다. 지속해서 섭취하게 되면 혈액을 원활하게 공급하여 치매 예방에 도움이 되며, 섬유질이 풍부해 변비 예방에도 좋다. 특히 붉은 비트에 포함된 붕소 성분은 남성 호르몬을 증가시켜 면역력을 높여 주고, 건강한 정자를 만들어 주는 역할을 한다.

제주대학교 생명과학기술혁신센터의 2017년 『한국식품저장유통학회지』에 기재된 이미란 박사의 「레드 비트 뿌리 추출물의 항산화 및 항염증 효과」 연구 논문에서 제주도의 레드 비트가 염증성 사이토카인(cytokine) 생성을 가장 강하게 억제하고, 레드 비트 뿌리에 포함된 아세트산에틸(EtOAc) 분획물에서의 항산화 효능 확인과 헥세인(hexane) 분획물의 세포 내 항염 효과를 증명하였다.

● 비트 냉국 ●

집에 있는 채소로 간단하고 쉽게 만드는 방법이다. 준비물은 비트, 양파, 오이, 당근, 부추, 빨강 고추를 채 썰어 담아 놓는다.

마늘 다진 것과 깨소금, 소금, 매실 효소, 설탕, 냉수, 얼음을 넣으면 끝이다. 단, 식초를 넣으면 오래 두고 먹을 수 없고 매실을 넣으면 싱싱하게 오래 두고 먹을 수 있다.

• 부작용

비트는 부작용은 없지만, 비트에는 옥살산염(oxalate) 성분이 들어 있어 쓸개나 신장, 저혈압, 위염 등 문제가 있다면 일주일에 한 번 정도 먹는 것이 좋다. 가열할 경우 15분 이내로 짧게 조리하는 것이 좋고 비트를 가열하게 되면 수용성 불용성 식이섬유인 영양 성분이 파괴되므로 되도록 생즙, 주스, 샐러드로 익히지 않고 생으로 먹는 것이 가장 좋은 방법이다.

8. 브로콜리(혈관의 청소부)

십자화과에 속하는 브로콜리(broccoli)는 온화하고 서늘한 곳에서 잘 자란다. 1년생 식물로써 높이는 60~90 cm이며, 중앙의 축대가 녹색이고, 꽃눈이 빽빽하게 주먹의 2~3배 크기가 되면 더는 자라지 않는다. 우리나라의 경우 지역에 따라 재배 시기와 출하 시기가 조금씩 다르다.

브로콜리는 지중해 연안이 원산지이고, 고대 로마 시대 이탈리아에서 재배하여 18세기 이후 유럽 북아메리카, 영국, 미국으로 전파되어 식용으로 복용하면서 19세기 아시아 전 지역에서 재배하기 시작하였다. 영국에서 콜리플라워(cauliflower)로 불리다가 브로콜리라고 변경하여 부르게 되었다. 20세기 후반에 우리나라에서도 제주도와 충북 제천에서 재배하기 시작하여 현재는 전국 각지에서 재배하고 있다.

브로콜리는 삶은 시간에 따라 맛과 영양소가 달라진다. 브로콜리는 생으로 먹을 수도 있지만 100℃에서 2~3분 정도 짧게 살짝 데쳐서 먹으면 좋다.

녹황색 채소에 들어 있는 베타카로틴(beta carotene) 성분은 비타민 A, 비타민 B, 비타민 C, 비타민 E, 칼륨, 칼슘이 풍부하다. 브로콜리에는 비타민이 감자의 7배, 레몬의 2배가 많고, 빈혈 예방에 좋은 철분이 100 g당 1.9 mg 들어 있다. 미국의 암 연구소는 브로콜리가 최고의 항암 식품으로 암의 성장을 억제하는 데 효과가 있다고 밝혔다. 브로콜리는 암 환자에게 좋은 채소이다.

● 브로콜리 ●

브로콜리는 인체의 혈관에 노폐물을 빼주어 당뇨 환자의 혈당을 조절하는 효능이 있다. 브로콜리에는 인돌(indole)과 설포라페인(sulforaphane)이 함유되어 있어 항암효과에 뛰어나 암을 예방해주고 면역력을 증진해주는 효능이 있다. 브로콜리를 꾸준하게 먹게 되면 감기 예방에 좋고, 비타민 A에 함유된 베타카로틴이 면역력을 높여 주며, 야맹증과 피부미용에도 효과가 있어 꾸준하게 섭취하게 되면 질병 예방에 도움이 된다. 브로콜리는 피로 해소에 효과가 있으며 철분의 함량이 다른 채소에 비교해 2배 더 함유되어 있어 빈혈 예방에 좋다. 위장에는 양배추가 좋다고 하지만 브로콜리는 양배추보다 비타민 U가 함유되어 있고, 무기질과 식이섬유가 풍부해 변비 예방과 위암, 위궤양, 위장에 좋은 채소이다.

미국 존스홉킨스 의과대학 제드 파히(Jed Fahey) 박사의 연구에서 브로콜리에 들어 있는 강력 항암 성분인 인돌-3-카비놀(indole-3-carbinol) 설포라판(sulforaphane) 성분이 위암, 위궤양, 위장, 유방암, 대장암, 전립선암의 원인인 헬리코박터균(helicobacter pylori)을 죽이는 것으로 밝혀졌다.

항암효과에 좋은 브로콜리를 섭취할 때 암 환자는 농약을 사용하지 않은 브로콜리를 먹는 것이 중요하다. 암 환자가 자주 섭취하면 암세포의 성장과 전이를 막아준다. 브로콜리는 저열량 식품으로 다이어트에 효과가 있으며, 브로콜리를 꾸준하게 섭취하면 몸의 활성산소를 억제하는 효능이 있어 다양한 질병 예방에 도움이 된다. 성장기 아동과 노인에게 필요한 칼슘의 흡수를 도와주는 비타민 C와 무기질, 철분 등 다양한 영양소가 함유되어 있어 채소 샐러드, 수프, 주스 등으로 섭취하게 되면 암 예방에 효과적이다.

브로콜리는 끓인 물에 소금을 넣고 100℃에서 2~3분간 살짝 데친 후 조화롭게 양념장에 찍어 먹어도 좋고 비벼 먹어도 좋다. 간단하게 브로콜리를 데친 다음 믹서기에 갈아서 오일이나 올리브유 한 방울을 넣어 먹으면 비타민 A 흡수가 잘 되고 맛과 영양이 좋다.

서원대학교 식품공학과 김현경의 2019년 연구논문, 「열처리된 브로콜리 추출물의 항염증 효과」에서 열처리된 브로콜리 추출물은 세포 독성이 나타나지 않았고, 약물(APAP)에 의해 유발된 급성간염 동물 모델을 대상으로 한 실험에서 인 AST와 ALT(간세포가 공격을 받으면 농도가 정상치 이상으로 증가하는 효소)가 효과적으로 감소되는 것을 밝혔다.

• 부작용

갑상선기능저하증 환자는 하루에 160 g 이상 섭취하지 않도록 주의해야 하며, 식이섬유 과다섭취 시 가스와 복통이 발생할 수 있다.

• 주의 사항

단, 브로콜리를 오랫동안 끓이게 되면 항암효과가 사라진다.

9. 부처손(면역력 향상)

부처손은 부처님의 손을 닮았다 하여 부처손이라고 부른다. 한방에서는 잣나무를 닮았다하여 권백(卷柏)이라고 한다. 또는, 호랑이 발을 닮았다 하여 표족(豹足)이라고도 부른다. 일본에서는 측백(側柏), 편백(扁柏)을 닮았다 하여 와히바(암회엽, 岩檜葉)라고도 부른다.

오그라든 부처손 잎을 펴게 되면 부서져 가루가 되지만 잎에 수분을 뿌려주면 다시 살아난다. 부처손의 채취 시기는 10월~2월이다. 이때 모든 영양분이 뿌리에 몰려 있어 약성이 가장 강하다. 차로 마시기 위해 잎을 사용할 때는 4~5월 봄에 채취하여 사용하는 것이 가장 좋다.

여러해살이풀 부처손은 다년생 식물로써 세계 각 지역에 분포되어 건조하고 열대지역 바위 면에 서식하며 자란다. 크기는 약 20 cm에 이르며, 부처손의 학명은 'Selaginella tamariscina (P.Beauv.) Spring'이다. 부처손의 종류는 700여 종이 넘고, 숲속 깊은 곳에서 자란다 하여 꽃말은 '슬픈 사랑'이다.

재생식물인 부처손의 비늘 모양의 잎사귀는 어머니의 파마한 곱슬머리와 비슷하게 생겼고, 줄기와 가지는 커다란 나무 늪 주변과 바위 위에 옆으로 빽빽하게 기어올라 뻗어가며 옆으로 자란다. 부처손은 건조한 곳에서는 잎이 말라 죽는 것처럼 보이지만 비가 내려 습하게 되면 곱슬한 잎이 오그라들었다가 다시 싱싱하게 살아난다. 겨울에는 죽은 낙엽처럼 보이고 봄이 되면 다시 푸르게 소생한다 하여 불사초, 회양초, 만년초라 한다. 죽은 사람도 살려낸다는 뜻으로 해석하고 있다.

실사리(S. sibirica)는 울릉도에서 자라며, 개부처손(S. stauntoniana)과 왜구실사리(S. helvetica)는 북한지역에서 자란다. 우리나라에서 자라는 부처손의 종류는 바위손(S. involvens), 부처손(S. tamariscina), 개부처손(S. stauntoniana), 구실사리(S. rossii), 왜구실사리(S. helvetica), 실사라(S. sibirica) 6종이 있다. 특히 부처손은 울릉도와 제주도 중부, 북부 남쪽 지역에서 분포되어 자생하고 있다. 계란형으로 잎의 길이는 1.0 cm~2.0 cm 정도 자라고 키는 20 cm 정도 자란다. 얼마 전 한국 양치식물 연구회에서는 부처손을 바위에 붙어서 산다 하여 바위손으로 표기하기로 하였다.

● 부처손 ●

부처손은 플라보노이드 성분과 폴리페놀 타닌 성분이 풍부하여 차로 달여 마실 때 봄에 자란 잎을 채취하게 되면 약성(藥性)이 강해 고지혈증으로 뭉친 어혈을 풀어주는 효과가 있다. 또한 암을 억제하는 항암효과가 있어 잎과 뿌리를 달여 수시로 마시게 되면 통증 완화에 효과가 있다. 암 억제 작용을 하는 부처손은 『동의보감』 기록에 의하면 뭉친 어혈을 풀어주고 맛은 맵고 성질은 따뜻하며 독이 없어 기관지염 예방과 신장 기능을 강화해주고, 종양 예방과 심신을 안정시켜 준다. 부처손의 히스피드린 성분은 스트레스 해소에 효과가 있다.

오래전부터 민간요법으로 사용해온 부처손은 최근 연구 자료에 의하면 치매의 인지기능 개선과 암을 억제하는 강력한 항암작용이 확인되면서 대체요법으로 쓰이고 있다. 특히 몸에 있는 허약한 음의 기운을 없애주고, 양의 따뜻한 기운이 혈액순환을 잘 되게 하여 체력을 증진시킨다. 또한 부정거사(扶正祛邪) 작용이 있어 부인과 계통의 자궁출혈, 생리통, 생리불순, 요혈 등 통증과 염증에 효과가 있고, 자궁이 냉하여 임신이 잘 안 될 때 효험을 보게 된다.

항암효과에 뛰어난 부처손은 항암이나 방사선에 민감한 환자가 복용하면 방사선 치료에 부작용을 막아 주는 데 효과가 있다. 대장암, 위암, 직장암, 유방암, 폐암 환자가 부처손을 몇 개월 복용하고 완치되는 사례를 종종 볼 수 있다. 암세포를 억제하고 암 환자의 면역력을 강화해주는 작용이 뛰어나다.

중국에서는 부처손을 지측백(地側柏) 또는 석상백(石上柏)이라고 부른다. 중국에서도 동물실험을 통해 암이 억제되면서 생체의 대사기능이 좋아져 수명이 연장된다는 연구 결과가 나왔다.

암치료제로 쓰이고 있는 부처손을 깨끗이 손질하여 일주일 정도 말린 다음, 물 3 L에 말린 전초 부처손 100 g을 넣고 절반 정도 달여 하루 3번 마시게 되면 암세포의 성장을 억제하는 데 효과가 있고 암으로 인한 출혈을 막아준다. 기운이 없는 사람이 마시게 되면 힘이 생겨나고 꾸준히 장기간 마시게 되면 장수한다고 한다. 아토피가 심하면 찧어서 스킨 · 로션처럼 수시로 피부에 바르고 부처손 달인 물을 마시게 되면 아토피가 완화된다.

암 환자는 부처손을 말려서 다양한 음식에 넣어 먹으면 면역력을 높여 주는 데 도움이 된다. 부처손의 타닌 성분이 있어 먹기가 곤란하다면 부처손 80

g, 감초 3개, 대추 5개를 넣고 끓이면 복용하기가 편리하다. 감초를 넣어주면 입맛을 살려주고 독성을 중화시켜 주워먹기가 편리하다. 대추의 비타민과 부처손의 폴리페놀과 플라보노이드 성분이 풍부하게 함유되어 몸에 흡수가 잘 된다.

약학박사인 추순주의 박사학위 논문「부처손 추출물의 치매개선 효과 및 기전 탐색」에서는 부처손의 아멘토플라본(amentoflavone) 성분 분석 결과, 인지기능 개선과 강력한 항산화 작용이 확인되었고, 또 백발현 조절로 콜린성(cholinergic) 작용이 신경계를 자극하며 기억 및 학습증진에 효과가 있음이 확인되었다.

• 부작용

위가 약한 사람은 부처손의 성질이 따뜻하여 매운 성질 때문에 위에 자극이 될 수 있으므로 과다하게 섭취하는 것은 피해야 한다.

• 주의 사항

부처손은 몸을 따뜻하게 하고 피를 잘 돌게 하여 혈액순환을 잘 되게 하는 효능이 있지만, 임산부는 유산의 가능성이 있으므로 절대로 복용해서는 안 된다.

10. 생 청국장(낫도)

흰콩은 백태(白太)라 부르고, 메주콩은 누렇다 하여 황태(黃太)라고 부르며, 검정콩은 흑태(黑太)라 하고, 검정콩 속이 파란 것은 청태(靑太)라 부른다. 콩의 원산지는 만주와 한반도 북부이며, 우리나라를 통해 중국과 일본으로 전해졌다. 고구려 때 융숙(戎菽)이라 불렀고, 중국 의서『본초경(本草經)』에 호두(胡豆)라고 기록되어 있다. 콩의 색상에 따라 황고려두, 흑고려두로 표시하여 구별하고 있다.

매년 10월이면 부여에서 콩섬맞이 축제가 열려 콩을 수확하여 조상님께 바치는 행사가 열린다. 우리는 콩의 종류를 태(太)를 붙여 서리태, 청태, 백태, 서목태라고 부르고 있다. 어릴 적 손이나 발에 동상이 걸렸을 때 콩자루에 넣고 냉기를 뽑아냈던 시절이 있었다. 이 또한 보완 · 대체요법이라 할 수 있다.

일본의 사찰에서 하급 승려들이 큰 스님에게 바치기 위해 콩을 발효시켜 깊은 맛을 낸 된장을 고려장(高麗醬)이라 한다. 한자로 머리 두(豆)와 몸 체(體)가 건강하려면 콩을 먹어야 건강하다는 뜻이다. 이후 일본은 1905년 바실리스(basilis)균의 낫도균을 자와무라라고 불러 낫도를 연구하기 시작하였다.

청국장을 한국에서는 생청국장, 일본에서는 낫도, 태국에서는 토아나오, 중국에서는 두시, 네팔에서는 키네마, 인도네시아에서는 템페 등 각 나라마다 다양하게 부르고 있다. 그런데 우리나라에서 만든 생청국장을 낫도라고 판매하고 있다.

생청국장이 한국에서 일본으로 건너가 콩을 삶아서 발효시켜 낫도균을 넣은 식품이 일본 낫도(納豆 なっーとう)이다. 한국 사람들은 콩을 푹 삶아서 발효시킨 청국장을 찧어서 청국장을 끓일 때 소금으로 간을 맞춰 먹지만 냄새 발효향이 강해 냄새를 싫어하는 사람들이 있다. 그래서 최근 들어 한국에서도 발효 냄새 없는 생청국장을 개발하여 국산 낫도라고 판매하고 있다.

● 생청국장(낫도) ●

생청국장(낫도)은 삶은 콩에 바실리스(basilis)균을 넣어 40℃ 온도에서 24시간 동안 발효시켜 냄새가 나지 않게 하는 것이 특징이다. 청국장에 중요한 역할을 하는 고초균(枯草菌)은 고온에서만 성장하는 균이다. 바실리스균이 잘 숙성되면 바실리스균에 강력한 단백질 프로테아제(protease)가 분해되어 아미노산을 만들어 낸다. 아미노산과 당이 반응하게 되면 인슐린 분비를 원활하게 하여 유산균이 스스로 배양되고 멜라노이딘(melanoidine)이 만들어진다. 이 멜라노이딘에는 강력한 항산화 작용이 있으며, 암을 예방한다.

위장병에 좋은 생청국장은 소화효소가 풍부하여 위벽을 보호해 주고 소화 흡수가 잘 되게 도와주는 작용을 한다.

청국장 냄새는 암모니아 냄새가 분해되어 나오는 특유의 냄새로 청국장에는 다른 잡균이 번식을 하지 않는다. 바실리스균이 볏짚 속에 들어 있어 꼭 볏짚을 깔고 청국장을 발효한 옛 선조들의 지혜를 엿볼 수 있었다. 청국장 발효 2~3일째가 지나면 바실리스균이 10억 마리가 자란다.

청국장에는 섬유질이 풍부하여 변비 개선에 효과가 있고, 레시틴과 샤포닌 성분이 들어 있어 지방을 분해시켜주고 면역력을 높여 준다. 생 청국장은 포만감을 주기 때문에 다이어트 식품으로 효과적이다. 당뇨병으로 인해 인슐린이 잘 만들어지지 않아 혈액 속의 포도당이 소변으로 배출되는 경우, 생청국장이 인슐린이라는 호르몬을 만들어 주기 때문에 당뇨병 환자가 자주 섭취하면 좋다.

후천적으로 현대인의 스트레스나 비만, 호르몬 이상으로 당뇨병이 발생하는 경우가 있고, 또 선천적으로 췌장에 인슐린이 막힌 경우가 있다.

혈압 강화제인 포타슘(potassium)이 생청국장 속에 들어 있어 고혈압 치료뿐만 아니라 예방까지 해준다. 생청국장에는 샤포닌과 제네스테인, 피이틱산 트립신 등 항암 물질들이 들어 있어 면역력을 높여주는 효과가 있다. 단, 청국장은 끓이는 동시에 바실리스균이 죽어버려 효능이 없다.

생청국장에만 들어 있는 섭틸리신 나트로 혈전 용해효소는 뇌졸중을 예방한다. 또한 생청국장은 정력에 좋은데, 음경의 혈행을 도와주는 아미노산과 아르기니가 정액을 생성하는데 중요한 역할을 한다.

그리고 심장의 관상 동맥이 좁아지게 되면 산소 공급이 어려워져 혈전으로 인해 관상동맥이 막혀 심근경색증이 일어난다. 이를 막아주는 바실리스균의 단백질 분해 효소인 키나제(kinase)라는 성분이 혈전 용해제 역할을 한다.

생청국장 100 mg에는 칼슘이 217 mg 들어 있어, 여성들의 폐경기로 인한 에스트로겐(estrogen) 감소로 나타나는 골다공증, 호르몬 분비, 면역기능저하, 골밀도 저하를 막아주는 칼슘과 단백질 보충제로써 좋은 식품이다. 또한 에스트로겐과 유사한 이소플라본(isoflavone)이 함유되어 있어 꾸준히 복용하면 갱년기 장애를 극복할 수 있다.

생청국장에 함유되어 있는 아미노산은 숙취 해소에 좋고, 레티신의 효소는 간의 독소을 빼주며, 비타민은 알코올을 분해시켜 간 기능을 개선시켜 주는 역할을 한다. 치매예방에 좋은 아세티콜린(acetylcholine)이 생청국장에 풍부하게 들어 있으며, 비타민 E와 레시틴(lecithin) 성분이 치매를 예방을 한다.

동물성 단백질(소고기, 돼지고기, 달걀, 닭고기, 우유)은 신장에 부담을 주기 때문에 생청국장의 식물성 단백질을 섭취하게 되면 흡수율이 90%라서 혈관건강에 좋다.

2001년 인제대학교 식품생명과학과 류승희 박사의「콩과 청국장의 항산화 효과 및 항산화 원인물질에 관한 연구」논문에 의하면 콩 발효식품인 간장, 청국장, 된장 중 짚을 넣고 30℃에서 만든 청국장이 발효 시 아미노산과 펩티드(peptide) 성분이 강한 항산화와 항노화 효과가 있는 것으로 나타났다.

11. 산죽(조릿대)

산죽(山竹)은 다른 말로 '조릿대'라고 부른다. 벼과에 속하는 산죽(조릿대)은 키는 작고 곱게 서서 자라며, 높이는 1~2 m, 뾰족하게 타원형으로 길고 바소꼴 모양인 잎의 길이는 10~25 cm이다. 줄기 마디를 털이 감싸고 자기를 보호하듯 마디마다 2개의 역모(逆毛)가 모여 있다. 청정지역 산에 가면 푸르게 자생하고 있는 것을 볼 수 있다. 산죽은 산속에 빽빽하게 모여 자라며, 자생하는 곳에서만 집단 서식한다.

원산지는 한국이나 일본 등지에 분포되어 남쪽지역에서 잘 자라며 4계절이 명확하게 구분되어 있는 곳에서 더 잘 자라는 산죽은 단년생 식물로써 외떡잎 식물이다. 산죽은 한국과 일본에서 관상용으로 심는다. 특히 일본은 온천 주위에 심는데, 그 이유는 4계절 푸르기 때문에 잎이 넓어 정원이나 공원 등에 관상용으로 경관을 예쁘게 꾸미는데 사용하고 있기 때문이다.

산죽 꽃은 5~6년 만에 핀다. 하지만 산죽 꽃을 지금껏 본 적은 없다. 그만큼 귀하다는 것이다. 산죽은 비옥한 토양에서도 잘 자라며 추위에 강하고 음지에서도 잘 견딘다.

정월 초하루 조릿대로 만든 복조리를 상가 입구와 안방 입구에 걸어 두고 복을 기원하는 전통 풍습이 있다. 그러나 최근에는 대부분 중국산 복조리가 싼값에 거래되면서 국산 복조리를 만들어 판매하는 업자도 사라지고 "복조리 사세요"라고 외치는 사람도 없어졌다.

조릿대로 만든 조리는 오래전부터 주방에서 쌀을 흔들어 돌을 고르는 용도로 사용해 왔다. 요즘은 정미소 기계가 현대화되어 쌀에 돌이 없어 조리를 사용하지 않고 있다. 조릿대는 가늘고 유연성이 좋아 여러 가지 조리, 바구니, 빗자루, 키, 생활용품과 공예품으로 사용하고, 약용으로도 쓰이고 있다. 조릿대를 구별하는 방법으로 얼룩 조릿대는 일본산이고, 국내산 조릿대는 푸르며, 줄무늬가 없는 것이 특징이다.

● 산죽(조릿대) ●

▶ **치료적 이용**

산죽은 산속 천지에 널려져 있지만, 모르면 나뭇가지이고 풀이다. 그러나 알고 보면 산죽은 100가지 질병을 치료한다고 한다. 산죽은 사계절 늘 푸르고 싱싱하여 필요할 때면 언제든 약용으로 채취하여 사용할 수 있다. 또한 독이 없어 누구에게나 잘 맞고 약용과 식용으로 쓰이고 있다.

알칼리성이 강한 산죽은 잎, 뿌리, 줄기를 잘게 잘라서 음지에 말린 후, 후라이팬에 한지를 깔고 볶아서 10 g~20 g 정도를 물에 넣고, 1시간 정도 차로 끓여 꾸준히 마시게 되면 산성 체질이 알칼리성 체질로 변하여 질병 예방과 건강에 도움이 된다. 또한 염증을 제거해주고 독을 풀어주어 열을 내리고 소변이 잘 배출하게 하며, 항암작용이 있어 암세포 억제 효과가 있다는 연구 결과가 있다.

『동의보감』에 인삼을 능가할 만큼 뛰어난 약성을 지녔다고 나와있는 산죽차는 고혈압, 당뇨병에 혈당을 내려주는 작용을 하고, 화병으로 가슴이 답답하여 막혀 있는 혈액을 뚫어주는 작용과 해열, 토혈에 사용하고, 피로 회복에 좋다고 기록되어 있다.

인제대학교 식품생명과학과 박소영의 「산죽(sasa borealis) 추출물의 항고혈압 효과」 연구 결과에는 산죽 잎에서 추출한 천연물질이 고혈압 약제인 로사르탄(losartan)의 부작용을 줄여주고, ACE 저해활성 및 ATI 수용체, 항산화 효과와 고혈압 개선 및 예방을 해주는 효과가 있는 것으로 나타났다.

일본에서 실험한 연구에 따르면, 산죽 추출물은 간 복수, 암세포에 대해 100% 억제작용이 있었고, 동물실험에서 암세포를 옮긴 흰쥐에게 산죽 추출물을 먹였더니 30일 뒤 종양세포의 70~90%가 줄어들었다.

또한, 동물실험 연구에서 산죽 추출물이 항(抗)비만에 효과가 있는 것으로 나타났다. 산죽 잎을 끓여 차를 마시게 되면 열수(熱水)추출물이 지방을 분해하여 소변으로 배출시켜 주기 때문에 다이어트와 혈관 건강뿐만 아니라 이뇨작용에 좋다.

전남대학교 일반대학원 식품영양학과 김영랑의 연구인 「조릿대 잎 추출물이 지방세포의 분화와 지질대사에 미치는 영향」에서 지방세포 분화 과정 중 조릿대(산죽) 잎 추출물을 첨가하였을 때 지방세포 분화 억제 효과가 큰 것으로 나타났다.

중국인들은 느끼한 음식을 즐겨 먹다 보니 식사 후 녹차를 즐겨 마신다. 녹차는 몸 속 내장 지방을 녹여 몸 밖으로 배출한다. 베트남은 중국 음식과 비슷한 튀김 음식이 많아 식사 후 재스민차를 즐겨 마시는데, 그 이유는 재스민차의 은은한 향과 맛이 코 끝을 자극해 기분전환에 좋고 스트레스와 우울감을 해소시켜 주기 때문이다. 재스민차에 함유되어 있는 항산화 성분은 노화와 암의 주범인 활성산소를 제거해 주고 있다. 재스민차는 혈관의 노폐물을 분해시켜 심장질환, 고혈압, 동맥경화를 예방하고 특히 여성의 생리통을 완화시켜 준다. 하지만 녹차와 재스민차보다 산죽차는 항암성분이 많고 질병 치료에 놀라운 약성을 지닌 것으로 『동의학사전』에 기록되어 있다.

산죽차는 성질이 차가워 열을 내려주고, 아미노산, 비타민, 칼슘, 철분이 함유되어 있어 만성간염, 위염이나 위궤양, 암 등 난치병을 완치시켜 이러한 놀라운 효과를 경험한 사례들이 방송된 바 있다.

산죽차를 꾸준히 복용하면 허약한 체질은 건강한 체질로 바뀌고, 산성 체질은 알칼리성 체질로 바뀐다. 간의 열을 내려주고 심신을 안정시켜 주기 때문에 갱년기 장애나 신경쇠약과 불면증에 좋다.

스트레스와 화병(火病)으로 간에 열이 찰 때 산죽차를 마시게 되면 열을 풀어주고 정신을 안정시켜 주어 혈당이 내려가기 때문에 당뇨, 고혈압, 동맥경화, 심장에 좋다. 산죽차는 염증을 없애주고 위궤양, 위염, 십이지장궤양에 놀랄 만큼 효능이 있어 난치병을 치료한다고 한다. 청량감이 있는 산죽은 여름철에 끓여 마시면 더위를 식혀주고, 뿌리를 잘게 썰어 그늘에 말렸다가 자주 끓여 마시면 잔병치레를 하지 않는다.

• 부작용

산죽은 찬 성질이므로 저혈압이나 손발이 차가운 사람은 주의해야 한다.

12. 재스민차

재스민은 쌍떡잎식물로서 물푸레나무과 영춘화속(Jasminum)에 속하고 지칭하는 학명은 Jasminum sambac이다. 재스민의 종류는 크레이프 재스민, 오렌지 재스민, 워터 재스민, 마다가스카르 재스민, 야래 향 재스민, 나무 재스민, 야간 개화 재스민, 컨페더레이트 재스민, 캐롤라이나 재스민, 케이프 재스민 등으로 춘화속 식물은 30여 종이 넘는다.

재스민은 인도, 베트남, 파키스탄, 부탄, 중국, 히말리아산맥, 동남아 열대 지역에서 분포되어 잘 자란다. 18세기 유럽에서 재스민의 달콤한 향을 얻기 위해 관상용으로 정원에 재배하여 삼박이라고 불렀다. 그러다 1783년 스코틀

랜드의 식물학자 윌리엄 아이톤(William Aiton)이 재스민을 연구하면서 '아라비아 재스민'이라 부르게 되었고, 프랑스 식물학자 찰스 플뤼미에(Charles Plumier)의 이름을 따서 '플루메리아 재스민'이라고 하였다. 또한 독일에 식물학자 오토 브룬펠스(Otto Brunfels)의 이름을 따서 '브룬펠지어 재스민'이라고 불렀다.

재스민의 달콤하고 진한 향은 향수의 재료에 사용되고 있고, 스트레스와 불면증 이뇨작용에 좋은 건강 차로 고가에 판매되고 있다. 재스민의 꽃이 아름다워 전 세계적으로 결혼식 장식용으로 많이 활용하고 있다. 재스민은 덩굴식물로 잎의 크기는 3~15 cm, 높이는 3 m, 꽃잎은 5~10개 정도 나누어져 있다. 열대 식물로써 연중 내내 꽃이 피고, 열매의 모양과 생김새는 아로니아와 블루베리처럼 비슷하여 구별하기가 어렵다.

재스민은 열대 식물이라 추운 겨울철에는 생존이 어렵고, 배수가 잘 되는 토양에서 잘 자라며 습하면 뿌리가 잘 썩는다.

생육 온도는 15℃~25℃가 적당하다. 온도를 유지하게 되면 1년에 3번 꽃이 핀다. 재스민 꽃의 색상은 연한 보라색, 흰색, 연한 연두색이고 단아하고 아름다우며, 향이 강해 오래전부터 향수와 아로마 오일, 차의 원료로 사용해 왔다. 재스민은 나팔꽃처럼 밤에 꽃이 피었다가 낮에는 꽃잎이 져버린다. 아름다움과 정조함을 지닌 재스민의 꽃말은 희생, 당신은 나의 것, 사랑의 기쁨 등이다. 그래서인지 재스민 꽃은 향수 원료와 차로 쓰이고, 잎과 가지는 차와 식용으로 사용하고 있어 버릴 것이 하나 없다. 꽃말처럼 자신의 아름다운 꽃과 가지, 잎까지 모두를 희생하고 있다.

인도네시아에서는 재스민 꽃을 결혼식에 장식하고, 밤에는 화려하게 영화를 누린다하여 '야영화'라 부르고 '숲속의 달빛'이라 부르며, 재스민 향수와 오일을 신혼부부 침대에 뿌리는 풍습이 전해 내려오고 있다. 아마도 진한 재스민, 아로마 오일 향에 취해 버리라는 의미일지도 모른다.

육안차, 홍차, 설록차, 우롱차, 녹차보다 중국의 황제들은 동양에서 가장 오래된 재스민차를 즐겨 마셨다고 한다. 우리나라에서 녹차를 구증구포(九蒸九曝)라 하여 아홉 번 찌고 말리듯이, 재스민차가 태어나려면 7~8번 반복하여 작업을 걸쳐야 1등급의 최고급 재스민차가 완성된다. 시간과 정성을 쏟은 만큼 고가에 판매되고 있는데, 요즈음은 가짜 재스민차가 기승을 부리고 있어 국가 인증 마크를 잘 보고 구매하여야 한다.

▶ **치료적 이용**

중국이나 베트남 등 동남아시아 지역의 요리는 튀김 요리가 많아 대체적으로 느끼하다. 그래서 식사와 함께 자연스럽게 녹차처럼 파란 차를 유리병에 담아 나온 그것이 바로 재스민차다. 베트남 사람들은 비만인들이 별로 없고, 안경을 쓴 사람들을 찾아보기 어렵다. 재스민차를 즐겨 마시는 데는 분명 이유가 있었다. 카테킨(catechin) 성분이 풍부하게 함유된 재스민차는 동물성 콜레스테롤을 배출시켜 주고 체지방을 감소시켜 다이어트에 효과적이다. 베트남 달랏, 다낭, 하노이를 여행하면서 달콤하고 진한 향이 코끝을 자극하여 도취되어 재스민차 효능에 푹 빠지게 되었다. 베이징에서 마셨던 재스민과는 맛과 향이 전혀 달랐다. 달랏의 재스민은 2,000 m 고산지대에 맑고 깨끗한 청정지역에서만 볼 수 있었다. 재스민차를 식사 후에 마시면 위염 환자에게 도움이 된다.

여성에게 좋은 브룬펠시아 재스민의 꽃과 잎, 뿌리는 비타민이 풍부해 기미, 주름, 피부 탄력을 개선시켜주고, 간의 해독작용으로 피로감을 해소해 갱년기 장애로 인한 호르몬 불균형을 개선시켜주며 생리불순에 도움을 준다. 브룬펠시아 재스민차는 세포 돌연변이 발생을 방지하는 놀라운 기능이 있어 혈관 건강에 좋다.

재스민 차를 마시면 머리가 맑아져 집중력이 향상되어 몸과 마음을 편안하게 안정시켜 줌으로써 우울증이 개선되는데, 이로 인해 스트레스와 중추신경계를 안정시키며 이뇨작용을 촉진시켜준다. 재스민은 염증과 통증을 완화시켜주고 콜레스테롤을 낮추어 주기 때문에 활성산소가 배출되면서 혈전, 당뇨, 고혈압, 동맥경화, 심근경색 등의 혈관질환 개선 및 예방에 도움이 된다. 재스민의 따뜻한 성질은 수족냉증을 개선시켜주는 데 효과가 있다. 재스민차는 항균효과가 있어 입 냄새를 억제한다. 재스민차를 마시면 곧바로 나타나는 증상은 소변 배출이 잦아지고 깊은 잠을 자다 보니 불면증 해소로 머리가 맑아져 스트레스 완화에 도움이 된다. 특히 재스민차는 손발이 차고 면역력이 약한 여성에게 좋다.

2018년 『Real foods』 인용 자료에 의하면, 브로콜리의 '인돌(indole)' 성분이 수명 연장에 도움이 된다는 연구 결과가 있다. 『미국국립과학원회보』에 실린 미국 에모리 대학의 동물실험 결과에서는 재스민의 '인돌' 성분이 수명을 연장하고 체중 감소와 노화를 억제하는 데 도움이 되는 것으로 나타났다.

● 재스민차 ●

• 부작용

재스민차는 하루에 두 잔 정도가 적당하고 소량의 카페인 성분이 들어 있어 불면증 환자와 임산부는 주의해야 한다.

13. 생강(체온 상승)

생강은 수천 년 전부터 향신료로 즐겨 먹었다는 기록이 있는 것으로 볼 때 오래전부터 재배해 왔던 것을 알 수 있다. 그리스 로도스섬의 주민이 생강의 독한 맛을 제거하기 위해 꿀과 생강 밀가루로 만든 과자를 만들어 먹었다는 기록이 있다. 생강의 역사는 우리나라에 11세기 중국에서 전래되어 왔으며, 오래된 역사를 가지고 있다. 현재 생강의 주요 생산국은 일본, 인도, 중국, 아프리카, 자메이카 등이다. 고원지대의 말레이시아, 인도에서는 생강을 노란색 물감의 원료로 사용하고 있다. 생강에 대한 역사적 기록으로는 약 2500년 전 중국에 살았던 공자가 생강을 가장 즐겨 먹었다는 기록이 있다. 공자는 매 식사 때마다 생강을 음식이나 차로 즐겨 먹었다고 한다. 우리나라에는 고려 현종(1018) 때 생강을 재배했다는 기록이 있다. 그러나 훨씬 더 빠른 신라 말쯤에 전래되었을 것으로 보는 견해가 지배적이다.

생강의 원산지 인도에서는 생강을 신이 준 치료의 선물이라고 하며, 만병통치약으로 부른다. 생강차 덕분에 냉증이 없어지고 체온이 올라가서 몸이 따뜻해져 아팠던 증상이 사라졌다는 임상 결과가 있다. 몸의 체온이 올라가면 만병을 치유하는 힘이 생긴다.

영국의 외과의사 제임스 린스는 생강을 자주 먹으면 괴혈병(壞血病, 비타민 C 결핍증)을 막아준다고 한다.

『동의보감』을 보면, 말린 생강(건 생강)은 몸속 차가운 기운인 음의 기운을 제거하고, 소화 기능을 담당하는 양기를 돋아주어 소화작용이 잘 되게 하며, 오장육부를 따뜻하게 함으로써 혈액순환을 원활하게 잘 되게 한다고 기록되어 있다.

중국의 의학 서적 『상학론(傷學論)』을 보면, 생강은 몸을 따뜻하게 하고 오장육부의 장기를 자극하여 혈액 순환시키기 때문에 몸을 따뜻하게 한다고 했다. 또한 『본초강목(本草綱目)』에서는, 생강은 여러 가지 질병을 방어한다고 되어 있다.

기의 흐름을 더욱 원활하게 하여 냉증을 치료하는 데는 생강이 최고이다. 생강은 체온을 상승시켜 혈액순환과 면역력을 높여 주어 기혈을 소통하게 하고 불필요한 체내의 체액을 제거하며 장기의 활동을 활발하게 한다. 그 뿐만 아니라 생강을 차, 음료 등으로 자주 먹으면 체온이 올라가 생리불순, 통증, 우울증, 비만, 어깨 결림, 두통이 사라진다.

생강은 좀 맵고 씁쓸하지만, 설탕에 재워서 숙성시켜 15일이 지나면 발효되어 매운맛이 사라지고, 맛과 향이 난다.

한약을 지을 때 생강 몇 조각을 넣는 이유는 생강이 독을 제거하고, 약효를 향상해 구토를 억제하여 한약의 맛을 좋게 해주기 때문이다. 반하(半夏)라는 약재는 가래, 담(痰)을 제거하는 한약이다. 몸의 수분 대사가 잘 안 되어 소화기가 약한 사람을 치료하기 위해 반하의 독성 때문에 부작용으로 구강이 마비 증상이 일어나기도 하는데 생강을 넣으면 부작용이 현저하게 줄어든다. 생강은 반하의 독을 제거해 주고, 좋은 약성을 만들어 주는 역할을 한다. 생강은 몸에 들어가면 강한 발산작용을 하여 빨리 퍼지기 때문에 감기에 걸렸을 때 생강차를 마시면 생강의 매운맛이 단 시간 내에 약효를 볼 수 있다. 생강은 구토를 억제하는 기능이 있어 위장을 편안하게 하고 소화 장애를 없애주어 한약이 잘 흡수되도록 도와준다. 의료용 한약이 150여 가지 정도인데, 한약을 지을 때 약 70%가 생강이 들어가는 이유는 다른 약제들과 혼합하여 중화 작용을 하기 때문이다.

식사할 때 반드시 생강 한 조각만 먹어도 우리는 간단하게 건강을 지킬 수 있다.

40~50대부터 우리는 갱년기 이상으로 불면증으로 인해 호르몬이 깨지면서 각종 질병이 생긴다. 당뇨병, 고혈압, 갑상선, 관절염 등으로 소화작용이 떨어지면서 가스 배출이 잘 되지 않아 배가 나오고, 비만에 대사 조절이 안 되어 질병들이 생기면서 체온이 떨어져 노화가 시작된다. 노화를 막으려면 체온 36.5℃~37.1℃를 매사에 관리하여 유지한다면 미리 질병을 막을 수 있을 것이다.

현대인들은 바쁜 일상 속에 맞벌이 부부들이 많다. 그러다 보니 쉽게 슈퍼에서 생 생강을 사서 곧바로 요리에 넣는다. 생 생강보다는 말린 생강이 약성이 10배가 높다는 것을 알아야 한다.

말린 생강은 여성의 자궁을 따뜻하게 하고, 혈액순환 장애를 막고, 신진대사를 원활하게 하여 여성 질환을 완화시켜준다. 생 생강보다는 말린 생강이 칼륨, 칼슘, 비타민, 철분이 풍부하여 감기 예방에 좋고 면역력을 높여 준다. 환절기에 자주 마셔주면 좋다.

말린 생강은 장 내에서 유익균의 생존과 증식을 유도해, 장의 기능을 높여준다. 생강의 열을 내는 성분과 매운맛은 장의 차가운 기운을 없애고 암을 유발하는 염증 인자를 막아 대장암을 예방해 준다. 말린 생강은 진통 및 염증 질환을 예방하고 개선시켜 준다.

말린 생강의 매운맛 성분이 혈소판의 응집을 억제해 딱딱하게 굳는 것을 막아주고 혈전을 막아 심근경색과 뇌경색, 고혈압 예방을 개선시켜 주고 있다는 연구 결과가 있다. 매운맛을 내는 양파, 마늘보다 생강이 혈액순환에 효과가 높아서 혈액 응고를 막아주는 좋은 음식이다.

생강의 진저롤(gingerol) 성분은 위장 운동을 활발하게 하고, 해열작용과 소화액의 분비는 물론 헬리코박터균의 증식을 억제하여 소화 촉진 및 위 질환을 예방해 주는 탁월한 효과가 있다.

노화가 시작될 때, 생강을 생강차, 생강 절편, 생강 식혜 등 생강 분말로 더 많이 이용하면 체온을 높이는데 도움이 되며, 음식에 접목하여 쉽게 먹을 수 있어서 스스로 건강관리를 할 수 있다. 필자는 바쁜 일상 속에서 성인병을 예방하고 건강관리를 하기 위해 면역력을 올려주는 말린 생강을 음식과 차로 이용하여 먹는다.

▶ 치료적 이용

맛과 향을 지닌 생강은 향신료로 알려져 있다. 우리나라에서는 생강을 생선 비린 맛을 잡기 위해 사용하고, 김치에 향신료로 사용하고 있다. 생강에는 다양한 지방류, 구리, 아미노산, 펜토산, 단백질, 코발트, 아연, 비타민, 진저롤(gingerol), 철, 망간, 니켈, 게르마늄 등이 함유되어 있어 감기와 해열, 소화 촉진 작용을 하여 건강 차원에서 생강 견과, 생강차 등을 개인 입맛에 따라 섭취하면 된다. 한의학에서 생강은 담즙을 제거하고 위장 운동을 촉진시켜 몸의 종기를 멈추게 하고, 생강의 매운맛은 혈액순환을 도와주어 체온을 상승시켜주며, 항균효과가 있어 한약재로 많이 쓰이고 있다.

우리 몸에 활성산소가 쌓이게 되면 노화를 촉진하고 각종 성인병이 유발되며, 세포 변화로 인해 다양한 질병에 걸리게 된다. 활성산소를 제거하는 역할을 담당하는 생강의 매운맛에는 진저롤(gingerol)과 쇼가올(shogaol) 성분이 들어있기 때문에 세계적으로 유명한 생강 연구가 이스라엘의 베어 콘 박사와 덴마크 오덴스 대학의 스리바스타바 박사는 건강을 유지하기 위해 생강을 매일 복용한다면 적정량은 마른 생강 1 g이라고 발표하였다.

어떤 관절염 환자는 생강을 먹고 통증이 줄어들었다고 한 사례가 있다. 자가면역질환이 떨어지면 류머티즘성 관절염이 오게 되는데 생강을 섭취하면 면역력이 완화되어 관절염에 도움이 된다.

초밥이나 회를 먹을 때 생강을 곁들여 먹는 이유는 생강에 강한 살균 작용이 있기 때문으로, 회와 생강은 궁합이 잘 맞아 함께 먹으면 식중독을 예방해 주기 때문이다.

연구 결과 진저롤(gingerol) 성분이 대장암 세포를 억제한다고 밝혔다. 그리고 남자의 원기 회복에 좋은 생강은 정력제라고 불린다.

콜레스테롤을 억제하고 심근경색, 뇌경색, 혈전증, 동맥경화를 예방하고 싶다면 매일 생강가루를 3 g씩 섭취하는 것이 좋다. 그러면 LDL 콜레스테롤에 지방 단백질을 낮추어 심장질환의 산화 단백질이 23%가 감소하게 된다. 구토감을 억제하는 생강은 임산부의 입덧을 완화해 준다. 생강은 황산화제를 갖고 있어 면역력이 떨어진 사람이 복용하면 면역력이 향상된다.

숙명여자대학교 류혜숙 박사의 「생강과 참취 추출물이 마우스 면역기능에 미치는 영향」 연구에 의하면, 생강의 생체 실험을 통해 염증성 사이토킨이 분비되는 효과와 클로로폼 분획물에서는 면역 활성이 되었고, 항원 항체 생성능을 증가시켰더니 면역이 증강되는 효과가 나타났다.

● 생강차 ●

• 부작용

생강은 체온을 올려주고 찬 기운을 몰아내어 몸을 따뜻하게 도와주고, 혈액 순환이 작용되어 혈관을 확장해 주기 때문에 열이 많은 사람은 생강을 적절하게 소량을 섭취하는 것이 좋다. 생강의 매운맛은 공복 시 복용하게 되면 위 벽을 손상시킬 수 있다.

14. 피칸(pecan)

피칸은 1847년부터 재배하기 시작하였으며, 온대지역 호주와 미국, 멕시코, 북아메리카, 남아프리카, 오스트레일리아에 분포되어 자생한다. 호두나무과에 속하는 피칸은 산이나 들에서 재배하고 크기는 약 25~50 cm, 지름은 2 cm로 여러해살이다. 피칸 생산량의 80%가 미국에서 생산되기 때문에 피칸의 원산지는 미국이라 할 수 있다. 암꽃은 3~6개 꽃이 빽빽하게 무리 지어, 열매가 익으면 2 cm 정도 크기의 반들반들한 타원형 4조각으로 벌어진다.

열매는 껍질은 얇고 직사각형이다. 그러나 수꽃은 꽃가루를 생산하고 미상꽃차례(catkin)로 가늘고 길다. 수컷이 없으면 암컷에 열매가 맺지 않는다. 은행나무처럼 꼭 수컷과 암컷이 함께 마주보아야 열매를 맺는다. 잎은 긴 가시 모양으로 갈라져 있다. 피칸은 병충해에 강하고 습기에 강하며 영양이 풍부하고, 수백 년의 수명을 지니고 있다. 피칸은 암나사, 견과류, 과자 원료, 식용으로 활용하고, 피칸 목재는 골프, 스키용품으로 사용한다 하여 경제적으로 도움을 주는 나무라고 할 수 있다. 호두처럼 인간의 뇌를 닮은 피칸의 열매 크기는 2 cm 정도이며, 피칸의 모양과 크기가 호두와 비슷하고 자세히 보면 호두를 절반으로 나누어 놓은 모양처럼 생겼다. 뇌처럼 생긴 피칸은 뇌혈관에 좋다. 피칸은 견과류의 여왕이라 부른다.

● 피칸 ●

▶ **치료적 이용**

피칸은 항산화 성분과 각종 불포화 지방이 풍부해 혈당을 감소시키고, 혈전의 생성을 막아주고 혈관 벽의 노화를 늦추기 때문에 혈관 건강에 최고의 건강식이다. 항산화 지수를 비교한 결과 피칸이 17,940, 아몬드 4,454, 땅콩 3,166이다(출처: 미국 영양식품위원회, 단위: g/ 100 g).

땅콩과 비교하면 피칸이 6배 가량 월등하게 항산화 지수가 높았으며, 아몬드와 비교하면 3배 정도 높았다. 피칸은 뇌혈관을 깨끗하게 청소해주고 비타민과 엽산이 풍부해 꾸준히 섭취하면 나쁜 콜레스테롤의 33%가 산화되어 감소한다는 연구 결과가 미국 로마린다 대학에서 확인되었다. 유해 활성산소를 억제하여 뇌혈관을 보호해 주기 때문에 치매, 알츠하이머, 뇌경색, 우울증, 그리고 심혈관 질환과 뇌혈관 질환을 예방하는 효과를 볼 수 있다. 신진대사를 활발하게 하여 포만감을 향상시켜 주고, 단백질과 지방이 풍부해 다이어트에 좋은 견과류이다. 심장 혈관과 동맥 혈관에서는 나쁜 저밀도(LDL) 콜레스테롤이 증가하게 되면 질병을 유발하게 된다. 피칸은 이러한 좋지 않은 LDL 콜레스테롤을 감소시켜 주고, 고밀도 지단백질(HDL)이 건강에 좋은 콜레스테롤을 높여 뇌 심혈관 질환을 예방하는 데 도움을 준다. 또한 남성의 전립선암과 폐암에 좋은 비타민 E(감마 토코페롤)와 항산화 성분이 피칸에 풍부하게 함유되어 있다. 우리 몸의 신진대사를 높여 주고 적혈구를 만들어 주는 비타민 K와 비타민 E는 세포를 활발하게 만들어 주는 역할을 한다. 피칸에는 이러한 비타민 A, 비타민 B, 비타민 C, 칼슘, 칼륨, 미네랄 비타민이 함유되어 있어 노화를 방지하는데 효능이 있다. 비타민 E는 단시간에 복부 비만 다이어트를 하는 데 도움을 준다. 피칸에 함유된 아연은 지방이 쌓이는 것을 막아주고, 마그네슘은 혈당 수치를 낮추어 당뇨에 좋은 견과류이다. 미국 연방 행정부의 부처인 농무부가 227종류의 견과류를 조사한 결과, 항산화 성분이 가장 많은 1위가 피칸이었다. 질병으로부터 망가진 세포 손상을 막아주는 항산화 물질, 망간(manganese)이 풍부하게 함유되어 면역력을 증대시켜준다. 또한 피칸의 아미노산(L-아르기산)은 모발성장에 도움을 준다. 그리고 섬유질이 풍부해 변비를 예방해 주며, 염증 완화와 뇌 기능 개선에 효능을 지녔다.

보스턴 터프츠 의과대학에서 국제학술지인 『영양학회지(Nutrients)』에 발표한 바에 의하면 당뇨병과 심장병을 앓고 있는 과체중의 비만 중년 남녀에게 4주간 피칸을 섭취하게 하였더니 심혈관 질환과 당뇨병이 호전되는 것으로 나타났다. 이 연구 결과, 피칸의 비타민, 생체 활성 식물 화합물, 필수 미네랄, 풍부하게 함유된 불포화 지방산이 성인병에 효과가 있다고 밝혔다.

• 부작용

피칸은 하루에 20개 이상을 과다하게 복용하면 복통과 설사를 유발한다.

고열량 식품인 피칸은 100 g당 678 kcal로, 과다하게 복용하면 체중이 증가되므로 하루 섭취 권장량을 지키는 게 중요하다.

• 복용방법

① 피칸 20개, 호두 10개, 잣 20개를 넣고 분쇄한다.

② 분쇄한 다음 다시 꿀, 우유를 넣고 갈아 마시면 된다.

4

면역력을 높이는 물
(지하 암반수)

'좋은 물만 마셔도 90% 이상은 성인병을 예방'

우리의 몸은 70%의 물로 구성되어 인간이 태어나 죽을 때까지 생명을 유지하는 것도 물이다. 이러한 물이 몸에 60%이면 고질병 암, 중풍, 치매, 혈압, 당뇨병, 갑상선 등이 왔다는 예고인 것이다. 50%의 물은 내 몸에 순환이 안 돼서 어딘가 하수구가 막혀 흐르지 못하여 있다는 적신호이다. 인간의 몸은 물이 50%가 되면 사망에 이르게 된다.

그래서 "사람이 건강을 유지하려면 하루에 물 2 L를 복용하라"는 말의 의미는 몸에 혈액순환이 잘 되게 하려면 꼭 물을 챙겨 먹어야 노화뿐만 아니라 질병을 예방할 수 있다는 것이다. 세계보건기구(WHO)에 따르면 물만 잘 마셔도 90% 정도 질병을 예방할 수 있다고 한다. 우리 몸의 면역력을 높여 주는 물은 소화, 노화, 순환, 체온, 배설, 혈압 등을 조절하고 피부를 탱탱하게 해준다. 맑고 차가워야 물이 살아 있다고 볼 수 있다. 물은 마시는 물로 마셔서 탈이 나지 않아야 한다.

암반수는 빗물이 고여 땅속의 바위 아래에 흐르는 물이다. 3개 이상의 수맥이 만나서 각 구간에 10개 이상이 모이는데, 이를 수중 펌프를 사용해 지상으로 끌어 올리고 건강에 유익한 수질검사를 통해 유해성분이 함유되어 있는지 파악한 다음 음용수로 사용해야 한다. 지표층에는 암반이 없다. 암반수는 평균적으로 30~40 m 이상 아래에 있으며, 천연 암반수에는 다양한 천연미네랄 약 20여 종이 함유되어 있다. 그래서 백두산 OO 암반수, 제주 OOO 암반수, 충청 OO 암반수 등이 천연 알칼리수로 시중에 판매되고 있다.

암반수는 300 m, 400 m, 500 m라고 좋은 암반수가 아니라, 주변 환경이 깨끗해야 하며, 지하수 성분(암모니아, 염소, 탄소수소나트륨) 등이 건강을 해칠 수 있어 축사, 공장, 광산 등이 없는 지역의 오염되지 않은 물을 마셔야 한다. 또, 지하수는 적어도 150 m 아래에서 끌어 올려야 좋다. 암반수의 경우는 지하 300 m 아래에서 올리게 되면 알칼리수일 뿐만 아니라 몸에 좋은 다양한 성분들이 치매, 암, 중풍, 성인병 등에 도움이 된다. 지하수는 수질검사를 2년에 한 번은 꼭 하는 것이 바람직하다.

프랑스의 에비앙 물 사업은 1843년에 발달하여 170년이 되었고, 연간 150만톤이 생산되어 150개국에 90만톤을 수출하고 있어 전 세계적으로 유명하다. 이에 반해 우리나라는 프랑스보다 167년이나 뒤늦게 2010년경부터 물 산업이 활발히 움직이게 되었다. 우리나라는 1968년부터 지하수 개발이 시작되어 대암반지하수(岩盤地下水)와 지하수자원에 대한 과학적인 수맥도(水脈圖) 측정을 위해 지하수 수위등고선도(水位等高線圖)를 이용, 지하수의 물줄기 흐름 방향을 알아낼 수 있게 되었다.

보해소주 측은 수질검사를 서울대학교 농업생명과학대학 농생명과학 공동기기원에 의뢰하여 'ND (Not Detected)' 판정을 받았다. '검출 한계 미만'은 우라늄이 검출되지 않았다는 것을 의미하고 있다.

▶ **치료적 이용**

제주 지하 화강암 암반수는 국내에서 유일하게 세포 활성 효과에 좋은 바나듐(vanadium)이 함유되어 있다. 우리 몸에 바나듐이 부족하게 되면 신장질환과 심혈관질환, 생식기질환 등 여러 가지 질병에 걸리게 된다.

미네랄 중의 하나인 바나듐은 치아뿐만 아니라 골다공증에 효능이 있어 수시로 마시면 콜레스테롤을 낮추어 혈압과 동맥경화증을 완화시켜주며, 활성산소를 제거해주어 항암효과와 성인병을 예방해준다. 천연 암반수는 미네랄이 풍부해 목욕에 이용하면 피부가 매끄러워지고 피부병에 탁월하며 물맛이 부드럽다.

면역기능 회복에는 지하 암반수가 최고이다. 몇 년 전 골다공증으로 병원처방을 받아 약을 복용하였으나, 일주일에 세 번, 지하 암반수를 가져와 칠보석(七寶石)에 24시간 동안 담가서 마셨더니 통증 완화에 효험을 보았다.

필자가 대체의학 박사과정을 공부할 때 동양의학에서 암반수를 마시게 되면 골다공증에 효능이 있다는 말에 귀가 솔깃하여 연구 논문들을 찾아보고 직접 체험하여 내 몸을 치유하게 되었다.

● 지하 암반수 ●

MBN 시사/교양 프로그램인 [천기누설]에서는 공기리라는 마을의 한 주민이 후두암에 걸려 말하기조차 힘들고 음식을 씹기조차 어려우며 숨쉬기가 힘들었는데 천연 암반수를 마시고 후두암이 치료되었다는 방송이 나왔다.

제주대학교 의학전문대학원 고과표 교수팀 연구진의「제주 지하수가 당뇨병 치료에 효과」연구 결과는 국제 저명학술지에 세계 최초로 실렸다.

지하 천연 암반수에는 천연미네랄이 다양하게 함유되어 단백질, 탄수화물, 비타민, 지방 등 우리 몸에 필요한 5대 영양소와 칼슘, 칼륨, 인, 나트륨, 마그네슘 등이 함유되어 있다. 물이 부족하면 급속도로 노화되고 미네랄이 부족하면 인체의 균형이 깨져 신진대사에 문제가 생겨 다양한 질병들이 발생하게 된다. 그래서 물을 하루에 2 L 정도 마시게 되면 몸에 순환이 잘 되어 피로 회복과 인체 면역기능 회복에 도움을 주고, 감기 또는 다양한 성인병 예방에 효과가 있는 것으로 알려져 있다.

질병관리본부가 2010~2011년에 국민건강영양조사에서 노인 대상으로 2,876명을 조사한 결과, 몸의 영양이 부족하거나 불균형한 것으로 나타났다.

50대 이후 노화가 진행되면서 칼슘이 빠져나가는데, 연령이 증가할수록 남자에 비해 여자가 더 심각하였다. 특히 노인 5명 중 1명은 칼슘부족으로 나타났다. 노인의 영양 상태가 불균형하여 노인의 식생활에 개선이 절실히 필요하다.

지하 암반수 바나듐은 항산화 작용과 항암효과가 있고 뼈와 치매에 좋은 규소가 함유되어 있어 질병을 예방하는 데 도움이 된다.

요즘에는 마트에서 물을 구매할 때도 깐깐하게 따져가며 구매하는 소비자가 늘고 있다. 좋은 물만 마셔도 80% 이상은 성인병을 예방할 수 있다. 그래서 최근에는 400 m, 500 m 지하 암반수를 이용하여 버섯 재배, 목이버섯 재배를 하고 있어 주목을 받고 있다. 숙성시킨 암반수가 다양한 성인병에 면역력을 높여 주는 효과가 있다고 경북대학교 정규식 박사의 임상 시험에서 입증되었다.

좋은 술은 좋은 물맛에서 비롯되고, 좋은 물로 악된장과 악간장이 만들어진다. 장을 담글 때 좋은 물에서 장맛이 결정되는데, 오래 두고 먹을수록 장이 변질되지 않는다고 한다. 그래서 옛 선조들은 장을 담글 때 약수를 떠다가 끓인 다음 식혀서 된장을 띄웠다. 그렇게 만든 된장은 발효가 촉진되어 깊은 맛을 낸다. 발효효소 음식을 만들 때 미네랄이 풍부한 암반수를 넣게 되면 규산, 인산, 칼륨, 마그네슘에 의해 빠르게 발효되지만, 미네랄 함량이 낮은 물을 넣게 되면 발효가 더디어 쉽게 변질된다.

20년 전 여행 중 청주에 있는 초정리 광천수를 들리게 되었다. 세종대왕이 60여 일 머물면서 앓고 있던 안질을 고쳤다는 일화로 유명한 곳이다. 영국 나포라나스 광천수, 미국 샤스타 그리고 우리나라의 초정리 광천수는 광천학회가 선정한 세계 3대 유명 광천수이다. 초정리 광천수에는 철분, 칼륨, 칼슘, 마그네슘, 라듐이 함유되어 있어 '이 물로 목욕을 하면 병이 낫는다'고 청주 초정리 약수의 팻말에 적혀져 있었다. 산성 체질을 알칼리성 체질로 바꿔 체질 개선 효과가 탁월하다. 초정리 광천수가 몸에 좋다고 하여 욕심을 내어 집에 가져 왔으나 심한 탄산 성분 때문에 마실 수가 없어 먹지 못하고 버렸던 적이 있다.

물이 부족하면 우리 몸은 노화와 여러 가지 질병을 일으킨다. 하루에 7~8잔 2 L의 물을 마시게 되면 혈액순환이 잘 되어 피부 노화와 감기, 질병을 예방하며, 수분이 부족하면 순환이 되지 않기 때문에 젊어도 얼굴이 푸석푸석하여 주름이 생기고, 뱃속이 차가운 음(陰)의 성질이라 소화가 안 되어 소화 장애로 인해 몸이 차갑고 성격이 예민하여 신경질적이다. 이런 사람은 대체로 찬물을 좋아하고 하루에 물 한 컵 이상은 마시지 않는다.

여자의 경우, 생리통으로 고생하고 순환이 안 되어 손발이 차갑기 때문에 여러 가지 질병에 노출되기 쉽다. 하루에 7~8잔의 물을 항상 따뜻하게 마시면 음(陰)의 체질도 양(陽)의 성질로 바뀌어 혈액순환이 잘 되어 건강한 체질로 바뀌게 된다. 물만 잘 마셔도 보약이 따로 없다. 암 환자의 경우, 순환이 안 되어 죽는다. 그러다 보니 양의학에서 온열요법과 면역요법, 식이요법, 대체요법으로 암 환자를 다스린다. 암 환자는 과일이든 물이든 모든 음식을 따뜻하게 섭취하여야 한다.

• 천연 암반수 •

• 부작용

부종이 있거나, 갑상선 저하증을 앓고 있거나, 신장기능이 좋지 않거나, 부정맥이 있는 사람이 물을 과다하게 섭취하면 저 나트륨 혈증이 생길 수 있어 하루에 2 L 이상은 섭취하지 말아야 한다.

"꿀조언"

1. 걷기 운동 효과(걸을수록 뇌가 젊어진다)

걷기 운동의 놀라운 효과는 운동 부족으로 연관된 암, 비만, 고혈압, 어깨 결림, 요통, 심근경색, 통풍, 협심증, 치매, 골다공증 등 다양한 질병을 예방한다. 연구 조사에 의하면 심근경색에 걸리지 않으려면 하루에 1만보 이상 걸어야 한다는 연구 결과가 있다. 운동하기 전에는 스트레칭을 해야 하며, 20분마다 수분을 섭취하면 운동의 효과를 높여 준다.

유산소운동인 1시간 걷기 운동을 하면 약 200 kcal가 소모된다. 일주일에 3~4회를 꾸준히 운동하는 습관이 매우 중요하다. 그러나 흔히 사람들은 작심삼일 하다가 포기하는 경우가 다반사이다.

하체 근육의 혈류를 증가시키는 걷기 운동이 새로운 모세혈관을 생산하여 기초 대사량을 높여 주고 에너지 소비량을 높여 주기 때문에 근육의 수축과 이완이 반복되면서 혈압이 개선되고 호르몬 분비가 억제되므로 고혈압이 있는 사람에게는 시너지 효과를 준다.

심장질환에 걷기 운동은 자동차의 브레이크와 같다. 하반신에 뭉친 혈액을 풀어주어 혈액순환이 원활하게 심장으로 전달되면서 심장병 예방에 도움을 주기 때문이다.

60년 전만 해도 자가용이 없던 시절이라 대중교통을 이용하고, 하루에 몇 십 리를 걸어서 학교에 다녔던 시절이 있었다. 그 시절 지금처럼 비만과 성인병들이 없었던 것은 많이 걷고 많이 움직이면서 농수산업을 수작업으로 하였기 때문이다. 그때는 지금처럼 비만, 당뇨병, 고혈압, 심장질환, 암 등의 난치병들이 흔치 않았다. 그러나 최근 들어 가정마다 승용차 한 대는 기본이고, 대중교통에 익숙하여 편리해지면서 걷는 것 자체를 싫어하다 보니 운동 부족으로 연관되는 치매, 고혈압, 뇌졸중, 심근경색증, 암 등 위험한 고질병들이 발생하고 있다. 걷기 운동은 몸을 움직여 찬 냉기를 몰아내고 혈액을 정화해 피를 맑게 하여 성인병을 예방하는 효과를 가져다준다.

걷기 운동의 직립 자세는 엉덩이 등 항중력근을 발달시키고, 두뇌 세포가 활성화되므로 인지기능이 완화되어 치매에 좋다. 하체를 단련하면 칼슘이 부족해서 오는 골다공증과 요통 및 허리와 무릎 통증을 완화시켜준다. 편안하게 걸으면 뇌의 알파파(brain wave)가 나오면서 기분이 좋아지고, 우울증과 스트레스에 도움을 준다. 걷기 운동은 과격하게 걷는 것보다는 내 몸의 상태에 맞게 하여야 하며 무리한 운동은 금물이다. 바른 자세로 꾸준히, 장기간 지속해서 걷는 것이 중요하다. 성인병에서 벗어나려면 하루 1시간 이상의 유산소 운동으로 고지혈증, 비만, 고혈압, 당뇨병, 심혈관 질환 예방과 치료 효과를 볼 수 있다. 유산소 운동은 심신을 안정시켜 주고 스트레스를 완화시키며 폐활량을 좋아지게 하고 건강을 유지시켜 준다. 유산소 운동은 체지방이 감소되어 비만에 효과적이다. 서울아산병원의 노인 1,348명을 분석한 결과, 1분에 40 m도 못 걷는 거북이 노인의 사망 위험이 2.5배 높다고 한다. 노인의 걷는 속도가 떨어질수록 건강이 악화할 위험이 크다.

일본의 뇌과학자 오시마 기요시 박사는 "걸을수록 뇌가 젊어진다"라고 한다. 걷지 않으면 뇌는 굳는다. 움직인 만큼 뇌가 젊어진다.

요양원에 있는 노인들은 대체로 걷는 자체를 싫어하고 누워 있기를 좋아한다. 그래서 장기요양등급을 보면 치매 등급으로 입소한 경우가 99%이다. 이에 필자의 요양원에서는 오전, 오후 두 차례 걷기 운동을 매일 하고 있다.

국제학술지 노인의학 분야에 게재된 한 대학의 연구소의 연구 결과에는 일주일에 세 번씩 느긋하게 걷기만 해도 학습, 집중력 및 추상적 사고 능력을

15%나 끌어올릴 수 있다는 연구 결과가 있다. 임상노화연구에서 노인의 건강 핵심 지표는 적절한 보행속도를 유지하여 걷는 것이고, 이는 인지능력 향상과 더불어 스트레스, 불면증, 우울증이 감소되어 심리상태가 긍정적으로 변화된다.

● 걷기 운동 ●

2. 맨발 걷기 효과(발은 인체의 축소판)

발바닥은 인체의 축소판이라고 부르며 제2의 심장이라고 한다. 혈관질환의 주범은 심장이며, 심장이 건강해야 질병에 걸리지 않는다. 발바닥에는 오장육부의 반사구가 있다. 맨발로 걷게 되면 혈액순환이 잘 되어 몸이 이완되고 머리가 맑아져 몸이 가벼워지고 피곤함이 사라진다. 사람이 죽을 때 심장에서 가장 먼 곳인 엄지발가락부터 죽는다. 엄지발가락은 두정엽 머리에 해당하며, 혈액순환이 잘 되어야 심장질환과 고혈압 등을 예방한다. 오장육부가 발바닥에 있어서 맨발로 걷게 되면 혈액순환이 잘 될 뿐만 아니라 소화 기능과 중추신경질환에 의한 치매와 불면증이 개선되고, 내분비 질환을 예방하여 머리가 가벼워지기 때문에 면역력이 향상된다. 맨발 걷기 운동을 할 경우 각 분야의 장기와 연결되어 혈액순환이 좋아짐에 따라 면역력이 높아져 자가치유가 된다. 몸이 피곤할 때 발 마사지를 하게 되면 전신이 이완되어 잠이 스르르 오게 된다. 즉, 발바닥 반사구를 마사지하면 이완되어 오장육부가 편안해진다는 뜻이다. 정신과 질환에 스트레스는 만병의 원인이 되고 활성산소를 만들어 내어 무서운 암을 유발하기 때문에 일상생활에 어려움을 겪게 된다. 연구에 의하면 맨발 걷기 운동은 스트레스성 질환 해소와 학습능력 향상에 효과적이라는 결과가 있다. 맨발 걷기 운동은 머리가 맑아지므로 기억력이 좋아지고 치매를 예방하고 스트레스를 완화시켜주어 불면증 완화 숙면 유도에 도움을 준다. 또한 당뇨와 고혈압 대사증후군 질환을 예방한다.

2015년 미국 피츠버그 대학교의 제임스 오슈만 박사(James L. Oschman) 연구팀은 "맨발이나 손 등의 신체가 지구 표면과 직접적으로 접촉하는 것은 염증, 면역반응, 상처치유, 만성 염증 및 자가면역질환의 예방 또는 자연치유에 도움이 된다"고 『인플라메이션 리서치』를 통해 발표한 바 있다.

황토길에서 맨발로 걷게 되면 황토에 천연항균 물질의 미생물과 효소가 함유되어 스트레스 해소와 심신을 안정시켜 주고 심폐기능이 좋아져 폐활량이 높아지고 면역기능이 올라간다. 맨발 걷기 운동은 아무 곳에서 하면 절대로 안 된다. 바닥에 유리 조각이나 돌이 있으면 발에 상처와 골절이 될 수 있어 주위를 살펴보고 걷는 것이 중요하다. 맨발 걷기는 발에 지압을 해주기 때문에 너무 빨리 걷는 것보다 자연과 대화하듯 천천히

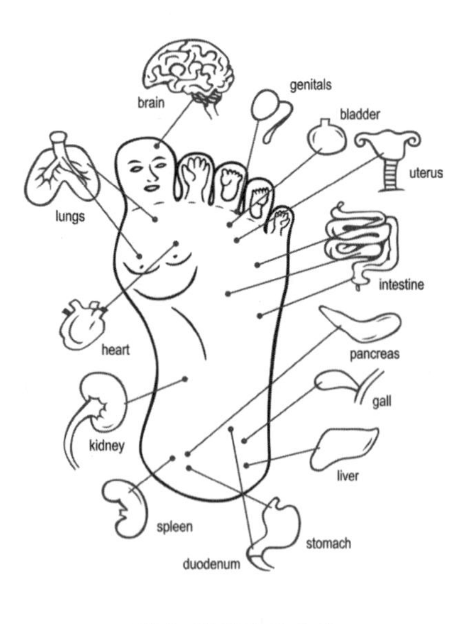

● 발은 인체의 축소판 ●

편안하게 걷는 것이 좋다. 신진대사를 활발하게 하는 맨발 걷기 운동은 하루 30~40분 정도가 적당하다.

● 맨발 걷기 ●

내 몸을 살리는 보완 · 대체요법

참고문헌

1. 강기태, 「수맥과 난치병에 대한 고찰」, 『한국정신과학회 학술대회논문집』, 한국정신과학학회, 2019년
2. 고과표, 「제주물의 당뇨병 치료효과」, 『Evidence-Based Complementary and Alternative Medicine』, 2014년
3. 김영랑, 「조릿대 잎 추출물이 지방세포의 분화와 지질대사에 미치는 영향」, 전남대학교 대학원 석사학위논문, 식품영약학과, 2008년
4. 김종순, 저준위 방사선으로 인한 인체 영향을 줄 수 있는 면역기능 증진 효과 등 방사선 호르미시스(Radiation Hormesis)를 국내 최초로 연구, 2006년
5. 김창규, 『수맥 그리고 현대인의 건강』, 대학서림(2008)
6. 김현경, 「열처리된 브로콜리 추출물의 항염증 효과」, 『Journal of the convergence on culture technology : JCCT = 문화기술의 융합』, 5(2), 2019년, pp.397-404
7. 김호년, 「지자기, 혈액순환 촉진 등 질병 치료의 묘약」, 『뉴스타운』, 2016년 6월10일
8. 류승희, 「콩과 청국장의 항산화효과 및 항산화 원인물질에 관한 연구」, 인제대학교 대학원 석사학위논문, 식품생명과학과, 2001년
9. 류혜숙, 「생강 및 참취 추출물이 마우스 면역기능에 미치는 영향」, 숙명여자대학교 대학원 박사학위논문, 식품영양학과, 2004년
10. 류육현, 길흉화복을 좌우하는 수맥과 풍수, 「자치발전」, 2003(8)
11. 박민찬, 「"풍수는 자연의 진리… 국가 · 개인 운명 결정"」, 『데일리 한국 기사』, 2014년 8월 5일
12. 박소영, 「산죽(SAsa borealis)잎 추출물의 항고혈압 효과」, 인제대학교 석사학위논문, 식품생명과학과, 2012년
13. 서창원, 「건축물에 미치는 수맥영향의 인식구조에 관한 연구: 김천시를 중심으로」, 금오공과대학교 산업대학원 석사학위논문, 토목 · 환경 및 건축공학과, 2005년
14. 서울의대(2010), 약리학실, 소위 산발 개발
15. 이명호, 「원적외선 온열효과가 인체에 미치는 생리학적 영향 연구」, 『한일원적외선 SYMPOSIUM』, 9, 2003년, pp.7-23
16. 이문호, 『공학박사가 말하는 풍수 과학 이야기』, 김영사(2001)
17. 이영숙, 『생명장 보이지 않는 그물』, 서조 출판사(1998)
18. 이원재, 「수맥 있는 곳 토양 유해 부패세균 '득실 득실'」, 『부산일보』, 1999년 11월 13일

19. 이상명, 김형배, 『기(氣)는 과학이다』, 두산동아(1997)

20. 이충웅, 방건웅, 이상명, 『과학자들이 털어 놓은 氣이야기』, 양문출판사(1998)

21. 이재석, 『기(氣)와 생활풍수 인테리어』, 보성출판사(1997)

22. 이문호, 『공학박사가 말하는 풍수과학 이야기』, 청양출판사(2001)

23. 이동원, 「홍삼, 바이러스성 호흡기 질환 예방에 효과」, 『고려인삼 학회지(JGR)』, 2000년

24. 이미란, 「레드 비트 뿌리 추출물의 항산화 및 항염증 효과 연구」, 『한국식품저장유통학회지』, 24(3), 2017년, pp.413-420

25. 안국준, 『수맥과 풍수 길잡이』, 태웅 출판사(2003)

26. 윤숙현, 컬러에너지를 이용한 배꼽 경혈 요법이 중년 여성의 복부비만에 미치는 영향 연구, 동명대학교 복지 산업대학원, 2007년

27. 양수진. 홍주헌, 「명태 껍질 유래 콜라겐의 분자량에 다른 이화학적 특성 및 생리 활성 연구」, 『한국식품영양과학회지』, 43(10), 2014년, pp.1535-1542

28. 정진상, 정순열, 이종섭, 「수맥이 인체에 미치는 영향」, 『한국정신과학회 학술대회논문집』, 1998년

29. 정판선, 『생활수맥 건강수맥』, 동학사(1996), pp. 4

30. 조배식, 「머위의 항산화 효능 및 항균작용에 관한 연구」, 조선대학교, 2005년

31. 중앙일보, 「면역력 키우는 홍삼」, 2019년 2월 28일

32. 최경송, 『사람을 살리는 대체의학』, 창해(2008)

33. 최봉선, 「이런 견과 처음이죠?·· 호두 닮은 피칸(pecan)」, 『메디파나뉴스』, 2018년 6월 5일

34. 추순주, 허진선, 손기호, 「부처손 추출물의 항치매 효과 및 기전 탐색 연구」, 『생약학회지』, 47(4), 한국 생약 학회, 2016년

35. 통계청, 「사망원인 통계자료」, 2018년

36. 이동욱, 「암을 이기는 차(茶)」, 『투데이안』, 2009년 11월 19일

37. 고승희, 「로즈마리, 카모마일, 자스민…다 같은 허브가 아니다」, 『Real foods』, 2018년 10월 31일

38. 두산백과

39. 네이버 지식백과

40. 수맥탐사 전문가 과정, 한국 수맥교육연구협회
41. 위키백과
42. 지구병인성지대 유해파, 환경 에너지 연구소
43. A 22-year study of the current status of residential areas in 5348 cancer deaths, Dr. Hager, Germany, 1910-1932.
44. Dutch geologist trompet (1968) UNESCO Report: A Water Mac Exploration Report
45. Dr. Manfred Curre, Switzerland (1950), emphasized that cancer patients must live in the place without harmful water veins after surgery.
46. Baron Gustav Dr (1930) Germany: Earth Rays as Pathogenic Agents in Ilness and in Cancer: author
47. Kathe Bachler. (1988) Austria: A case study of 500 cancer patients assisted by a family survey of cancer patients.
48. Swiss manfred curry Dr.(1950) Cancer patients should live in the place without the water vein harmful wave
49. Gustav von Paul (1930), Germany, "Scientists do not get cancer unless theylive on the harmful waves of the water vein," the Central Committee on Cancer Research announced.
50. Asima Dutaroya. (2004) Sources October 5: Medical Pharmacy KISTI.: A Good Kiwi for Heart.
51. Anders. (2003) Cinnamon improves glucose and fat in diabetic patients. Study.
52. The American Journal of Diabetes (2018) Journal of Nutrition at the Boston Tufts School of Medicine: March. Nutrition, Nutrients, International Journal of Journals.
53. James O'Sheman (2015) at the University of Pittsburgh, United States.,: Preventing inflammation, immune response, wound healing, chronic inflammation and autoimmune diseases and other natural healing are helpful when the body, such as bare feet and hands, comes in contact with the surface of the earth.,Inflamation Research: International Journal
54. 日本労働省傘下の産業医学総合研究所で､日本の研究チームは､水脈の有害波に被覆し続け ると､がん､腫瘍細胞に抵抗力が落ちるという衝撃的な研究｡:ソース｡ネイバー

55. 大森隆(2016).亜鉛欠乏症診療ガイドライン:日本臨床栄養学会

56. 石原由美博士、長崎大学医学部。・民間療法の専門家、自然治癒、病気は冷え込み、血液の清掃、体温革命、体温1の上昇、免疫の5倍の上昇です。